JOHN KEEGAN
SELECTED WORKS

To Eamon

Best wishes

Tony Delaney
10/7/98.

John Keegan

Selected Works

Edited by
Tony Delaney

Galmoy Press

Published by Galmoy Press, Ráth Oisín, Crosspatrick, Co. Kilkenny.

Cover design based on illustration from *The third reader by the Christian Brothers* (3rd ed. 1931) 94, by kind permission.
Photograph on back cover depicts Grantstown Lake, Ballacolla.

Printed by ColourBooks Ltd, Dublin 13

Contents

Acknowledgements

FOR HIS advice and direction I am indebted to Dr Pádraig Ó Macháin, Dublin Institute for Advanced Studies, who enthusiastically supported and encouraged me from the beginning of this project.

I wish to acknowledge the co-operation of the following institutions in facilitating my research: Laois County Library; St Kieran's College, Kilkenny; The National Library of Ireland; The National Archives; The Gilbert Library, Dublin; The Central Catholic Library; The National Graves Association.

The financial support of the following sponsors is much appreciated: Laois County Council; Heritage House, Abbeyleix; Avonmore Waterford Group plc, Raheen Branch; AIB, South Richmond St, Dublin; AIB, Portlaoise; Bord na Móna, Cúil na Móna Works, Portlaoise; Denis O'Connor Motors, Roskelton, Mountrath; Telfords, Mountrath and Portlaoise; William Delaney Building Services, Killeaney; Grantstown Lake Development Company Ltd, Ballacolla; PMPA Insurance, Portlaoise.

For their patience, encouragement, and good humour, I thank my publishers, Galmoy Press.

Tony Delaney
Shanahoe

Cromogue Churchyard, Mountrath, 1856 (drawn by Canon O'Hanlon): *see p. 85.*

Introduction

JOHN Keegan of Killeaney, near Shanahoe, Co. Laois, was just thirty-three years of age when he died in 1849. During that short life, he wrote numerous tales and poems which give an account of Ireland as he knew it in the first half of the nineteenth century. It is to be regretted that the man and his writings are rarely heard of nowadays, except in his native Shanahoe, where his legacy is treasured for its value to local and national history, as well as for its literary content.

Canon John O'Hanlon, the Laois historian, was deeply interested in Keegan's works, and carried out extensive research on him at the beginning of this century. O'Hanlon died before his findings could be published, but his research formed the basis for a memoir of John Keegan prefixed by D. J. O'Donoghue to a selection of Keegan's work which was published in 1907.[1] This publication, now ninety years old, and long out of print, remains the only comprehensive account of the writer, and the only anthology of his work which has been published to date. It is the source for all subsequent biographical summaries, and because its authors had access to sources which cannot now be traced – namely, a series of twenty-four letters written by John Keegan[2] – the book remains a valuable source for Keegan's biography.

Quite a number of inaccuracies relating to Keegan's life appear in Canon O'Hanlon's work, however, and their correction is one of the objects of the present book. In addition, as we approach the one hundred and fiftieth anniversary of Keegan's death, a new selection and edition of his work is surely a desideratum, especially as his contemporaries – Carleton, Griffin, Mangan, and the Banim brothers, to name but a few – have all been the subject of studies, anthologies and biographies.

[1] J. Canon O'Hanlon, *Legends and poems by John Keegan* (Dublin 1907).
[2] It is unfortunate that the letters were not printed in full. Following O'Donoghue's death they were apparently offered for sale in 1919 (see *The Irish Book Lover* 10 (1919) 100–102.) and efforts by the present writer to trace them have proved fruitless. James Coleman appears to have had access to them in 1924: *Irish Book Lover* 14 (1924) 65.

The selection of stories and poetry of John Keegan contained in this edition is based on a systematic search of the primary sources for this material: the newspapers and periodicals of the first half of the nineteenth century. It is part of the result of a work in progress, the object of which is to collect, edit and publish Keegan's entire corpus.

I have included two Appendices in this book. Appendix 1 consists of ten previously unpublished letters written by John Keegan to John Daly, the bookseller, publisher and Irish scholar, June to September 1846.[3] These letters throw light on Keegan's literary ambitions, his working methods, his attitudes to his contemporaries, and, of course, on his private life, his marriage in particular. They also demonstrate the working relationship between Keegan and Daly: Keegan requesting information on Irish words and phrases from Daly – Keegan's knowledge of Irish was poor, Daly was a native speaker from Co. Waterford – and Daly seeking metrical versions of Irish translations from Keegan.

Appendix 2 contains two letters of John Keegan to *Dolman's Magazine* written in 1845 in defence of Irish priests who were, at the time, the subject of adverse publicity in sections of the English press. These letters give an interesting account of the role of the priest at baptism, marriage and funeral ceremonies at the eve of the Great Famine.

In his letter to John Daly, dated 23 June 1846 (Letter 5 below), John Keegan states that he was two years old in 1818. This suggests that he was born about 1816, and not in 1809 as deduced by O'Hanlon[4] and followed by everyone ever since.[5] O'Hanlon arrived at his date from the fact that Keegan was judged to be forty at the time of his death in 1849. This age was probably a guess, however, and all the more likely

---

[3]Reproduced here by kind permission of the National Library of Ireland. They were consulted by Benedict Kiely for a series of articles entitled 'Stories from Shanahoe', *Irish Times* 1, 8, 17 and 22 March 1978.

[4]*Legends and poems*, viii

[5]E.g. W. L. O'Kelly, 'John Keegan of Killeaney', *Carloviana* 1/15 (December 1966) 31–3; Robert Hogan (ed.), *Dictionary of Irish literature* (London 1996) 647; Robert Welch (ed.), *The Oxford companion to Irish literature* (Oxford 1996) 286.

to err on the older side given that Keegan was ravaged by illness at the time of his death.[6]

John Keegan was born in the townland of Killeaney, near the village of Shanahoe in Co. Laois, or Queen's County as it was then known. His parents lived in the home of Thomas Moloney, his mother's brother, a hedge-school teacher who, at that time, taught the local children in his home or, in suitable weather, out-of-doors.[7] Keegan's mother's name was Mary Moloney[8] – not Bridget, as given by O'Hanlon[9] – and he had one brother, believed to have been named Peter, who died at an early age. This brother is the subject of the poem entitled 'Lines Written on a Visit to my Brother's Grave' included below.

As the numbers of children seeking education increased, Thomas Moloney obtained alternative teaching accommodation in Shanahoe Chapel around 1822, and eventually, in 1830, Shanahoe School opened its doors for the first time, under Moloney's direction. O'Hanlon states that Keegan began assisting his uncle as a teacher in this school from a young age.[10] No evidence survives to support this claim, however. Shanahoe School was not taken over by the National Board of Education until May 1839, and the records in the National Archives, Dublin, show that Thomas Moloney was the sole teacher there from then until he retired in October 1855.[11]

At the age of twenty-one John Keegan made his first appearance in print when, on 22 April 1837,[12] the *Leinster Express* published 'The Rifleman's Grave'.[13] Also in 1837, a series of his tales and poems under the signature of Steelpen began appearing in the same newspaper. The obituary which appeared in the *Leinster Express* following Keegan's death assessed these writings as:

[6] In his account of himself in *Dolman's Magazine*, quoted below, Keegan describes himself as having 'premature grey hairs' in 1846.

[7] *British Parliamentary Papers 1826–7* XII, Appendix 22.

[8] See Letter 5.

[9] *Legends and poems*, vii.

[10] *Legends and poems*, xii.

[11] National Archives ED 2/38 ff. 52, 144.

[12] Not 6 May as stated by O'Hanlon, *Legends and poems*, xvi.

[13] Keegan's earliest dated composition is 'Verses written during the great solar eclipse May 15, 1836', which was not published until 14 October 1837 in the *Leinster Express*.

graphic and truthful delineations of the combinations which eventuated in the spread of agrarian outrages throughout the Queen's and adjoining counties, and which particularly cast a dark spot on the fair fame of Upper Ossory. Those tales were not without beneficial effect. The violators of the law were startled by the picture drawn of themselves by the hand of a master. They recoiled from the hideousness and infamy with which the pen of the poet was branding their brows; and the misguided peasantry of the locality were brought to a sense of the enormity of their nocturnal movements, more by the fervid preaching of one who sprung up amongst themselves, than by all the cumbrous machinery of Law Courts.[14]

Having thus established himself in the literary world, Keegan began contributing stories and poetry to several other newspapers and periodicals of the time such as the *Dublin University Magazine, Irish Penny Journal, Nation, Tipperary Vindicator, Irish National Magazine, Dolman's Magazine* and the *Irishman*. His letters to John Daly show that less than ten years after his first publication Keegan believed himself unfulfilled, and was contemplating the longer prose form of the novel:

> I *feel* that *nameless something* which warns me that I have the elements of some success about me.[15]

His best known poem, 'Caoch the Piper', was published in the *Irish National Magazine* 16 May 1846. In the same magazine, 20 June 1846, his poem entitled 'Song of the Irish Railway Labourer' appeared. In a letter to John Daly (Letter 6) he explains that the Bridgheen of this poem refers to the girl he is to marry. As this marriage, and its failure, had a bearing on Keegan's subsequent career, it is worth dwelling on the subject in the light of the Daly correspondence.

From these letters it would appear that Keegan's marriage to Brigid Collins was a hasty affair in the Summer of 1846, possibly undertaken under the influence of the supposed impending nuptials of John Daly

---

[14] *Leinster Express* 7 July 1849.
[15] Letter 1 below.

himself, which appear (see Notes) to have been a deception on Daly's part. Whatever the reason, in alluding to Daly's situation on 5 June Keegan (Letter 1) states that he is in no hurry to find a wife. Five days later (Letter 2), however, he announces his determination to marry, and the following day that he '*must* soon marry' (Letter 3). On 27 June he refers again to 'Keegan's intended', and after a letter of 5 July Daly hears no more from Keegan until 18 August (Letter 8) when the latter informs him that he has:

> got married under disagreeable circumstances and to a person rather unsuited to a man of my stamp, & what is worse, one against whom my friends and family entertain strong prejudices.

In a letter written two days later (Letter 9) Keegan again refers to his new wife in less than flattering terms:

> She is certainly not the best choice I could have made . . . I married her despite of my friends, and I hope I wont regret it . . . I hope she will give me no cause to curse the day I met her.

It is to be noted that the misgivings concerning the marriage are all on Keegan's side and those of his friends, and this calls into question the 'tradition' reported by O'Donoghue and Canon O'Hanlon that the Collins family were opposed to the marriage and that 'much of the unhappiness of Keegan's married life was caused by the feud between the two families which resulted from the marriage.'[16]

Also in doubt is their assertion that 'As her parents were absolutely opposed to the match, a runaway marriage was accomplished'.[17] This statement is contradicted by the notice of their marriage in *Dolman's Magazine*, October 1846, which shows that the marriage took place in the local church at Shanahoe:

> August 15th, at Shanahoe Roman Catholic Chapel, by the Rev. J. Dunne, Mr. John Keegan, of Killeaney, to Miss Brigid Collins, of said place.

[16] *Legends and poems*, xxi.
[17] Ibid., xx.

How long the marriage lasted is unknown. Certainly Keegan's verdict on the subject shows no marked difference in tone to his misgivings quoted above:

> All I will say is that it was undertaken rashly, and has turned out unhappily. She proved unworthy of me; indeed I deserved disappointment, for I *knew* well she was not in any manner suited to my feelings, my tastes, or my habits.[18]

One daughter was born to the couple and her baptism is recorded in the parish records of Raheen as follows:

> 20th November, 1847. Bridget of John Keegan and Bridget Collins, Killeaney. Godparents James Fitzpatrick and Judy Collins, Killeaney.

By this time Keegan appears to have moved to Dublin: O'Hanlon and O'Donoghue refer to letters by Keegan dated May 1847 from 8 Lower Bridge Street in Dublin. Whether or not he had any further contact with his wife and child is not known, and, of course, a year later he was dead.

It is ironic that Canon O'Hanlon believed that Keegan's daughter died in May 1896 at Abbeyleix Railway Station.[19] The Brigid Keegan who died there was in fact Keegan's wife. The daughter did not die until 14 January 1910, three years after the publication of *Legends and poems*. Thus, unknown to the authors, an important source of information on Keegan was overlooked.

Of John Keegan's final years little is known. It is thought that he eked out a living in journalism in Dublin.[20] By late 1848 epidemic cholera had begun to sweep through the country, exacerbating the already dire situation due to the continued failure of the potato crop. In a poem published in November of that year, Keegan, addressing the Cholera directly, pleaded with the disease to spare him from its all-powerful grasp:

[18] Ibid., xxi.
[19] Ibid.
[20] There is no evidence in the Relief Commission Papers in the National Archives to support O'Hanlon's contention that Keegan was clerk of a famine relief committee in Co. Laois 1846–7.

But if you're strong, be merciful, and spare
   The trembling poet to his country's cause;
Oh! let his sons inspire thee to forbear
   And in thy march of crimson havoc pause.[21]

Keegan's appeal was in vain. He was in England around March 1849, and from the evidence of one of his last known compositions, 'Sonnet on Sickness' (included below), he was already ill at that time and talking of his 'untimely drooping in the flower of youth'. Some time between then and June, he returned to Dublin.

The cholera epidemic was to last until June 1849, reaching its height in April of that year.[22] Dublin was spared no more than anywhere else. To cater for the numbers of afflicted, cholera sheds were erected in the Rialto/Kilmainham area, as an extension of the poorhouse which is now St James's Hospital. To these sheds Keegan's fellow-poet, James Clarence Mangan, was admitted in early June. Mangan left the sheds shortly afterwards and died in the relative comfort of the Meath Hospital on 20 June, aged forty-six.[23] Ten days later, on Saturday 30 June, John Keegan died in the same cholera sheds. He was thirty-three years old.

Our knowledge of the circumstances of his death are the result of Canon O'Hanlon's researches,[24] but the precise date was unknown until now. The obituary in the *Leinster Express*, quoted above, appeared on Saturday 7 July 1849, and it refers to Keegan's death having taken place 'at Dublin early on the morning of last Saturday'. This fixes his date of death precisely. The location of his grave in Glasnevin Cemetery is still lacking clarification, however: it is certain that the grave-number given by O'Hanlon (Z.G.48) is incorrect.[25]

****

[21] *Cork Magazine* 2 (November 1848) 40–41.

[22] Christine Kinealy, *This great calamity: the Irish famine 1845–52* (Dublin 1994) 252–3.

[23] Ellen Shannon-Mangan, *James Clarence Mangan: a biography* (Dublin 1996) 418–21.

[24] *Legends and poems*, xxxi.

[25] Information from Glasnevin Cemeteries Group.

In so far as he receives any mention to-day, the term 'peasant poet' is generally employed with reference to John Keegan. This refers, not so much to his own origins, as to the subject matter of his prose and poems. This image of himself as a writer at one with the plain people, is one which he himself actively encouraged. We see it time and again in his correspondence with John Daly, even in the references to his marriage where he states his intention 'to have a country girl': 'Plain and unassuming in *my own* habits, the "bone of my bone" must not be a high-flyer' (Letter 3).

The following is his own description of himself in *Dolman's Magazine*:

> I was born and reared amid the scenes and amongst the people of whom I am about to write. The sunny hours of my childhood were passed amongst them, so were those of my boyhood; and now, manhood and premature grey hairs find me still 'one of the people' of that dearly-loved village in which I first drew breath. You must remember, too, that I have been not merely amongst those people, but with them; I am of them, and belonging to them. Their blood is mine; we are descendants of the same ancestry, and, as I was born amongst them, I have ever continued regarded by them as a friend, a relative, a brother. I have witnessed their misery and their oppression, and – I blush not to avow it, – have shared in their privations and political degradation. Their thoughts have been mine, and my ways were assimilated in almost every respect to theirs. I joined them in the labours of the field, at the foot-ball and the hurling match; I met them at the wake, the wedding, the funeral, and the dancing-school; and in the humble little chapel of the village, I meet them every Sabbath, kneel with them at the mass, and worship God according to the cherished mode of our forefathers. I love those people, and in their own affectionate language, – 'there is no love lost'. I have joined them since my childhood in all their struggles for constitutional liberty, and if occasion required it, I would go with them to-morrow to the mountain-encampment, the battle-field, the gallows, or the triangle, to assert our indefeasible right to the same glorious privilege. In my early childhood, I 'scratched' my signature to their petitions for Emancipation and Reform, and

when begging became unfashionable, and when Irishmen began to feel that they had a name and a country worth fighting for, I joined my shout for nationality with that of the millions in the 'Monster Meetings' of 1843. In the hour of peril and of gloom, my old companions ask me, 'What hope is there for us now?' And when the horizon grows brighter, their joy is not unknown to me. When O'Connell and his co-conspirators were thrust into the cells of Richmond, I was asked, 'Are we to go to the grave in slavery, as our fathers went before us, or are we to grasp the pike and the dagger, and conquer or die, beneath the green folds of Erin's banner?' And then, when the honour and the honesty of Englishmen set them at liberty, the Repeal band of the parish echoed at my door, and I was invited to dance at the monster bonfire which blazed on one of the high places of the neighbourhood, in honour of the joyous and memorable event.

Circumstanced thus, and so living on such a footing, and for so long a period, I cannot help having accumulated a considerable knowledge of Ireland and her people, particularly her peasantry.[26]

Keegan, of course, is as much a product of his times as he is of his own personal circumstances. The interest in peasant life and culture was not confined to Co. Laois, but was part of the Romantic movement of the second half of the eighteenth century and the first half of the nineteenth. The championing of rural life and the literature of the common man, which in turn prompted investigations of folklore and vernacular literatures, produced in Ireland a group of writers, contemporary with Keegan, who found a receptive audience for their writings: Maria Edgeworth, Gerald Griffin, John Banim, William Carleton, Edward Walsh, and, of course, James Clarence Mangan, who, more than anyone else, in his life and death, epitomised the archetypical tragic Romantic genius.[27]

Keegan was also, in his own way, a political writer, contributing many items to the *Nation*, and following the progress of the Repeal movement and that of the Young Irelanders with keen interest.

[26] *Dolman's Magazine* February 1846.
[27] Keegan knew Mangan, as he reveals in the lost letters from which O'Hanlon and O'Donoghue published extracts, *Legends and poems*, xxvii–xxviii.

His poems 'Devil May Care' and 'To T. F. M.', both included in the present collection, display humour and passion respectively in addressing the national issue. Optimism is a feature of both poems also, and the abiding sense of optimism is what remains from a reading of his entire work. Even in a poem composed during his final illness, 'Sonnet on Sickness', his tone is more one of resignation than despair.

The one hundred and fiftieth anniversary of John Keegan's death will take place in June 1999. It is almost in keeping with his complex and unfulfilled life as a writer that Keegan should have been neglected, if not entirely forgotten, by the present century. The selection of his work offered in the present book is a step towards redressing that neglect. If any interest in John Keegan is rekindled as a result of this book, I shall be more than rewarded.

The Boccough Ruadh

A Tradition Of Poorman's Bridge

THE River Nore flows through a district of the Queen's County celebrated for fertility and romantic beauty. From its source amongst the blue hills of Slieve Bloom to its termination at New Ross, where its bright ripples commingle with the briny willows of the Irish sea, many excellent and even some beautiful bridges span its stream. Until the commencement of the last century, however, except in the vicinity of towns, there were but few permanent bridges across this river, and in the country districts access was gained over it chiefly by means of causeways, or, as they are termed, 'fords', constructed of stones and huge blocks of timber fixed firmly in the bed of the river, and extending in irregular succession from bank to bank. Over this pathway foot passengers crossed easily enough, but cattle and wheeled carriages were obliged to struggle through the water as well as they could; but in time of floods, and in the winter season when the waters were swollen, all communication was cut off except to pedestrians alone.

One of those 'fords', in former times, crossed the Nore at Shanahoe, a very pretty neighbourhood, about three miles northwards of the beautiful and rising town of Abbeyleix, in the Queen's County. The river here winds its course through a silent glen, and now several snug cottages and farm-houses arise above its banks at either side. The country in this neighbourhood is remarkably beautiful. Several gentlemen's seats are scattered along the banks of the river in this vicinity, all elegant and of modern erection, whilst swelling hills, sloping dales, gloomy groves, and ruins of church and tower and 'castle grey', ornament and diversify the scene.

On a gentle eminence on the eastern bank of the river stood, about a hundred years ago, the cabin of a man named Neale O'Shea. At that period there was not another dwelling within a long distance of the 'ford', and many a time was Neale summoned from his mid-night repose to guide the traveller in his passage over the lonely and dangerous river pathway.

One wild stormy December night, when the huge limestone rocks that formed the stepping-stones of the ford were lashed and chafed by the angry foam of the agitated river, Neale O'Shea's wife fancied she heard, amid the fitful pausings of the wind, the cry of some mortal in distress. She immediately aroused her husband, who was stretched asleep on a large oak stool in the chimney corner, and told him to look out. Neale, ever willing to relieve a fellow-creature, arose, and, flinging his grey 'trusty' over his expansive shoulders, and seizing a long iron-shod pole or wattle, the constant companion of his nightly excursions, hastened down to the river's brink. He stood a moment at the verge of the ford, and tried to penetrate through the intense gloom, to see if he could discover a human form, but he could see nothing.

'Is there any one there?' he shouted in a stentorian voice, which rose high above the whistling of the blast, and the brawling of the angry and swift-rushing river.

A voice sounded at the other extremity of the ford, and the stout-hearted peasant, with steady step, crossed over the slippery stepping-stones.

'Who the devil are you?' roughly exclaimed Neale to a man who lay extended on the brink of the river, convenient to the entrance of the ford.

'Whoever I am,' faintly replied the stranger, 'you are my good angel, and it was surely Providence who sent you this night to rescue me from a watery grave.'

'Whoever you are,' again said Neale, 'come along with me, and Kathleen and the children will make you welcome in my cabin until morning.' So saying, he seized the bending form of the wayworn stranger, and flinging him on his back with herculean strength, trudged over the stepping-stones, chuckling with delight, and gaily whistling as he went.

The dangerous pass was soon crossed, and arriving at the door, Neale pushed it before him, and with a smile deposited his trembling burthen on the warm hearth. A fine fire blazed merrily, and its flickering beams fell brightly on the face of the stranger. He was a tall, portly figure, stooped as if from extreme suffering more than age, and had a wooden leg. His features, which had evidently been hand-some in his youth, were worn, pale, and attenuated, and he might be about fifty years of age. His clothes were faded and ragged; he was entirely without shoes or stockings; and his head was covered by a broad-brimmed leathern hat, under which he wore an enormous red nightcap of coarse woollen cloth.

The good Kathleen now set about preparing supper, and while thus employed, the stranger gave them a brief account of his bygone life. He told them that he was a native of the north of Ireland, and that he had spent several years of his youth at sea; and that being wounded in a fray with smugglers on the coast of France, and losing his leg, he was discharged from his employment, and sent adrift on the world, without having one friend on earth, or a penny in his pocket. In this exigence he had no alternative but to apply to the commiseration of his fellow-creatures, and had thus for the last twenty years wandered up and down, entirely dependent on the bounty and charity of the public.

Supper was now ready, and having partaken of a comfortable meal, the wanderer went to rest in a comfortable 'shakedown', which the good woman had prepared for him in the chimney corner. The storm died away during the night, and next morning the watery beams of the winter's sun shone faintly yet gaily on the smooth surface of the silvery Nore.

The stranger was up at sunrise, and was preparing to depart, but his kind host and hostess would not permit him to go. They told him to stop a few days to rest himself, and in the interim, that he could not do better than take his stand at the ford, and ask alms of those that passed the way, as a great many frequented that pass; and as nothing was ever craved from them there, they would cheerfully extend their charity to an object worthy of relief.

Acting on their suggestions, the old sailor was soon sitting on a stone at the western extremity of the ford. With his old caubeen in his hand, and his head enveloped in the gigantic red nightcap, he craved alms, in the name of God and the Virgin, from all who passed the way; and before the sickly beams of the December sun had sunk behind the conical 'Gizebo', he could show more money than ever he did before, since his limb was swept off by the shot of the smuggling Frenchman.

The next morning, and every morning after, found the sailor at his post at the ford: he soon became well known to all the villagers, and from the circumstance of his always appearing with no other head-gear than the red nightcap, they nicknamed him the 'Boccough Ruadh', a name by which he went ever after till his death.

Time passed on as usual, and the one-legged sailor still plied his lucrative vocation at the river pass. Neale O'Shea's cabin still continued to afford him shelter every night, and all his days, from the crow of the cock to the vesper song of the wood-thrush, were passed at the ford, seated on that remarkable block of limestone called to this day the 'Clough-na-Boccough'. His hand was stretched to every stranger for alms, 'for the good of their souls', and very few passed without giving more or less to the Boccough Ruadh. Thus he acquired considerable sums of money, but constantly denied having a 'keenogue'; but when bantered by any of the neighbouring urchins on the length of his purse, he would get into a great rage, and swear, by the cross of his crutch, that between buying the shough of tobacco and paying for other things he wanted, he hadn't as much as would jingle on a tomb-stone, or what would buy a farthing candle to show light to his poor corpse at the last day. His food was of the very worst description, and unless supplied by the kind-hearted Kathleen O'Shea, he would sooner go to bed supperless than lay out one penny to buy bread. He suffered his clothes to go to rags, unless when any person in the neighbourhood would give him old clothes for charity, and he would not pay for soap to wash his shirt once in the twelvemonth. Yet no one could find out what he did with his money; he did not spend two-and-sixpence in the year, and it was people's opinion that he was hoarding it up to give for the benefit of his soul at his dying day.

Years rolled away, and Neale O'Shea having now waxed old, died, and was gathered to his fathers in the adjacent green churchyard of Shannikill, on the banks of the winding Nore. The Boccough followed the remains of his kind benefactor to his last earthly resting-place, and poured his sorrows over his grave in loud and long-continued lamentations. But though Neale was gone, Kathleen remained, and she promised that while she lived, neither son nor daughter should ever turn out the Boccough Ruadh.

It was now forty years since the Boccough first crossed the waters of the Nore, and still he was constantly to be found from morning till night on his favourite stone at the river side. In the mean time, all O'Shea's children were married, and separated through various parts of the country, with the exception of Terry, the youngest, a fine stout fellow, now about thirty-five years of age, who still remained in a state of single blessedness, and said he would continue so, 'until he would be after laying the last sod on his poor old mother'. With gigantic strength, he inherited all his father's kindness of heart and undaunted bravery, and he was particularly attentive to the Boccough, whom he regarded with the same affection as a child would a parent.

One morning in summer, the Boccough was observed to remain in bed longer than was his custom, and thinking that he might be unwell, Terry went to his bedside, and demanded why he was not up as usual.

'Ah, Terry, *alanna*,' said the old man sorrowfully, 'I will never get up again until I do upon the bearer. My days are spent, and I know it, for there is something over me that I cannot describe, and I won't be alive in twenty-four hours.' And as he said these words, he heaved a deep groan, whilst Terry, wiping his eyes with the sleeve of his coat, wept bitterly.

'Will I go for the priest?' demanded Terry, sobbing as if his heart would break.

'No,' replied the old man sorrowfully, 'I do not want him. It is long since I complied with my religious duties, and now I feel it is useless.'

'There is mercy still,' replied Terry; 'you know the ould sayin:

> Mercy craved and mercy found
> Between the saddle and the ground.'

The old man replied not, but shook his head, indicating his determination to die without the consolations of religion, whilst Terry trembled for his hopeless situation.

'Well, since you won't have the priest, will you give me some money till I bring you the doctor?' said Terry.

The old man's eyes literally flashed fire, his form heaved with rage, and his countenance displayed demoniac indignation.

'What's that you say?' he demanded in a ferocious tone.

Terry repeated the question.

'Send for the doctor! – give you money!' echoed the old man. 'Where the devil would I get money to pay a doctor?'

'You have it, and ten times as much,' said Terry, 'and you cannot deny it.'

'If I have as much money as would buy me a coffin,' said the Boccough, 'may my soul never rest quiet in the grave.'

Terry crossed his brow with terror. He knew the unhappy wretch was dying with a lie on his tongue, but he resolved not to press the matter further.

'You are dying as fast as you can,' remarked Terry; 'have you any thing to say before you go?'

'Nothing,' replied he faintly. 'But let me be buried with my red nightcap on me.'

'Your wish must be granted,' said Terry, and he went to awake his old mother, who still lay asleep. When he returned, he found the old man breathing his last. He uttered a convulsive groan, and expired.

He was washed and stretched, and waked, with all the honours, rites, and ceremonies belonging to a genuine Irish wake; and on the third day following, being the Sabbath, he was followed to the grave by crowds of the village peasantry, who remained in the churchyard until they saw his remains deposited, as they thought for ever, in the rank soil of the 'City of the Dead.'

Many rumours were now current respecting the Boccough's money. Every one but Terry believed that the 'lob' fell with Terry himself. But Terry, who knew better, believed and affirmed that 'what was got under the devil's belly, always goes over his back', and that the 'old boy' had taken the spoil, and that it lay concealed in some crevice in the bank of the river.

The night following the burial of the old sailor was passed in a very disturbed and agitated manner by Terry O'Shea; he could not sleep a wink; and when he fell into a slumber, he started and moaned, and appeared frightened and annoyed.

'What ails you?' affectionately demanded his old mother, who slept in the same room, and who was kept awake by her son's restless and disturbed manner.

'I don't know, mother,' said Terry; 'I am so frightened and tormented with dreaming of the Boccough Ruadh, that I am almost out of my natural senses. Even at this moment I think I see him walking the room before me.'

'Holy Mary, protect us!' ejaculated the old woman. 'And it is no wonder that his misfortunate soul would be star-gazing about – and to die without the priest, and a curse and a lie in his mouth!'

Terry groaned agitatedly.

'And how does he appear in your dreams?' asked the old woman.

'As he always was,' replied Terry. 'But I think I see him pointing to his red nightcap, and endeavouring to pull it off with his old withered hand.'

'Umph!' said the old woman, in a knowing tone. 'Ha! ha! I have it now. Are you sure that the strings of his nightcap were unloosed before he was nailed up in the coffin?'

'I don't know,' was the reply.

'I'll go bail they weren't,' said the old woman; 'and you know, or at any rate you ought to know, that a corpse can never rest in the grave when there is a knot or a tie upon any thing belonging to its grave-dress.'

Terry emitted another deep groan.

'Well, *acushla*,' said the old mother, 'go to-morrow, and take a neighbour with you, and open the grave, and see if any thing be asthray. If you find the nightcap or any thing else not as it should be, set it to rights, and close the grave again decently, and he will trouble you no more.'

'God send,' was Terry's brief but emphatic response.

Early next morning Terry was at the Boccough's grave, accompanied by a man of the neighbourhood. The coffin was opened, the corpse examined, and, according to the mother's prediction, the red nightcap was found knotted tightly under the dead man's chin. Terry proceeded to unloosen it, and in the act of doing so, a corner of the nightcap gave way, and out peeped a shining golden guinea.

'Ah ha!' mentally exclaimed Terry, 'that's no blind nut anyhow; there's more where that was, but I had better keep a hard cheek!' So, without seeming to appear any way affected, he opened the knot, closed the coffin, shut up the grave, and departed homewards, without acquainting his comrade with what he had seen.

The moment Terry entered his own door, he told his mother about the guinea, and expressed his determination to go that very night, and fetch the red nightcap home with him, 'body and bones and all, for,' added he, 'that guinea has its comrade; and I'll hold you a halfpenny there's where the old dog has the 'lob' concealed, and that's what made him order me to have the red cap buried with him.'

'*Asthore machree*,' said the mother doubtingly, 'won't you be afraid?'

'Afraid!' echoed Terry, 'devil a bit – afraid indeed! and my fortune perhaps in the red nightcap.'

The mother consented, but enjoined him to tell nobody about the matter for fear of disappointment. Terry vowed implicit obedience, and retired to his usual avocations in the garden.

Well, at last the night came, and Terry set about preparing for his strange undertaking. All the arts and prayers and charms of old Kathleen were put in requisition to preserve him from danger; and about the witching hour of twelve, with his spade on his shoulder, and his dhudeen in his mouth, the bold-hearted Terry set forward all alone to the graveyard, shaping his course by the winding banks of the glassy river, and whistling as he went – not 'for want of thought', however, for never was man's mind more busily occupied than was Terry's, in predisposing of the money which he expected to find in the Boccough Ruadh's nightcap.

After a short walk, Terry arrived at the precincts of the church-yard. It was a lovely summer's night, the full moon shining gloriously, and myriads of pretty stars blinking and twinkling in the blue expanse, but all their native lustre was drowned in the borrowed splendour of the Queen of Heaven. Terry stood a moment to reconnoitre, and, resting on his spade, looked around with an anxious gaze. He could discover nothing; all was silent as the departed beneath his feet, except the murmuring of the river's surges in the rear, or the barking of some village cur-dog in the hazy distance. He advanced to the grave of the Boccough, and in a few minutes the ghastly moonbeams shone full on the pale grim features of the dead. He snatched the night-cap quickly from the bald head of the corpse, put it in his pocket, and, notwithstanding the awe and superhuman terror under which he laboured, he chuckled with delight as he remarked the '*dead* weight' of the Boccough's head-gear. He then closed the coffin, and as he proceeded to cover it, the clay and stones fell on it with an appalling and unearthly sound. The grave now covered up, the intrepid fellow again shouldered his spade, and sought the river's margin, and as he strode hurriedly along its banks in the direction of his home, the splash of the otter and the diving of the water-hen more than once broke the thread of his lonely musings.

Terry was soon at his mother's side, who since his departure had been on her knees, praying for his safe return. The nightcap was ripped up, and, lo! three hundred golden guineas were the reward of Terry's churchyard adventure! Stitched carefully in every part of the huge nightcap, the gold lay secure, so as not to attract the notice of any one, or cause the least suspicion of its proximity to the old man's pericranium.

Terry and his mother were in ecstacies. Farms were already purchased in ideality, cattle bought, houses built, and even Terry began in his mind to make preparations for his wedding with Onny Kinshellagh, a rich farmer's daughter of the neighbourhood, for whom he had breathed many a hopeless sigh, and who, in addition to her beauty, was possessed of fifty pounds in hard gold, a couple of good yearlings, and a feather-bed as broad as the 'nine acres'.

The mother and son retired to bed, as happy as the certain possession of wealth, and the almost as certain expectations of honour and distinction, could make them. After a long time spent in constructing and condemning schemes for the future, Terry fell asleep. He had not slept long, however, when he started up with a loud scream, crying out, 'the Boccough! the Boccough!' 'Och, weary's on him for a Boccough!' exclaimed the mother; 'is he coming for the nightcap and the *goold*?'

'Oh, no,' said Terry, calmy; 'but I was again dreaming of him, and I was frightened.'

'What did you dream to-night?' asked the old woman.

'I was dreaming that I was going over the ford by moonlight, and that I saw the Boccough walking on the water towards me; that he stopped at a certain big stone, and began to examine under with his hands; that I came up, and asked him what he was searching for, when he looked up with a frightful phiz, and cried out in a horrible voice, "For my red nightcap!"'

'God Almighty never opened one door but he opened two,' exclaimed old Kathleen. 'Examine under that stone tomorrow, and by all the cottoners in Cork, you'll find another 'lob' of money in it.'

'Faix, maybe so,' replied Terry; 'it's no harm to say "Godsend", and that God may make a thief of you before a *liar*.'

'Amen, *achiernah*,' replied Kathleen.

Next morning at daybreak, Terry got up, and proceeded to the identical stone where he fancied that he had seen the spirit of the Boccough. He examined it closely, and after a strict search, discovered in the sand beneath the rock a leathern pouch full of money. He seized it joyfully, and on counting its contents, found it amounted to upwards of a hundred pounds, all in silver and copper coins.

'What a lucky born man you are, Terry O'Shea!' cried the over-joyed gold-finder, 'and what a bright day it was for your family that the Boccough Ruadh crossed over the waters of the Nore.'

'It was not a bright day at all, but a wild, gloomy, stormy night,' said the old woman, who, unperceived, had followed her son to watch the success of his expedition.

'No matter for that,' said Terry; 'there never was so bright a day in your seven generations as that dark night; I am now the richest man of my name, and I would not, this mortal minute, call Lord De Vesci my uncle.'

It is easier for the reader to imagine than for the writer to describe the manner in which this joyful day was passed by the happy mother and son. Now counting and examining the gold, and again proposing plans, and considering the best purposes to which it could be applied, they passed the hours until the summer sun had long sunk behind the crimson west.

Terry was again in bed, when he started with a wild shriek 'Mother of mercy!' he frantically vociferated, 'here is the Boccough Ruadh; I hear the tramp of his wooden leg on the floor.'

'Lord save us!' said the old woman in a trembling voice, 'what can ail him now? Maybe it's more money he has hid somewhere else.'

'Oh, do you hear how he rattles about! Devil a *kippeen* in the cabin but he will destroy,' exclaimed poor Terry. 'It's a black day to us that ever we seen himself or his dirty thrash of money; and if God saves me till morning, I'll go back and lave every rap ov id where I got it.'

'That would be a murdher to lave so much fine money moulding in the clay, and so many in want of it; you shall do no such thing,' said the mother.

'I don't care a straw for that,' said Terry. 'I would not have the ould sinner, God rest his sowl, stravagin' every other night about my honest decent cabin for all the *goold* in the Queen's County.'

'Well, then,' says the old woman, 'go to the priest in the morning, and leave him the money, and let him dispose of it as he likes for the good of the ould vagabond's misforthunate soul.'

This plan was agreed to, and the conversation dropt. The ghost of the Boccough still rattled and clanked about the house. He never ceased stumping about, from the kitchen to the room, and from the room to the kitchen. Pots and pans, plates and pitchers, were tossed here and there; the dog was kicked, the cat was mauled, and even the raked-up fire was lashed out of the 'gree-sough'. In fact, Terry declared that if the devil or Captain Rock was about the place, there couldn't be more noise than there was that night with the Boccough's ghost, and this continued without intermission until the bell of Abbeyleix Castle clock was tolling the midnight hour.

Terry was up next morning at sunrise, and having packed up the money which was the cause of all his trouble in his mother's check apron, proceeded with a heavy heart to the residence of the priest, about two miles from the present Poorman's Bridge. The priest was not up when Terry arrived, but being well known to the domestics, he was admitted to his bed-chamber.

'You have started early,' said the priest; 'what troubles you now, Terry?'

Terry gave a full and true account of his troubles, and concluded by telling him that he brought him the money to dispose of it as he thought best.

'I won't have any thing to do with it,' said the Father. 'It is not mine, so you may take it back again the same road.'

'Not a rap of it will ever go my road again,' said Terry. 'Can't you give it for his unfortunate ould sowl.'

'I'll have no hand in it,' said the priest.

'Nor I either,' said Terry. 'I wouldn't have the ould miser *polthogueing* about my quiet floor another night for the king's ransom.'

'Well, take it to your landlord; he is a magistrate, and he will have it put to some public works connected with the county,' said the priest.

'Bad luck to the lord or lady I'll ever take it to,' said Terry, making a spring, and bounding down the stairs, leaving the money, apron and all, on the floor at the priest's bedside.

'Come back, come back!' shouted the Father in a towering passion.

'Good morning to your ravirince,' said Terry, as he flew with the swiftness of a mountain deer over the common before the priest's door. 'Ay, go back, indeed; catch ould birds with chaff. You have the money now, and you may make a bog or a dog of it, whichever you plaise.'

In an hour after, the priest's servant man was on the road to Maryborough, mounted on the priest's own black gelding, with a sealed parcel containing the Boccough's money strapped in a portmanteau behind him, and a letter to the treasurer of the Queen's County grand jury, detailing the curious circumstances by which it came into his possession, and recommending him to convert it to whatever purpose the gentlemen of the county should deem most expedient.

The summer assizes came on in a few days, and the matter was brought before the grand jury, who agreed to expend the money in constructing a stone bridge over the ford where it was collected.

Before that day twelvemonth, the ford had disappeared, and a noble bridge of seven arches spanned the sparkling waters of the Nore, which is here pretty broad and of considerable depth. From that day to this it is called the 'Poorman's Bridge', and I never cross it without thinking of the strange circumstances which led to its erection.

The spirit of the Boccough Ruadh never troubled Terry O'Shea after, but often, as people say, amid the gloom of a winter's night,

Poorman's Bridge, Shanahoe

or the grey haze of a summer's evening, may the figure of a wan and decrepid old man, with his head enveloped in a red nightcap, be seen wandering about Poorman's Bridge, or walking quite 'natural' over the glassy waters of the transparent Nore.

The Dihreoch's Legacy

SCATTERED over the length and breadth of 'the Green Isle', are numerous, commodious, and many beautiful, Roman Catholic chapels and houses of public worship. The ugly, uncouth thatched sheelings of the last century have nearly all disappeared, and are replaced by substantial edifices of stone and mortar, with slated or tiled roofs, well-glazed windows, and in many instances, with light graceful spires or plain massive steeples and bells. The Catholic priest is no longer hunted as a beast of prey through the bogs and fastnesses of his native land, nor is the faithful, patient Catholic peasant compelled, as in the days of old, to steal to the lonely glen or mountain cavern, to 'hear the word of God', or bend his knee to worship in the manner of his ancestors – those sleeping martyrs who wept and bled, and suffered persecutions for 'the faith that was in them', that one true faith which they kept with undying fidelity, and transmitted to their children of the present and future generations. The Irish Catholic can now breathe as freely as any other of his fellow-subjects, and when he gazes on the grey steeple of the village chapel, and hears through the sacred haze of the Sabbath morning, the deep-pealing bell calling the gay, light-hearted peasantry to early mass, he may well-uphold his brow in triumph and pour forth his thankfulness to that providence which preserved to the old 'Isle of Saints', that saving faith, without which there is no true happiness on earth, and no final blessing from above.

Though plain and small, one of the prettiest and most convenient of those rural Catholic chapels is that of Shanahoe, in the Queen's County, the beautiful little 'house of God', where the writer of this tale some five-and-twenty years ago, first bent his tiny knees in public worship, and where, ever since, he has appeared each Sabbath, to join in prayer and sacrifice with the friends and playmates of his childhood and youth. This chapel possesses peculiar attractions, and is invested with peculiar interest.

Situated in a retired, but beautiful and highly-improved district of country – a district too, eminently rich in antiquarian remains and historic associations; it forms a pleasing and a soothing feature in the scene. At a little distance eastward flows in calm unruffled tranquility, the silver waters of the river Nore, its banks studded, in the vicinity, with monastic and military ruins. In this neighbourhood, too, will be found the cave of the Firbolg, the rath of the Dane, the Norman castle, and Cromwellian bawn; whilst about a mile westwards lies the classic vale of Gurtnaclea – i.e. 'the plain of wattles, or the plain of stakes', where the Mac Giolla Phadruig, dynast of Ossory, treacherously led his warriors to way-lay the Dalcassian heroes on their return from the battle of Clontarf. But independent of these considerations, this chapel boasts another matter which must render the place highly interesting to the traveller, the virtuoso, the man of taste, and the lover of the mysterious and the curious. This is a splendid portrait of St. Peter, holding the keys in the usual position, encased in a richly gilt frame. This magnificent picture is attributed to different masters; but at all events, it is of considerable antiquity, and allowed by competent judges to be one of the finest paintings in the British islands, or perhaps in Europe.

Besides its inimitable beauty, this picture derives very much interest from the romantic circumstances attending its introduction to the little chapel, of which it now forms such a rare ornament. These incidents I am about to relate: they have never before met the public eye, and I shall offer no introductory remark farther than to say, that how improbable or strange soever my story may appear, the truth of the *leading* features or circumstances of the narrative, cannot, as far as I can learn, be, even for a moment, disputed.

About forty years ago, one dreadful day in mid-winter, an old man, feeble and bending, tottered, with the aid of a long iron-shod wattle, which he carried in his withered hand, to the door of a snug-looking public-house, which then stood on the 'cross, or four-roads' of the village of Shanahoe. The stranger's step was slow and painful, for he was faint and way-worn, and the biting west-wind, and the cutting cold sleet-shower, was driving full bang in his pale face, as he struggled to open the door of the 'Fighting Cocks'.

'God bless all here,' said the old man in Gaelic as he stood on the threshold, and cast a wistful glance on the brilliant turf fire which blazed so red and so tempting on the clean well-swept hearth of the village hostelry.

'Amen, – all but the cat and the dog,' replied Mrs. Carwell gruffly, as she poked her red fat face from the chimney-corner to scrutinize the appearance of the stranger.

'Ah then, mistress *agrah*, for the love of God and His Virgin Mother, would you let me in to-night to your chimney-corner, for in troth I am not able any longer to endure the piercing severity of this tremendous blast that's blowing.'

'Indeed, and I will not,' replied the woman, unceremoniously. 'A public-house is no place for strollers, and even if it were, I have no accommodation for *you* at this present.'

'No way for me, is it,' echoed the old man. 'I want nothing but the shelter of your roof until morning. I have my own blanket in this little wallet on my back, and I have as many cold potatoes as will do for my supper,' and he exhibited his miserable stock of provisions in a tin can which hung from a horse-hair girdle, beneath the tattered remnants of his old grey frieze bang-up.

'Who are you, or what are you, or what keeps you out on the *Shaugh-rawn* this wicked-blowing day?' asked the landlady.

'As to *who* I am,' replied the wanderer, 'it matters little. I am a Dihreoch by profession, and did not sleep two nights endwise in the same house these twenty years. I never troubled you before, and probably never will again; so let me in to-night, and may God never shut the gate of paradise before your soul.'

'Go and try at Denny Bergan's, he has a good warrant to give lodgings to shoolers,' said the woman.

'Jem Rooney, the tinker, and his whole retinue are there to-night,' said Mrs. Carwell's husband, speaking in an under-tone from the fire-place.

'Aye, and Mat Carroll's is crammed, from the hearth to the dresser, with boccoughs and beggars, going to the fair of Ballinakill to-morrow,' observed a little chubby-face gorsoon, who was devouring a piece of bread and butter at his father's knee in the warm corner.

'The worse luck now, the better to-morrow,' said the unfeeling woman, accompanying her observation with a signal to the old man that his presence at her door was no longer desirable.

'Must I go?' asked the wretched man, whilst his palsied limbs shook with cold and weariness, and a big tear rolled slowly down his furrowed cheek.

'Aye, while your shoes are good,' answered the hardened Mrs. Carwell.

'Shoes *inagh*,' said the trembling stranger. 'Shoes! I did not know the comfort of shoe or stocking these twenty long years and more,' and he looked as if mechanically at his thin legs and naked feet, all blistered with travel, and bloody with that cutting December wind.

'To make a long story short,' resumed the woman with increasing impetuosity: 'I want no further conversation with you or any *Skibbeeya* like you. Be off in a jiffey, or I will set the dog after you,' and she commenced calling the mastiff, which slumbered in the ashes, as if about to put her threat into instant execution.

Without a word of reproach or remonstrance, the old man hobbled away from the door. Mrs. Carwell popped her head out in the storm to gaze on his woe-begone figure, and as she viewed him, an unusually violent gust of wind turned up the tattered skirts of his old coat, and exhibited his naked legs and thighs to observation. 'Fair weather after you and snow to your heels,' cried the heartless wretch, and as she closed the door her laughter at the supposed smartness of her rude joke, mingled with the melancholy wailing of the storm, which was now momentarily increasing.

And the wind whistled and the snow fell bleakly, and the night came down dark and dreary on the lonely plains around. The doors and windows of the 'Fighting Cocks' were secured against the hissing storm; the fire burned with a redder and a merrier glow; a good jug of punch smoked on the little table, at either side of which sat Mrs. Carwell and her 'good man' enjoying the comforts of the scene; but, alas! they thought not of the abandoned condition of the poor pilgrim whom they had so rudely turned from their door to face the 'pitiless peltings' of that wild winter's tempest. The night set in quickly, and it was as dark and as dismal a one as ever descended from heaven.

Mr. B. at this period lived at Shanahoe, not far from that noted *auberge* – the 'Fighting Cocks.' He was a Protestant. Indeed, some said he was an infidel, whilst others of his more nicely-discriminating neighbours said that in religious matters, '*he was nothing*', as he was never seen at 'church, mass, or meeting', since he came to reside in the neighbourhood. Be that as it may, Mr. B. was certainly a humane, generous, and kindly-hearted gentleman, insomuch that it was, and still remains, a kind of proverb in the neighbourhood that 'nobody ever rubbed to Mr. B.'s skirts without being the better of him.' But I must not wander from my narrative, which I should do were I to dwell on one-half the good things which is still told of that gentleman throughout that part of the country in which he at this time resided.

About eleven o'clock on the night in question, Mr. B. was returning home in his carriage from some ball or party in the neighbourhood. It was, as I have just said, a tremendous night. The wind moaned dismally amongst the naked old elms which over-shadowed the road (I know that road and those old elms well), and vast flakes of snow, intermingled, by fits, with rattling hail-stones, and splashing sleet, fell down from the pitch dark sky. Still Mr. B. came on gallantly: his horses were prime, and silently and steadily they did their work, and, as the vehicle moved rapidly along, the red flame from the lamps flung a faint and sickly glare on the snow-drifts at either side of the way.

There was, and is still, a certain spot on the same road called the '*lougheen*', from a little plash or pool of water which lay in a small hollow hard by the high-road. On arriving at this particular spot, the horses suddenly stood still, and doggedly refused moving an inch further. The coachman tried his skill; in vain: they kicked and plunged and curvetted, but not a step would they move in the required direction.

'Hoolahau,' cried Mr. B., addressing the coachman, 'what ails you? Get on: get on, John, quickly.'

'It's not my fault, sir,' replied the man; 'whatever's the reason, they won't budge a peg. Rodney is kicking as if the red devil was standing in his body, and Freney seems determined to not be out-done in contrariness by his companion.'

'What must be the matter with the brutes?' cried Mr. B. in a tone of surprise; 'Eh, John, what *must be the cause* of this violence?'

'Devil a bit of myself knows,' replied John; 'barrin' it be something that's not right they see – maybe it's a spirit that's crossing them, sir, the Lord save us from harm.'

'Fudge, you fool;' cried Mr. B. in dudgeon. 'Get down instantly and try to set them to rights.'

In obedience to his master's orders, the coachman descended from his seat, and, going towards the deep fosse on the road-side, he commenced probing the snow-drifts with the long handle of his whip.

'What are you doing there?' cried Mr. B., impatiently.

An involuntary scream of terror was the man's reply, as he hastily retreated towards his master, whose head was protruded through the carriage window.

'What's the matter, John?' again asked Mr. B.

'Och bedad, sir,' cried John, in a tremulous voice, 'there's a man or something lying dead in the drift there beyond at the ditch.'

Mr. B. jumped from the carriage, and, going to the spot pointed out by the affrighted coachman, found that his report was correct. Lying on his back at full length, amid the snow, was an old man, grasping in one hand a huge pole or wattle, whilst the other clutched a long rosary with silver beads and a crucifix of massive gold.

'He is some benighted wanderer,' cried the compassionate Mr. B. 'Let us try, John, what we can do for him. I hope he is not dead, for I find a warmth about the regions of the heart, and his limbs are not so stiff and rigid as if the vital spark had fled.'

They lifted the body of the insensible man into the carriage. The red glare of the lamps fell fully on his livid features. It was the poor 'Dihreoch' who had some hours before been so cruelly expelled from the door of the 'Fighting Cocks'. His eyes were closed as if in the sleep of his death; his wretched garments were sheeted with snow, and from his long, stiffened grey hair were hanging pellets, or icicles of frozen sleet, which glittered with an unearthly radiance in the ghastly lamp-light. On his back was strapped the little bundle, alluded to before, and from his girdle still hung the tin can or vessel which held the cold potatoes.

Mr. B. resumed his seat, and, kindly placing the old man's head on his lap, desired the coachman to proceed. John plied his whip; Rodney and Freney set forward at a thundering pace, and in a few minutes afterwards the carriage wheeled on the well-gravelled area before the door of Mr. B.'s fine mansion. Help was called; the still senseless form of the stranger was gently carried into the house, and laid down on the hearth-rug before the blazing parlour fire. Restoratives were instantly applied, and every expedient which the skill or humanity of Mr. B. could devise were put into requisition for the relief of the sufferer. Their humane efforts were at length successful, and, after some time, the patient not only recovered his faculties of body, but also his memory and sensibility. He opened his eyes, gazed eagerly around, but remained silent.

'Speak, my poor fellow,' cried Mr. B. 'It delights me to be the instrument of your preservation; speak, and let us know who you are, or by what mischance you became an outcast from human shelter on such a dread night as this.'

'I am a wanderer over the earth these many weary years,' said the old man in a feeble voice. 'I was once, even as you are now, – rolled in the comforts and wealth of this world. I am the luckless descendant of a family once renowned in the annals of their country, and I commenced my career under flattering and brilliant auspices. But I strayed from the path-way of righteousness. I erred; grievously erred, – yet I will not shock you by a rehearsal of my iniquities. I was converted; I became repentant, and, for many a long year, I have roamed in pain and privation over my native land, sleeping sometimes in the ash-corners of the peasantry, but more generally under the dews of heaven. My clothing has been the veriest rags I could find, and my food of the coarsest description, and such as merely supported existence. My name or family I never revealed to mortal. They call me '*The Dihreoch*' – a name which you may call me too, if you think fit, but any further disclosures I am not disposed to make. All, therefore, that remains for me to say is, that my last prayer to heaven shall be, that you may be rewarded for the mercy you have extended to me this night – the last of my mortal existence.'

'No,' said Mr. B., 'you will live – live many a year to come, and, if you be content to forego your wandering mode of life, my house shall be your home, and never again shall you be exposed to the evils of poverty and destitution.'

'My destitution, as I have said before,' said the stranger, 'is entirely voluntary, and, did my strength allow it, I would quit your hospitable roof with the earliest dawn of morning. But I AM DYING: – My earthly wanderings and sorrows are over, and, as a last favour, may I request you will send some trusty messenger for the Roman Catholic clergyman of the parish.'

'Yes, yes, gladly;' replied the kind-hearted gentleman. He rang the bell; a servant entered; Mr. B. gave his orders, and, in ten minutes afterwards, the carriage, harnessed to two fresh horses, with poor John Hoolahan in his usual position, was galloping as fast as the said horses' legs could move to the residence of the parish priest, about four Irish miles from the scene of death.

The good father had retired to rest, but the darkness of midnight or the bellowing of the winter's storm have no terrors for the Irish Catholic priest when the expiring Christian requires his aid. He rose without a murmur, and, in little more than half an hour afterwards, was seated by the bed of the dying pilgrim. Of course, no person was allowed to remain in the chamber, and what passed must remain a secret; no more of the history of the Dihreoch was ever revealed,

> Than what the Father must not say
> Who shrived him on his dying day,

but it was remarked, that the old man's 'confession' was unusually long, and the tones in which the father spoke, unusually marked and emphatic.

After hours had passed, the clergyman rang the bell: Mr. B. made his entrance to the chamber, and the priest cordially shook him by the hand. 'Mr. B.,' he said, 'from my soul's depth I must thank you for your benevolent attention to the woes of this poor dying fellow-creature. May God reward you, and, when the hour shall come that the Almighty will demand an account of your stewardship, may your good deeds of this night be mercifully remembered.'

'Amen!' fervently responded the dying man; 'and now one word more before I am gone.' – 'Go on,' said Mr. B.

'Where is my little bundle?'

Mr. B. withdrew. In a few minutes he returned with the pilgrim's parcel, which, on his being carried into the house, had been deposited in the hall.

'Hand me that,' said the old man, reaching for the parcel.

Mr. B. gave him the bundle.

'A knife, now,' he added.

The priest pulled forth his pocket-knife and gave it to him without speaking.

The dying man, with quaking hand, cut open the string which tied the bundle: he opened the old blanket, and from its folds brought forth a dark-looking object, rolled tightly, and tied with a ribbon of red silk. He reached it to Mr. B.

The latter opened the parcel: his eyes glistened with surprise and admiration. 'Oh, good father!' he exclaimed, addressing the priest; 'see what we have here.'

The priest seized it: – it was a picture of surpassing beauty – that magnificient bust of St. Peter, which, at this day, hangs above the altar of the little rustic chapel of Shanahoe.

The priest was dumb: he gazed as if enchanted on the fascinating portrait.

'The peasants of Calabria,' resumed Mr. B., 'are said to have loved the portrait of the virgin with a carnal or human love. This I always considered a fable, yet, if painted by the same hand from which this divine production of the pencil emanated, I should not wonder at any effect it might have on human passions – eh, father, did you ever see so noble an effort of human ingenuity as this portrait?'

The priest was still silent – gazing entranced upon the charming object.

'Mr. B.,' said the dying man, 'this portrait must be yours. Do not disdain it because its owner can offer no better testimonial of his gratitude. It belonged to a once powerful and noble family, and it is the offspring of a pencil which was guided by inspiration. Like its possessors, it experienced many a strange vicissitude, yet, 'tis not the less precious on that account. Take it, keep it, and when you gaze on those beautiful – those all-but-breathing features – think sometimes of the last of the – the – the – poor wandering Dihreoch.'

The old man ceased: he flung forth his arms convulsedly; his eyes were suffused with the last tears of struggling mortality; his breathing became thick and audible; he uttered one low protracted groan, and the spirit of the 'Dihreoch' mounted on the wings of the whistling storm – let us hope to heaven.

Requiescat in Pace.

For many a subsequent year this portrait constituted the chief attraction of Mr. B.'s magnificent drawing-room. But in the meantime, the old mud-walled, heath-thatched cottage of Shanahoe was replaced by the present beautiful edifice, and, on the memorable day of its 'consecration,' Mr. B. appeared at the happy ceremony, amid the blessings and plaudits of the spectators, as a testimonial of his respect for Catholicity, and his friendship for his Catholic fellow-parishioners, he placed with his own hands, over the altar, that beautiful and mysterious picture – THE DIHREOCH'S LEGACY.

It is there still in high preservation, and, while a shred of it remains, the good-natured peasantry of the parish will not forget, as they gaze in admiration on the fascinating portrait, to pray for the soul of the departed pilgrim.

We well remember the situation of the usually quiet and tranquil neighbourhood of Shanahoe, when in the spring and summer of 1831, the Whitefoot or Rockite disturbances convulsed the greater portions of the Queen's County and Co. of Kilkenny. The writer of this article was then but a mere boy, yet the events and wild incidents of those stormy days are indelibly impressed on his memory. His native parish was the very hot-bed, the focus of disorganisation and outrage. Almost every man in the district capable of poising a musket or wielding a 'skull-cracker,' became members of the blood-stained confederation, and the unceasing exertions of the local Catholic clergy, or the withering denunciations of the immortal Dr. Doyle, were totally inadequate to stem the torrent of crime and outrage which stalked through the land. This is no time or place for enquiry into the origin or cause of this combination. We know that innumerable wrongs were perpetrated on the wretched peasantry of Ireland, and we know too that those crying evils were inflicted by those who ought to be the guardians and protectors of the poor. We remember that these were days of violent party feelings and of excessive political agitation. Men's minds were poisoned against each other – the peasant classes ascribing all their miseries to the oppression and bigotry of their landlords and agents, and anxious for their total subversion, whilst these again in return, were only solicitous as to how they could inflict the highest amount of chastisement on their wretched tenants and dependants. With these matters, however, we have nothing to do at present. We will merely observe as we did before, that our native village was engulfed in the vortex of insubordination. Almost every man was an out-cast, hunted and chased like the beast of prey by the myrmidons of the law, skulking for protection all day long in the woods and brakes, and only stealing forth amid the shadows of night to visit their wretched homes, and satisfy the cravings of hunger with such miserable food as their families could procure in their absence. Many of them, too, were suffering incarceration in the county jail. In the May previously (1831), a farmer's house had been attacked by a large party. They were resisted by the inmates, one of the Rockites was desperately wounded by a gun-shot; his comrades fled, he was taken, and to save his neck, and to be revenged of his cowardly associates, he informed, and several of them were captured and lodged in jail, to await their trial at the assizes which were now quickly approaching. The cry of mourning – the wail of the widow – and the lament of the aged father, echoed through the land; whilst the hangman chuckled over his anticipated prey, and those whose sympathies were averse to the peasant classes, who hated their religion and their race, looked forward if not with satisfaction, at least with indifference, to the sacrifice about to be offered on the altars of justice and revenge.

In this calamitous state of affairs, some of the local magistrates and authorities relented. We cannot of course, divine the causes which led to this change, yet so it was. Their hearts were softened to the miseries which met their gaze, and they entered into negotiations with the Catholic clergyman of the parish towards a reconciliation with the offending Rockites. They proposed, that should the confederates abandon their system of violence, surrender whatever arms and munitions were in their possession, and give a solemn promise of loyal and peaceable conduct for the future, they, on their part would guarantee a full pardon from government, not only for such offenders as were still at large, but for such as were already in durance (excepting actual murderers and incendiaries), to forego all measures of retaliation, and to live on terms of goodwill and cordiality for the future.

The Catholic curate of the parish, an active, intelligent, and humane young man, was requested to communicate these proposals to the out-laws, and at his solicitation, they at length acquiesced.

Those bold men who scorned the terrors of the gallows and convict-hulk, yielded to the suggestions of their beloved priest, and a certain time was appointed for the performance of *their* part of the contract. On a certain night they agreed to deliver up all the fire-arms, ammunition, and implements of aggression, of which they were possessed, not only such as were illegally plundered from others, but such as actually belonged to themselves and their own families.

But our readers are getting impatient. Yet we must be still more circumstancial. The parish, or district schoolmaster, was the person appointed to receive the arms from the outlaws. He was a man of good character; steady, faithful, and respectable in his habit and character. He was besides a native of the parish, born and reared amongst the misguided men, numbers of whom were his relatives in a greater or lesser degree, and almost all of them in one way or another connected with his family. By all of them he was respected, and, though he uniformly censured their lawless conduct, and exerted his best abilities to reclaim them from the paths of ruin, still he was a general favourite, and the most implicit confidence was placed in his honour and fidelity. Under these circumstances he was considered the person most likely to effect a speedy and satisfactory arrangement of the matter pending, and he did not hesitate a moment in promising his aid in every matter likely to benefit his erring kinsmen and acquaintances.

The place of rendezvous was the interior of the beautiful chapel of Shanahoe, that dear little temple on which most of those misguided peasants received their baptismal benediction, in which some of them plighted their troth to the girls of their choice, and in which all of them had listened to their beloved pastor as he spoke to them of peace, and blessing, and mercy, in a brighter world than this. Then, what scene could be better adapted to an act of repentance and of contrition? Besides, it was so lonely and sequestered from the prying eyes of man.

The appointed evening came, and the schoolmaster, faithful to his engagement, was at his post in due time. It was a sweet night, early in July, soft, balmy, and tranquil, yet dark and even dreary, for there was no moon in the sky, and every star was veiled in that thick grey vapour peculiar to the season. It was a silent hour, too, for no sound was abroad; oh, yes; there were sounds and signs, too, of animation, for the bat sailed on noiseless wing over the roof of the chapel, and the big, bloated red and yellow night-flies flitted through the shrubs and tall weeds in the chapel-yard, and now and then a flash of brilliant lightning would fly athwart the arch of the gloomy firmament, and the big dew-drops pattered audibly as they fell on the green leaves of the chestnut-tree, and the owl whooped horribly over the chimneys and gables in yon half-ruinous farm-yard. But a truce to sentiment: we have no more to say, but merely introduce the schoolmaster to our readers, who will relate the story in his own manner, and as he witnessed the circumstances.

It was approaching midnight when I entered the chapel by the sacristy, opened the principal door, and sat on a form to await the coming of the Rockites. It was as sweet a night as one could wish for, even in the very bloom of summer, and I had not long continued in the gloom of the chapel when I again approached the door-way and sat down on the stone threshold to enjoy the peculiar charms of the hour. Still I felt queer and oppressed, twenty strange fancies flitted across my brain, and thousands of strange and shapeless spectral allusions came and went before my straining eye-balls. Yet I was not much alarmed, for reason and religion had long since taught me to laugh at the church-yard phantom and the dwarfish citizen of the fairy empire.

As I thus sat musing and lonely, the iron gate, leading from the highway into the chapel, was opened and fell back again with a heavy clank. Ere its last echo had ceased reverberating through the chapel, a human figure approached me, and as it came up I could perceive that it was an old man of stately figure dressed in a long over-coat of grey cloth.

'God save you, friend,' I said, as the venerable-looking stranger stood crossing his naked brow, – for he had taken off his old tattered hat on reaching the chapel door. He appeared much startled at so unexpectedly hearing the tones of a human voice, but, quickly mastering his emotion, answered, 'Good night, and God save you kindly.'

'In God's name,' I resumed, 'who are you, and why do you wander abroad at such an hour, the companion of spectres and roamers of the night?'

'Pardon me, good friend,' he replied, 'if I decline answering your questions, I am not about to intrude on your privacy. To none on earth am I indebted, and to none on earth will I reveal the motives by which I am influenced in leading a life of toil, and wandering, and mortification.'

I was silent.

'I came this way by chance,' he resumed. 'I knew not your chapel was open, but I could not pass by without approaching its portals and pouring forth my heart before the cross; I entered the gates, approached the door: you know all.'

'Pass in,' I replied; 'I have neither the will nor the right to obstruct your progress to the sanctuary. Go on, and in your ejaculations forget me not.'

The old man squeezed my hand in silence. He passed down the nave, and I accompanied him to the steps leading up to the altar. It was now intensely dark, and I procured a lighted taper from the sacristy for his accommodation, not, perhaps without some feelings of selfish curiosity, for I felt a strong wish to be more minutely acquainted with the form and features of the mysterious night-walker. I placed the taper on the altar: its ghastly radiance illuminated the whitened walls and ceilings of the chapel, and fell with a still more brilliant glow on that splendid portrait, 'The Dihreoch's Legacy,' which hung immediately above the altar. The glorious features of the all-but-breathing picture seemed animated with the 'breath of life,' and a flash of living fire seemed shooting from its speaking eyes.

'Mother of God,' shouted the old man, 'what is this I behold? do my eyes cheat me, or do I dream some splendid dream?'

I spoke not.

'No,' he cried; 'I am not mistaken, 'tis the same, the very same. I know that portrait well, and long years of sorrow and affliction have not obliterated those features from my memory. I saw it when but a child: I saw it afterwards under less happy circumstances, but, indeed, I did not hope to see it now.'

He ascended the steps of the altar: 'Let me inspect it more closely,' he murmured; 'Let me kiss it before I die, and sit you down upon those steps and I will tell you – what few on earth could tell you – a strange but true story concerning this painting.'

Just as he spoke, a shrill whistle was heard without, and, ere its echoes had sunk upon the night-breeze, the body of the chapel was thronged with armed Rockites.

I left the old man abruptly, and approached the outlaws. 'Welcome, boys,' I cried; 'welcome again on the path of righteousness;' and my salute was kindly returned in many a harsh coarse tone, and my hand was clutched in many an iron, sun-burnt fist.

'We are come,' said the leader of the party, 'to do what the machinations of the crafty or the power of the mighty could never effect. We are come at the request of our priest to surrender our arms, and trust again to the tender mercies of the land-jobber and the trafficker in human blood. Mercy: ha! ha!' and his hollow laugh was re-echoed by several of the stern-looking confreres.

''Tis all for the better, men,' I said, 'your priest who loves your souls and feels for your miseries, would not deceive you. Illegal combination could effect no permanent good. Ruin and desolation are impending over you and your families, and by taking this step alone can the evils with which you are beleagured be averted.'

Another rude laugh was the reply. 'Doubt not my sincerity,' I resumed, 'you are all dear to my heart; many of you are of my own flesh and blood – then why should I not feel a deep interest in your welfare? You can now return to your families and lawful avocations, and, what is better - to that God whose friendship you have forfeited since you became engaged in your late lawless, and useless, and wicked association.'

Without another word, the spokesman of the party flung down an elegant carbine, to which was fixed a glittering bayonet. Then unloosing a belt which passed around his waist, he brought forth a powder-horn and a pair of large pistols. These too he flung down in like manner. They fell on the floor with a loud crash, and following his example, each man laid down his own weapon, until in a few moments, a large pile of arms, of all fashions and descriptions, some of the most elegant and some of the plainest manufacture and finish,

The Dihreoch's Legacy

lay on the floor, whilst the bold, ferocious men, their late possessors, stood around the pile, crest-fallen, humbled and – I shall hope – penitent.

We all knelt on the cold floor and poured a silent prayer to heaven for forgiveness of our respective crimes, and for peace on our unhappy land. The Rockite band arose, and, shaking my hand once in the most friendly manner, departed with a lighter heart than they had known for many a previous day.

I approached the altar again. The old man was not there. I took the taper and sought him all around, but in vain; he was gone and I never saw him more.

The Bewitched Butter

A MONGST the many absurd opinions entertained by the Irish peasantry at the present day, there is none more generally prevalent,
or still remains more firmly rooted, than the belief in the existence
of a super-human or infernal power exercised by demons or fairies
over the properties, and particularly over the milch cattle, of mortals.
This superstition, like most other Irish superstitions, was, in bye-gone
times, much more common than at present; but nevertheless it still
remains nearly as firm as ever in many of the more secluded rural districts of Ireland. Nor is this power believed to be confined to fairies or
devils: many mortals, particularly old women, are thought to possess
the power of charming the cattle of their neighbours, and depriving
them, by some secret and mysterious means, of their milk and butter.
I believe it is not ascertained how this diabolical power is acquired;
but it is said that it is by virtue of some horrid compact with the dark
One, by which they engage to surrender themselves soul and body
into his hands, after a certain period has elapsed, on condition of his
investing them, during the said assigned period, with the power of
depriving the cattle of certain persons of their milk and butter, and
transferring it to their own. Thus, whenever by any hidden disease
or any other undiscovered impediment, a cow appears to decline,
or ceases to supply her wonted quantity of milk and butter, she is
immediately thought to be bewitched, or, as it is commonly termed
'overlooked' by some covetous, malignant old hag, and application
is immediately made to some 'fairyman,' or 'knowing woman,' for a
counter-charm; and as it sometimes happens that the person applied
to may have a knowledge of the disease under which the afflicted victim labours, or, as oftener occurs that the disorder disappears as it
came, without any visible cause, the imposter is lauded to the skies
for his superior skill, and some person is pointed at, as in league with
the devil, and held up to the whole country as a witch and a robber,
and an object of terror and detestation to all her neighbours.

This superstition, however, is declining greatly of late years; but
many curious stories in connection with it are still told throughout
the country, at the peasant's fire-side on a winter's evening; and from

the many which I have heard I select the two following as being the most popular in my neighbourhood, and likely to afford most amusement to my readers.

About the commencement of the last century there lived in the vicinity of the once famous village of Aghaboe, a wealthy farmer, named Bryan Costigan. This man kept an extensive dairy and a great many milch cows, and every year made considerable sums by the sale of milk and butter. The luxuriance of the pasture lands in this neighbourhood has always been proverbial; and, consequently, Bryan's cows were the finest and most productive in the country, and his milk and butter the richest and sweetest, and brought the highest price at every market at which he offered these articles for sale.

Things continued to go on thus prosperously with Bryan Costigan, when, one season, all at once, he found his cattle declining in appearance, and his dairy almost entirely profitless. Bryan, at first, attributed this change to the weather, or some such cause, but soon found or fancied reason to assign it to a far different source. The cows, without any visible disorder, daily declined, and were scarcely able to crawl about on their pasture: many of them, instead of milk, gave nothing but blood; and the scanty quantity of milk which some of them continued to supply was so bitter that even the pigs would not drink it; whilst the butter which it produced was of such a bad quality, and stunk so horribly, that the very dogs would not eat it. Bryan applied for remedies to all the quacks and 'fairy-women' in the country – but in vain. Many of the imposters declared that the mysterious malady in his cattle went beyond *their* skill; whilst others, although they found no difficulty in tracing it to superhuman agency, declared that they had no control in the matter, as the charm under the influence of which his property was made away with, was too powerful to be dissolved by anything less than the special interposition of Divine Providence. The poor farmer became almost distracted; he saw ruin staring him in the face; yet what was he to do? Sell his cattle and purchase others! No; that was out of the question, as they looked so miserable and emaciated, that no one would even take them as a present, whilst it was also impossible to sell to a butcher, as the flesh of one which he killed for his own family was as black as a coal, and stunk like any putrid carrion.

The unfortunate man was thus completely bewildered. He knew not what to do; he became moody and stupid; his sleep forsook him by night, and all day he wandered about the fields, amongst his 'fairy-stricken' cattle like a maniac.

Affairs continued in this plight, when one very sultry evening in the latter days of July, Bryan Costigan's wife was sitting at her own door, spinning at her wheel, in a very gloomy and agitated state of mind. Happening to look down the narrow green lane which led from the high road to her cabin, she espied a little old woman barefoot, and enveloped in an old scarlet cloak, approaching slowly, with the aid of a crutch which she carried in one hand, and a cane or walking-stick in the other. The farmer's wife felt glad at seeing the odd-looking stranger; she smiled, and yet she knew not why, as she neared the house. A vague and indefinable feeling of pleasure crowded on her imagination; and, as the old woman gained the threshold, she bade her 'welcome' with a warmth which plainly told that her lips gave utterance but to the genuine feelings of her heart.

'God bless this good house and all belonging to it,' said the stranger, as she entered.

'God save you kindly, and you are welcome, whoever you are,' replied Mrs. Costigan.

'Hem, I thought so,' said the old woman with a significant grin. 'I thought so, or I wouldn't trouble you.'

The farmer's wife ran, and placed a chair near the fire for the stranger; but she refused, and sat on the ground near where Mrs. Costigan had been spinning. Mrs. Costigan had now time to survey the old hag's person minutely. She appeared of great age; her countenance was extremely ugly and repulsive; her skin was rough and deeply embrowned as if from long exposure to the effects of some tropical climate; her forehead was low, narrow, and, indented with a thousand wrinkles; her long grey hair fell in matted elflocks from beneath a white linen skullcap; her eyes were bleared, bloodshotten, and obliquely set in their sockets, and her voice was croaking, tremulous, and, at times, partially inarticulate. As she squatted on the floor, she looked around the house with an inquisitive gaze; she peered pry-ingly from corner to corner, with an earnestness of look, as if she had the faculty, like the Argonaut of old, to see through the very depths of the earth, whilst Mrs. Costigan kept watching her motions with mingled feelings, curiosity, awe, and pleasure.

'Mrs,' said the old woman, at length breaking silence, 'I am dry with the heat of the day, can you give me a drink?'

'Alas!' replied the farmer's wife, 'I have no drink to offer you except water, else you would have no occasion to ask me for it.'

'Are you not the owner of the cattle I see yonder?' said the old hag, with a tone of voice and manner of gesticulation which plainly indicated her fore-knowledge of the fact. Mrs. Costigan replied in the affirmative, and briefly related to her every circumstance connected with the affair, whilst the old woman still remained silent, but shook her grey head repeatedly; and still continued gazing round the house with an air of importance and self-sufficiency.

When Mrs. Costigan had ended, the old hag remained a while, as if in a deep reverie; at length she said –

'Have you any of the milk in the house?'

'I have,' replied the other.

'Show me some of it.'

She filled a jug from a vessel and handed it to the old sybil, who smelled it, then tasted it, and spat out what she had taken on the floor.

'Where is your husband?' she asked.

'Out in the fields,' was the reply.

'I must see him.'

A messenger was dispatched for Bryan, who shortly after made his appearance.

'Neighbour,' said the stranger, 'your wife informs me that your cattle are going against you this season.'

'She informs you right,' said Bryan.

'And why have you not sought a cure?'

'A cure!' re-echoed the man; 'why, woman, I have sought cures until I was heart-broken, and all in vain; they get worse every day.'

'What will you give me if I cure them for you?'

'Any thing in our power,' replied Bryan and his wife, both speaking joyfully, and with a breath.

'All I will ask from you is a silver sixpence, and that you will do everything which I will bid you,' said she.

The farmer and his wife seemed astonished at the moderation of her demand. They offered her a large sum of money.

'No,' said she, 'I don't want your money; I am no cheat, and I would not even take sixpence, but that I can do nothing till I handle some of your silver.'

The sixpence was immediately given her, and the most implicit obedience promised to her injunctions, by both Bryan and his wife, who already began to regard the old beldame as their tutelary angel.

The hag pulled off a black silk ribbon or fillet, which encircled her head inside her cap, and gave it to Bryan, saying: 'Go, now, and the first cow you touch with this ribbon, turn her into the yard, but be sure don't touch the second, nor speak a word until you return; be also careful not to let the ribbon touch the ground, for, if you do, all is over'.

Bryan took the talismanic ribbon, and soon returned, driving a red cow before him.

The old hag went out, and, approaching the cow, commenced pulling hairs out of her tail, at the same time singing some verses in the Irish language in a low, wild and unconnected strain. The cow appeared restive and uneasy, but the old witch still continued her mysterious chaunt until she had the ninth hair extracted. She then ordered the cow to be drove back to her pasture, and again entered the house.

'Go, now,' said she to the woman, 'and bring me some milk from every cow in your possession.'

She went, and soon returned with a large pail filled with a frightful-looking mixture of milk, blood and corrupt matter. The old woman got it into a churn and made preparations for churning.

'Now,' said she, 'you both must churn, make fast the door and windows, and let there be no light but from the fire; do not open your lips until I desire you, and by observing my directions, I make no doubt but, ere the sun goes down, we will find out the infernal villain who is robbing you.'

Bryan secured the doors and windows, and commenced churning. The old sorceress sat down by a blazing fire which had been specially lighted for the occasion, and commenced singing the same wild song which she had sung at the pulling of the cow-hairs, and after a little time, she cast one of the nine hairs into the fire, still singing her mysterious strain, and watching, with intense interest, the witching process.

A loud cry, as if from a female in distress, was now heard approaching the house; the old witch discontinued her incantations, and listened attentively. The crying voice approached the door.

'Open the door quickly,' shouted the old charmer.

Bryan unbarred the door, and all three rushed out in the yard, when they heard the same cry down the *boreheen*, but could see nothing.

'It is all over,' shouted the old witch; 'something has gone amiss, and our charm for the present is ineffectual.'

They now turned back quite crestfallen, when, as they were entering the door, the sybil cast her eyes downwards, and perceiving a piece of horse-shoe nailed on the threshold, she vociferated –

'Here I have it; no wonder our charm was abortive. The person that was crying abroad is the villain who has your cattle bewitched; I brought her to the house, but she was not able to come to the door on account of that horse-shoe. Remove it instantly, and we will try our luck again.'

Bryan removed the horse-shoe from the doorway, and by the hag's directions placed it on the floor under the churn, having previously reddened it in the fire.

They again resumed their manual operations. Bryan and his wife began to churn, and the witch again to sing her strange verses, and casting her cow-hairs into the fire until she had them all nearly exhausted. Her countenance now began to exhibit evident traces of vexation and disappointment. She got quite pale, her teeth gnashed, her hand trembled, and as she cast the ninth and last hair into the fire, her person exhibited more the appearance of a female demon than of a human being.

Once more the cry was heard, and an aged red-haired woman was seen approaching the house quickly.

'Ho, ho!' roared the sorceress, 'I knew it would be so; my charm has succeeded; my expectations are realized, and here she comes, the villain who has destroyed you.'

'What are we to do now?' asked Bryan.

'Say nothing to her,' said the hag; 'give her whatever she demands, and leave the rest to me.'

The woman advanced screeching vehemently, and Bryan went out to meet her. She was a neighbour, and she said that one of her best cows was drowning in a pool of water – that there was no one at home but herself, and she implored Bryan to go rescue the cow from destruction.

Bryan accompanied her without hesitation; and having rescued the cow from her perilous situation, was back again in a quarter of an hour.

It was now sunset, and Mrs. Costigan set about preparing supper.

During supper they reverted to the singular transactions of the day. The old witch uttered many a fiendish laugh at the success of her incantations, and inquired who was the woman whom they had so curiously discovered.

Bryan satisfied her in every particular. She was the wife of a neighbouring farmer; her name was Rachel Higgins; and she had been long suspected to be on familiar terms with the spirit of darkness. She had five or six cows; but it was observed by her sapient neighbours, that she sold more butter every year than other farmers' wives who had twenty. Bryan had, from the commencement of the decline in his cattle, suspected her for being the aggressor, but as he had no proof, he held his peace.

'Well,' said the old beldame, with a grim smile, 'it is not enough that we have merely discovered the robber; all is in vain, if we do not take steps to punish her for the past, as well as to prevent her inroads for the future.'

'And how will that be done?' said Bryan.

'I will tell you; as soon as the hour of twelve o'clock arrives to-night, do you go to the pasture, and take a couple of swift-running dogs with you; conceal yourself in some place convenient to the cattle; watch them carefully; and if you see any thing, whether man or beast, approach the cows, set on the dogs, and if possible make them draw the blood of the intruder; then ALL will be accomplished. If nothing approaches before sunrise, you may return, and we will try something else.

Convenient there lived the cow-herd of a neighbouring squire. He was a hardy, courageous young man, and always kept a pair of very ferocious bull-dogs. To him Bryan applied for assistance, and he cheerfully agreed to accompany him, and, moreover proposed to fetch a couple of his master's best grey-hounds, as his own dogs, although extremely fierce and blood-thirsty, could not be relied on for swiftness. He promised Bryan to be with him before 12 o'clock, and they parted.

Bryan did not seek sleep that night; he sat up anxiously awaiting the midnight hour. It arrived at last, and his friend, the herdsman, true to his promise came at the time appointed. After some farther admonitions from the *collough*, they departed. Having arrived at the field, they consulted as to the best position they could choose for concealment. At last they pitched on a small brake of fern, situated at the extremity of the field, adjacent to the boundary ditch, which was thickly studded with large, old white-thorn bushes. Here they couched themselves, and made the dogs, four in number, lie down beside them, eagerly expecting the appearance of their as yet unknown and mysterious visitor.

It was a still, calm night, and, for the season, extremely dark and gloomy. There was not a single star visible in all the vast expanse of heaven, whilst large masses of dark vapour, which rolled slowly athwart the brow of the silent summer-night sky, almost constantly obscured the waning moon, which at intervals appeared sinking redly on the western horizon. There was a solemn tranquility, too, over the face of nature – not a sound was to be heard, except the monotonous, grating call of the land-rail from the adjacent meadows, or, now and then, the appalling shriek of the screech-owl, hovering on dusky wing over the ivy-wreathed ruins of Aghaboe Priory, which, a little to the eastward of where the watchers lay, reared its venerable head in grim and isolated grandeur.

Here Bryan and his comrade continued a considerable time in nervous anxiety, still nothing approached, and it became manifest that morning was at hand. The twilight breezes had now sprung up, and were chasing the clouds along the sky before them, and the morning star was visible over the rocky pinnacle of Shean More. Still nothing appeared to disturb the sentinels; they soon began to grow impatient, and were talking of returning home, when on a sudden they heard a rushing sound behind them, as if proceeding from something endeavouring to force a passage through the thick hedge in their rear. They looked in that direction, and judge of their astonishment, when they perceived a large hare in the act of springing from the ditch, and leaping on the ground quite near them. They were now convinced that this was the object which they had so impatiently expected, and they were resolved to watch her motions narrowly.

After arriving to the ground, she remained motionless for a few moments, looking around her sharply. She then began to skip and jump in a playful manner; now advancing at a smart pace towards the cows, and again retreating precipitately, but still drawing nearer and nearer at each sally. At length she advanced up to the next cow, and sucked her for a moment; then on to the next, and so respectively to every cow on the field – the cows all the time lowing loudly, and appearing extremely frightened and agitated. Bryan, from the moment the hare commenced sucking the first, was with difficulty restrained from attacking her; but his more sagacious companion suggested to him, that it was better to wait until she would have done, as she would then be much heavier, and more unable to effect her escape than at present. And so the issue proved; for being now done sucking them all, her belly appeared enormously distended, and she made her exit slowly, and apparently with difficulty. She advanced towards the hedge where she had entered, and as she arrived just at the clump of ferns where her foes were couched, they started up with a fierce yell, and hallooed the dogs upon her path.

Now came on the 'tug of war.' The hare started off at a brisk pace, squirting up the milk she had sucked from her mouth and nostrils, and the dogs making after her rapidly. Rachel Higgins's cabin appeared, through the grey of the morning twilight, at a little distance; and it was evident that puss seemed bent on gaining it, although she made a considerable circuit through the fields in the rear. Bryan and his comrade, however, had their thoughts, and made towards the cabin by the shortest route, and had just arrived as the hare came up, panting and almost exhausted, and the dogs at her very scut. She ran round the house, evidently confused and disappointed at the presence of the men, but at length made for the door. In the bottom of the door was a small, semi-circular aperture, resembling those cut in fowl-house doors for the ingress and egress of poultry. To gain this hole, puss now made a last and desperate effort, and had succeeded in forcing her head and shoulders through it, when the foremost of the dogs made a spring and seized her violently by the haunch. She uttered a loud and piercing scream, and struggled desperately to free herself from his grip, and at last succeeded, but not until she left a piece of her rump in his teeth. The men now burst open the door; a bright turf fire blazed on the hearth, and the whole floor was streaming with blood. No hare, however, could be found, and the men were more than ever convinced that it was old Rachel who had, by the assistance of some demon, assumed the form of the hare, and they now determined to have her if she were over the earth. They entered the bed-room, and heard some smothered groaning, as if proceeding from some one in extreme agony. They went to the corner of the room from whence the moans proceeded, and there, beneath a bundle of freshly cut rushes, found the form of Rachel Higgins, writhing in the most excruciating agony, and almost smothered in a pool of blood. The men were astounded; they addressed the wretched old woman, but she either could not, or would not, answer them. Her wound still bled copiously; her tortures appeared to increase, and it was evident that she was dying. The aroused family thronged around her with cries and lamentations; she did not seem to heed them, she got worse and worse, and her piercing yells fell awfully on the ears of the bystanders. At length she expired, and her corpse exhibited a most appalling spectacle, even before the spirit had well departed.

Bryan and his friend returned home. The old hag had been previously aware of the fate of Rachel Higgins, but it was not known by what means she acquired her supernatural knowledge. She was delighted at the issue of her mysterious operations. Bryan pressed her much to accept of some remuneration for her services, but she utterly rejected such proposals. She remained a few days at his house, and at length took her leave and departed no one knew whither.

Old Rachel's remains were interred that night in the neighbouring churchyard. Her fate soon became generally known, and her family, ashamed to remain in their native village, disposed of their property, and quitted the country for ever. The story, however, is still fresh in the memory of the surrounding villagers; and often, it is said, amid the grey haze of a summer twilight, may the ghost of Rachel Higgins in the form of a hare, be seen scudding over her ancient favourite and well-remembered haunts.

What a wild, fanciful, and improbable story is this; yet to discredit it is considered by many in the neighbourhood where it is said to have occurred, as a crime equal at least to murder or heresy.

But we have another, full as good, full as wild, and, we hope, full as amusing to our readers; we, therefore, claim their indulgence whilst we relate it.

It was about eighty years ago, in the month of May, that a Roman Catholic clergyman, near Rathdowney, in the Queen's County, was awakened at midnight to attend a dying man in a distant part of the parish. The priest obeyed without a murmur, and having performed his duty to the expiring sinner, saw him depart this world before he left the cabin. As it was yet dark, the man who had called on the priest offered to accompany him home, but he refused, and set forward on his journey alone. He had not gone far, when the grey dawn began to appear over the hills, and he amused himself in contemplating the varied lovely scenes presented to the intelligent observer by the splendid breaking of a May-day morning. The eastern sky was streaked with all the magnificent shades of crimson, blue, and gold, so peculiar to 'rosy May,' and the brilliant morning star was shining as refulgently as if it had been created but that very hour. Every thing was hushed in calm repose, except the 'merry lark', as Shakespeare calls her, which poised high in air, amid the fleecy, gold clouds, poured forth her matin hymn of praise and gratitude to the great Author of the Universe, or the wild, discordant cry of the heather-bleat from the adjacent morasses, or the irregular pattering of the large dew-drops, as they fell like globules of liquid silver from the stirless trees at either side of the road. The good priest was highly enraptured with the beauty of the scene, and rode on, now gazing intently at every surrounding object, and again cutting with his whip at the bats and big beautiful night-flies which flitted ever and anon from hedge to hedge across his lonely way. Thus engaged, he journeyed on slowly, until the nearer approach of sunrise began to render objects completely discernible, when he dismounted from his horse, and slipping his arm out in the rein, and drawing forth his 'Brievary' from his pocket, he commenced reading his 'morning office' as he walked leisurely along.

He had not proceeded very far, when he observed his horse, a very spirited animal, endeavouring to stop on the road, and gazing intently into a field on one side of the way where there were three or four cows grazing. However, he did not pay any particular attention to this circumstance, but went on a little farther, when the horse suddenly plunged with great violence, and endeavoured to break away by force. The priest with great difficulty succeeded in restraining him, and, looking at him more closely, observed him shaking from head to foot, and sweating profusely. He now stood calmly, and refused to move from where he was, nor could threats or entreaty induce him to proceed. The father was greatly astonished, but recollecting to have often heard of horses labouring under affright being induced to go by blindfolding them, he took out his handkerchief and tied it across his eyes. He then mounted, and, striking him gently, he went forward without reluctance, but still sweating and trembling violently. They had not gone far, when they arrived opposite a narrow path or bridle-way, flanked at either side by a tall, thick hedge, which led from the high road to the field where the cows were grazing. The priest happened by chance to look into the lane, and saw a spectacle which made the blood curdle in his veins. It was the legs of a man from the hips downwards, without a head or body, trotting up the avenue at a smart pace. The good father was very much alarmed, but, being a man of strong nerve, he resolved, come what might, to stand, and be further acquainted with this singular spectre. He accordingly stood, and so did the headless apparation, as if afraid to approach him. The priest, observing this, pulled back a little from the entrance of the avenue, and the phantom again resumed its progress. It soon arrived on the road, and the priest now had sufficient opportunity to view it minutely. It wore yellow buckskin breeches, tightly fastened at the knees with green ribbon; it had neither shoes nor stockings on, and its legs were covered with long, red hairs, and all full of wet blood and clay, apparently contracted in its progress through the thorny hedges. The priest, although very much alarmed, felt eager to examine the phantom, and for this purpose he determined to screw his courage to the sticking point, and to summon all his philosophy to enable him to speak to it. The ghost was now a little ahead, pursuing its march at its usual brisk trot, and the priest urged on his horse speedily until he came up with it, and thus addressed it:

'Hilloa, friend, who art thou, or whither art thou going so early?'

The hideous spectre made no reply, but uttered a fierce and superhuman growl or 'umph'.

'A fine morning for ghosts to wander abroad,' again said the priest.

Another 'Umph' was the reply.

'Why don't you speak?'

'Umph.'

'You don't seem disposed to be very loquacious this morning.'

'Umph' again.

The good man began to feel irritated at the obstinate silence of his unearthly visitor, and said, with some warmth –

'In the name of all that's sacred, I command you to answer me, who art thou, or where art thou travelling?'

Another 'Umph' more loud and more angry than before was the only reply.

'Perhaps,' said the father, 'a taste of whipcord might render you a little more communicative;' and so saying, he struck the apparition a heavy blow with his whip on the breech.

The phantom uttered a wild and unearthly yell, and fell forward on the road, and what was the priest's astonishment, when he perceived the whole place running over with milk. He was struck dumb with amazement; the prostrate phantom still continued to eject vast quantities of milk from every part; the priest's head swam, his eyes got dizzy; a stupor came all over him for some minutes, and on his recovering, the frightful spectre had vanished, and in its stead he found stretched on the road, and half drowned in milk, the form of Sarah Kennedy, an old woman of the neighbourhood, who had been long notorious in that district for her witchcraft and superstitious practices, and it was now discovered that she had, by infernal aid, assumed that monstrous shape, and was employed that morning in sucking the cows of the village. Had a volcano burst forth at his feet, he could not be more astonished; he gazed awhile in silent amazement – the old woman groaning, and writhing convulsively.

'Sarah,' said he, at length, 'I have long admonished you to repent of your evil ways, but you were deaf to my entreaties, and now, wretched woman, you are surprised in the midst of your crimes.'

'Oh, father, father,' shouted the unfortunate woman, 'can you do nothing to save me? I am lost; hell is open for me, and legions of devils surround me this moment, waiting to carry my soul to perdition.'

The priest had not power to reply; the old wretch's pains increased; her body swelled to an immense size: her eyes flashed as if in fire, her face was black as night, her entire form writhed in a thousand different contortions; her outcries were appalling, her face sunk, her eyes closed, and in a few minutes she expired in the most exquisite tortures.

The priest departed homewards, and called at the next cabin to give notice of the strange circumstances. The remains of Sarah Kennedy were removed to her cabin, situated at the edge of a small wood at a little distance. She had long been a resident in that neighbourhood, but still she was a stranger, and came there, no one knew from whence. She had no relation in that country but one daughter, now advanced in years, who resided with her. She kept one cow, but sold more butter, it was said, than any farmer in the parish, and it was generally suspected that she acquired it by devilish agency, as she never made a secret of being intimately acquainted with sorcery and fairyism. She professed the Roman Catholic religion, but never complied with the practices enjoined by that church, and her remains were denied Christian sepulture, and were buried in a sand-pit near her own cabin.

On the evening of her burial, the villagers assembled and burned her cabin to the earth; her daughter made her escape, and never after returned.

The Fairy's Revenge

A Legend of Grantstown Lough

SOME OF you here, probably, have never heard of Grantstown Lough; but no matter, I will tell you where it is to be found, and that will serve your purpose and mine sufficiently well for the present. It is situated in the ancient parish of Aghaboe, in the famous old region of Upper Ossory, and near the southern extremity of the present Queen's County. It is not a very large lake, nor yet very beautiful, but it is a very interesting one, for it is associated with many a wild and strange tale of the horrible, the extraordinary, and the ludicrous; and the story I am now about to relate will be found blended with each of these features, – features so characteristic of most Irish legends.

In times long ago, there was no lake in Grantstown, but the spot now buried beneath its blue waters was a lovely and a fertile vale, decked in the season with daisies, primroses, bluebells, and all the other wild flowers peculiar to Irish scenery, and which nowhere bloom in sweeter luxuriance than in the rich plains and sunny hedge-rows of Upper Ossory. In the middle of the valley was a beautiful spring-well, whose waters gurgled through those flowers of which I have spoken, in a little babbling rippling stream, – such a one as a modern sentimental young miss (I don't know were there any blue stockings in those remote ages?) would term 'a thread of molten silver, spun by the omnipotent fingers of the presiding Deity of the valley.' At any rate, it was a bonny well, that well of Grantstown, and a very deep well too, – so deep indeed, that many a one said it had no bottom, at all, at all! But supposing it had not, where was the wonder, for it was a *fairy well*, and every body in Upper Ossory said so.

At the time I speak of, there stood on a little mount, overhanging the vale, a rude and ugly-looking little cabin; and this poor little hut was inhabited by a very old, and very feeble, and very simple-minded woman, named Moya Leagh, or Grey Mary Slattery. There dwelt with her two or three little gorsoons, and a little girsha, – not her

54

own children indeed, but the children of her only daughter, blooming Rose Slattery; but she did not bloom at this time, for she was dead and rotten, and so was her husband, in the neighbouring churchyard of Bordal, over a piece from the valley.

Well one summer came, and brought with its flowers and glories, hunger, and sickness, and destitution to the poor people of the country. There was no such thing as potatoes in the world in those times, and the corn had been blasted, and the swine and cattle had all died of distemper, and no food could be had for love or money in the wide districts of Leix or Upper Ossory. Green weeds and grass, and the leaves of the trees were greedily devoured by such as were able to devour them, and those who were not, died of hunger and its deadly companions, bloody flux and typhus fever.

One lovely evening in July, after the red round sun had sunk behind the Devil's-Bit mountains, poor Moya Leagh sat at her cabin door, her heart bursting with grief and her limbs trembling with hunger, whilst the poor little orphans were crying around her, calling on their dead father and mother to come from the grave, and fetch them food, or take them to themselves, where they would find peace in the cold dark clay of Bordal churchyard.

'Easy *a vourneen ma chree*,' cried the old woman, wiping the tears from the face of the youngest gorsoon, 'Easy *asthore*; who knows what luck's in store. It's an old saying, "When times are at the worst, they'll surely mend", and maybe God and the blessed Virgin would send us some relief before the morning.'

Just as she spoke, a shadow crossed the cabin-door, she looked up, and a little old hag, the smallest and queerest looking little body she had ever laid her eyes upon, entered the hut. She was crooked and wrinkled; her hair was full as grey as Moya's own; she wore a little crimson cloak, and her head was bound up in a blood-red silk handkerchief, beneath which her white hair was tied as tight and smooth as if she was a blooming young damsel on the look out for a husband.

'Good evening to you, Moya Leagh,' said the strange little hag, as she entered the cabin.

'Good evening kindly, and God save you,' replied Moya.

'Keep your breath to cool your porridge,' replied the hag, her little ugly features assuming an expression of the most fiendish malignity. 'Keep your breath, for I did not ask your benediction.'

'I wish *I had* porridge,' answered Moya; 'if I had, I could find breath to cool it, besides breathing a prayer for the good of my neighbours.'

'Are you a good neighbour?' asked the stranger rather calmly.

'I always had the name of one,' replied Moya.

'I want the loan of a pot to boil my supper,' continued the hag; 'will you lend me yours.'

'With a heart and a half,' replied Moya, '*I have no supper* to boil, and no business of a pot, and even if I had, I would not refuse a fellow-creature on a pinch.'

'Thank you, Moya Leagh,' said the old dame, seizing the pot, which stood full of water from the well, for the children to drink during the night.

'May I ask you, where do you live?' said Moya, 'it's queer that I never saw your face before.'

'No matter,' answered the other, 'your pot must come home safe and sound in the morning; and now, a good night, and pleasant dreams to you, Moya Leagh.'

So saying, she took her way from the cabin, warning its inmates not to dare to look after her, or she would smash the pot into smithereens, and sell it for grissets to Larris Harney, the tinker.'

The balmy summer's night was not long passing away, and poor Moya was up before sun-rise, to pull some chicken-weed to boil for the children's breakfast. 'But what will I do for the pot?' she cried, 'that ugly old hag did not bring it home, according to promise.'

'You lie, Moya Leagh,' cried the well-remembered voice of the little red woman outside the door.

Moya, in surprise, ran and opened the crazy old door, and behold! what did she find, but her pot full to the brim of fine hot stirabout, and a big roll of yellow, sweet looking butter, swimming in a great hole in its centre.

'Glory on High,' shouted the overjoyed Moya. 'Get up, childer dears, and eat your fill. It's well I told you last night to trust in God;

and I made no botch when I said, "When times are at the worst, they're sure to mend".'

The half-famished children scrambled around the pot, and the stir-about and butter was soon gone, as Moya herself remarked, 'where the neighbour's dogs dare not smell it.' That day they were relieved from the pangs of hunger, and they were happy, peaceful, and contented!

Evening arrived, and just as the sun went down, the little red woman came again, took the pot and disappeared in the same mysterious manner as on the preceeding night; and next morning the anxious and restless and wonder-stricken Moya found it, as before, at the threshold, full of the beautiful stirabout and golden butter, looking so tempting in the light of that glorious sun, that the biggest paunched alderman of our rottenest old corporations would not disdain a nibble at it that fine July morning. But to make a long story short, this continued for several successive days, and there was not so well-fed or happy a family as Moya and her little orphans in the broad kingdom of Upper Ossory.

One evening, the strange little woman – and in troth, she was a strange body – came again for the pot. 'Moya Leagh,' she said, 'I am very troublesome to you, but when this night and to-morrow night are past, I will trouble you no more, for I am going out of the neighbourhood. I got orders last night to go, and you must know that when *we* are commanded here or there we must not refuse obedience.'

'Oh murder! murder!' cried Moya, 'the cure is worse than the disorder; what will become of myself and the grawls, when you go, and the hunger and the sickness still raging as bad as ever all over the country!'

'*When times are at the worst they're sure to mend,*' replied the old hag, and taking up the pot she strode away.

'Bedad,' said Moya, wiping her eyes, 'she's a queer body; indeed by my sowl, it's a fairy she is, and nothing else, and if the cat went to pound, I will have a peep after her; sure she can't have peepers at the back of her skull, anyhow.'

So saying, she went to the cabin door, looked after the retiring figure of the old red woman, and you may guess her surprise, when she saw her walk up to the well, raise the wooden lid by which it was constantly covered, and descend pot and all, into the depths of the earth beneath the fountain.

'Right again!' shouted Moya clapping her hands in ecstatic surprise; 'It's well I said she was a fairy; I always suspected it, and now I know it.'

The next day was one of the most uneasy that poor Moya had ever seen roll over her head. The fairy-woman was to visit her for the last time, and what on earth to do for food for herself and the poor babes, she could not tell.

But Irish women – heaven smile on the creatures! – are ever fertile in invention, and a happy thought flashed on the brain of Moya Leagh; what that thought was, we shall see presently.

Just as the sun went down, the ugly face of the red hag appeared again at the door of Moya's cabin. 'Moya,' she said, 'I am coming for the last time to ask the pot; I know you won't refuse me now, no more than ever.'

'Troth and I won't,' said Moya with a tear in her eye; 'but devil a drop of water in the cabin, and I have no vessel in which to fetch it, only the pot; so sit down *agrah*, while I run for a sup to the well; I won't be as long out as you'd be saying "Jack Robinson".'

The red woman sat down, and Moya hobbled off, filled her pot, and fastened down the lid on the well, and then crossed it with the sacred sign, "In the name of the Father, the Son, and the Holy Ghost".

'Now,' cried Moya, 'let her get in *if she can*! If she can't, which I suspect very shrewdly, she must give me a purse of gold as long as my arm, and a bag of meal that would load an ass, or devil a nose of her's shall ever enter the Grantstown well.'

'Will you be there all night?' cried the red woman peevishly, as Moya delayed and fidgeted about the well.

'Come down,' answered the other, 'the pot is here for you: I'll not take the water, for now I recollect, there's enough in the ould cracked "grey-beard" under the dresser.'

The fairy-woman came out, took the pot, and went to the well, but on coming to the mouth of it, and stooping to lift up the lid, she uttered a cry, hoarse and loud enough to shake the walls of the old church of Bordal, although that was nearly a mile from the vale of Grantstown.

'Moya Leagh! Moya Leagh!' she shouted, 'what's this you done?'

'Go light-a-wisp and try,' answered Moya.

'Moya Leagh,' she cried again, 'come raise this lid, and let me into the well, or I'll make you rue the day you ever seen the red fairy of Grantstown.'

'Devil a *hough*, if you come as big from your mammy, barrin you give me meal enough for the season, and as much gold as will put myself and my seven generations nine days march before poverty,' said Moya.

'Is that what you say,' shouted the hag, in a voice which made the grey rocks of Shean Hill leap from their foundations.

'Aye bedad, *a chora me chree*,' answered Moya, most provokingly unruffled.

'Well then,' roared the fairy, 'as I cannot go into the water the water shall come to me'; and so saying, she plucked a white hair from beneath her red skull-cap, muttered some words over it in an unknown jargon, flung it in the air, and gave a whistle which aroused every echo of the silent valley, and the grey ruins of Fitzpatrick castle.

Instantly a thundering sound was heard rushing from the well, the wooden lid flew into the clouds with a terrific noise; immense volumes of silvery water foamed from the fountain; it over-spread the vale, the red woman disappeared: Moya ran as fast as her old limbs could carry her to the cabin, and dragged away the children to a place of refuge, the water still rushed forth; and next morning when poor Moya Leagh returned to look after her cabin – with perhaps, some lingering hopes of the pot of stirabout – one wide waste of waters met her gaze, and the lovely vale was then, and remains from that day to this, entombed beneath the bright and waveless waters of Grantstown Lough.

The valley was entirely submerged beneath the mystic willows, and the fountain ceased throwing forth its liquid fury. But the red woman, with the vanity of her sex, was anxious for a further display of her powers, and scarcely had the well ceased belching forth its horrors, when suddenly a mighty whirlwind sprung up from its recesses, swept over the newly-created lake, rushed on mad pinion, through the broad territories of Fitzpatrick and O' Moore, levelling and destroying houses, towers, corn-fields, and trees, as it went on its wild career.

After the termination of one day and night, however, the storm was hushed, the skies of Ossory smiled as sweetly blue as ever, and the waters of the lake looked so bright and smooth, that one might see his face in them, as in a mirror. On examination, the waters were found swarming with fine fishes of various shapes and sizes, but all of excellent flavour and good food. The people of the neighbourhood caught them in abundance, and strange to say their numbers suffered no diminution until the scarce season was gone by, when all at once they disappeared, and were never seen in Grantstown Lough from that day to this.

At the same time, immense clouds of strange fowls made their entrance into every district of Leix and Ossory, driven of course from the realms of fairy land by that fairy tempest which sprung up at the spell of the red hag of the fountain. These birds were the most beautiful ever seen, their plumage of red, green, blue, gold, – every colour of the rainbow, and their flesh was found the best and sweetest ever tasted. And then they were so tame, that they not only suffered themselves to be taken alive, but actually flew into the very houses of the people; and like the fishes of the lake, seemed rather to increase in numbers and excellence, until Providence revisited with plenty the rich fields of Leix and Ossory, when they disappeared, and never were heard of after. The plague too vanished. That fierce storm cleared the atmosphere, and flux and fever, the fiends of disease, walked away hand in hand with the spectral demon of famine, and from that hour to this the plains of old Ossory are proverbial for wealth and abundance.

The Grave-Robber

THERE is a lake in Ossory called Grantstown Lough; and to the shore of this lough we beg to invite our readers.

On the western bank of this lough there dwelt, not many years ago, a tailor, and, as report says, a 'special bad botch of a tailor', too. And who was this tailor? Guess! why one Dandy Delany. He was not a native of the place, but had wandered there in his childhood; and no one knew, and few cared, from whence he came, or from whom he sprung. But old Jemmy Deegan, the tailor of the district, being in want of an apprentice, took in the little stranger; the good priest of the parish paying the fees, – seven guineas in gold, – and promising, besides, to provide his *protégé* with clothes and other necessaries, until such time as he would have his apprenticeship served, and be able to commence the world on his own account; or, at least, as journeyman to his kind-hearted old master.

Well, in the lapse of time he grew to be a man; or, at any rate, a tailor. Old Deegan was dead; and his eldest son, Paddy Deegan, was 'in the sodgers'; and his other son, Micky Deegan, was 'gone to the fisheries': and there being no other rival 'stitch' in the neighbourhood, Dandy thought he might do worse than 'set up' in his defunct master's place: so before he was twenty-five years of age, he found himself installed in his said master's ruinous old cabin on the banks of the lake, the proprietor of his master's kit, scissors, lap-board, goose, and thimbles; the 'husband of one wife,' and that wife no other than his late master's only daughter, Dolly Deegan; and the joyful daddy of three young Delanies, – two rosy-cheeked, white-headed little girls, and a chopping, chubby gorsoon, of some twelve or fifteen months old.

Brilliant prospects, certainly; but, alas! 'all is not gold that glitters'. With all these appliances, Dandy was poor; aye, as poor as Job himself, the poorest day that ever he saw. Dolly, Dandy's 'good woman', was a bad wife, – a scold, and a slattern. Yet, although she was so dirty that the dogs would scarcely eat what came through her hands, she managed to *clean* poor Dandy effectually, – not his shirt or stockings, such as they were, certainly, but his pockets; for the poor man never had twelve pence for which Dolly did not find thirteen wants; and, paradoxical as it may appear, every sixpence he earned was gone before it was received, to stop the mouths of Bob Flaherty, the landlord of the village *shebeen*, or whiskey-shop, and the widow Donnally, a neighbouring woman, who sold tobacco and snuff to the good people of Grantstown, and all the townlands in its vicinity.

Dandy himself was, as Dolly used to remark, 'no great dab' at industry. He would work to be sure, all the week, ripping and stitching, and oftentimes spoiling, the duds of his customers. He never asked or wished for a better breakfast than 'potatoes and point': his dinners and suppers were of the same material; nor did he ever aspire to a more luxurious bed than that composed of the 'seven-foot feathers'. Yet, on Sunday mornings, when he went to first Mass to the neighbouring chapel of Foxrock, he seldom waited for the last Gospel, but slipped into the ale-house, where he contrived to dispose of whatever cash he managed to crib from poor Dolly during the bygone week; and at night-fall would be seen staggering towards home, as drunk as a piper, and sometimes having his countenance *quartered* with the blackguard's coat-of-arms, to wit, two black eyes and a bloody nose.

'No matter, *Dolly avourneen*,' he would say, when he would awaken on the following morning, 'God never sends a mouth but he sends potatoes to fill it, and sure if a man does not have a *spree* while he is in the world, he won't have it when he quits it; and while I allow you your fling during the six working-days of the week, it's the least I may have a little recreation on the Sunday, when I can do nothing else.'

'Aye, but you unfortunate scapegrace, what will become of you when the rainy day comes, if you don't make some reserve while you are able? Why man, if you go on this way, you won't have as much as will buy a coffin for your four ugly bones.'

'Devil may care, Dolly; I never knew of any one being left over the ground for want of a coffin. If they do not bury me for love, by my sowl, they will for some other reason; and that same, sure, is a consolation.'

In this way Dandy and Dolly jogged along. Dandy working incessantly all the week; Dolly doing nothing at all when not smoking tobacco or drinking *potteen*, and both of them, as well as their unfortunate offspring, victims to all the evils arising from their extravagant and improvident habits.

It was in the month of February, approaching Shrove-tide, the great annual season for the Irish Roman Catholic peasantry getting married, that Dandy Delany was one night busily employed in finishing a new grey frieze coat for Paddy Corcoran, a young man of the neighbourhood. Bryan Casey's daughter was getting married on that very night, and as Paddy Corcoran was a first cousin to the same Judy Casey, he could on no account be absent from her wedding, and yet as he would rather stay away entirely than go in shabby trim, he commissioned Dandy to fit him to the skin in a new trusty. On the night in question the man of stitches was on the hook of his life finishing the job, and Dolly was working the holes and sewing in the buttons, and performing whatever else she could do to hurry the business, whilst Paddy Corcoran himself was sitting on the hob, as impatient and uneasy as a hen on a hot griddle until the coat would be finished, and he himself ready to start off to the house of feasting.

It was a wild, dreary night. The north wind was whistling and raving around the frail cabin of the tailor; and on its savage pinions was borne vast flakes of snow, which fell heavily and thickly on the ground, shrouding every object except the dark-looking waters of the lake in one gigantic sheet of dazzling whiteness.

Amid the pausings of the blast, a low voice was heard at the tailor's door. The inmates listened, and it was repeated.

'By the Piper of Blessington,' exclaimed Dandy, 'there's some creature at the door that's benighted. Run, Dolly, and try who is it.'

Dolly opened the door, and a tall athletic man entered the cabin. His face was concealed by a low broad-leafed hat which screened his features from observation. His dress defied description, for it appeared a perfect sheet of snow, and under his right arm he carried a bundle of considerable magnitude. He stood on the floor, but did not open his lips.

'God save you, neighbour,' said Dandy, ''tis a wild hour you had of it. Sit down, poor fellow, near the fire, and fling that coat or winding-sheet, or whatever you call it, off your four bones.'

In that strong, sharp accent peculiar to the peasantry of Scotland and the north of Ireland, the stranger spoke his thanks. He flung off his outside coat as desired; placed the bundle, – a bag of tartan plaid in which was enveloped a set of Highland war-pipes, – at one side on a table, and sat down quite comfortably by the bright turf fire which gleamed so redly and cheerfully on the hearthstone.

'And in the name of God,' said the tailor, 'might a body be afther asking you, who are you? or what are you? or what are you up to, that has you on the *Shaughrawn* such a terrible night as this?'

'I am a Scotchman,' replied the stranger. 'A native of the North Highlands. My name is Forbes, and I earn my living by the music of my pipes.'

'And where are you bound for now?'

'Ow, that I canna say, man,' replied the stranger. 'God alone kens where; but I was benighted this dreadful evening, and was about to gie mysel up for lost when I saw the blaze of light in your window, by the aid of which I succeeded in making my way to your hospitable door.'

'Dolly, *agrah*,' cried the tailor, 'go put down the praties till we get the poor fellow something to eat – and here, Paddy Corcoran, is your coat – come till we see how it fits you.'

Dolly set about 'getting down the praties,' and Paddy put on the new coat, whilst Dandy pulled and dragged and strained it in all possible directions to make it, as himself said, 'fit to a shaving'.

'It's your fit to a T,' said Dandy triumphantly.

'The same as a sentry-box,' replied Paddy with a chuckle. 'It "touches me no place", – But I will be late at the wedding. Good night, Dandy – good night, Piper,' and off he darted through the snow and storm to the nuptials of his fair cousin Judy Casey.

Dolly in the meantime was getting ready the supper; Dandy's work was suspended for the night. The Scotchman, having now warmed and rested himself, 'yoked on' his war-pipes, and the smoke-begrimed rafters of the tailor's cabin rang and echoed with the martial strains of the Highland Pibroch.

'By all the goats on the Slieve Bloom hills,' exclaimed the delighted tailor, 'your music is full as good as that of the fairy piper of the lakes there abroad on a summer's evening. Dolly a *hagur*, I cannot keep my feet easy. Out with you *a chorra*, until you and I will dance "*fig Polthogue*", just in regard of ould times, you know.'

And Dolly, nothing loth, flung off her old brogues, tightened her apron string, and stepped out on the floor. Dandy seized her hand, and was about calling on the Scotchman for his favorite tune, when the door opened, and three or four young peasants rushed in tumultuously about the cabin.

'Where's the piper?' they all vociferated. 'Paddy Corcoran told us you had a piper lodging with you, Dandy.'

'Here he is, every stitch of him,' replied Dandy, 'what do you want with him?'

'He must come with us over the Lough to Judy Casey's wedding. Shawn Bawn, our own piper, cannot be got, for he is engaged over in the Ballagh mountains and we have no backdoors but press the new-comer away with us.'

'Na, na,' cried the Scotchman, 'I am na in the habit of your Irish dances; I never play at gatherings, nor are my pipes weel adapted for your favorite music.'

'Devil may care,' shouted the young men, 'any port in a storm. You can make noise any how, and you will get lashings to eat and drink, and your pocket full of silver besides.'

The offer was tempting: remonstrance was useless, and the wandering Caledonian, without farther hesitation, set forward with his captors. A few perches brought them to the verge of the lake. A little boat was moored awaiting them, they got in, and amid the gloom and storm of that dreary hour, they departed to the wedding-house, across the silent and inky-looking waters of that lonely lake. Their arrival was greeted with a shout of welcome, and the Scotchman and his war-pipes were introduced into the big chilly-looking barn, in which was collected the friends, and cousins, and gossips, and neighbours of the Casey family, all in high glee, and all impatient to hear the strange, wild music of the highland pipes.

'Come, neighbour,' cried old Casey, 'come whet your whistle, before you begin; your pipes will play the better for getting a drop. Come, friend, drink;' and he filled a flowing tumbler of whiskey from an immense delf jug, and handed it to the piper. We need not

say that the Scotchman knew well what to do with the whiskey –
nor need we add that he did his duty.

'Now to work!' eagerly shouted several of the young folks of both
sexes. 'Now, now, we are mad to be off.'

The piper blew a skirl; the eyes of the half-tipsy peasantry sparkled
with delight and anticipation. He blew again, and every foot was
raised ready to start in the merry whirl. Again he blew, and the old
barn shook with the thrilling tones of 'Scots wha hae wi Wallace bled'.

The group remained motionless. 'It won't do,' cried several at once;
'try again;' and again he tried, and played that popular Scotch air,
'Lassie wi the yellow coatie'.

'It's no go,' again they cried. 'Give us something lively; "The
Battered Maggin", or "Smash the Windows", or something that will
put life in the girls.'

'I dinna ken them tunes,' said the poor piper, deprecatingly.

'Well, well, try something; make haste and let us be off,'
impatiently cried several of the young men together.

The piper scratched his head in dudgeon. 'I dinna ken what to say,'
he muttered: ''tis so hard to please you Irish;' and putting the pipe in
his lips again, he commenced playing 'Corn riggs are bonnie'.

'Bad luck to you and your squealing pipes!' angrily cried several
of the disappointed youngsters. Some sat down with their partners,
whilst others more compassionate than the rest, desired the piper to
'go on', and they danced, as well as they could, the very beautiful air
he had commenced.

But the poor Scotchman was completely crest-fallen. His countenance was pale and sad; the instrument quivered in his grasp; and
when the dance was finished, and whilst the company was engaged in
procuring new partners, he slunk out of the house, leaving his pipes,
hat, and outside coat, on the chair on which he had been seated.

The wind was still howling: the snow was descending in thick and
blending flakes, and all abroad was dark, desolate, and dreary. Still the
poor piper wandered he knew not and cared not whither. Cold and
misery, and in all probability a dreadful death, stared him in the face;
yet rather than remain all night subject to the taunts and insults of a
half-drunken set of semi-barbarous boors, he determined to brave all
the horrors of his situation, and remain abroad, exposed to the pitiless

peltings of that wintry storm. He walked on, groping his way through the gloom, until he came to the edge of the lake. He found the little boat in which he had not an hour ago been rowed over its sluggish waters. It was tied firmly to the stump of a tree, and getting into it, and commending himself to the mercy of Providence, he stretched his shivering form on its cold and snow-covered bottom.

We are not to describe how the night was spent by the happy and merry party at the wedding. Of course, the piper was soon found absent; but from the sample of his music which they had heard already, his loss was little deplored, and none knew nor cared how he had made his exit, or where he had bent his forlorn footsteps.

The night wore away: the bride and bridegroom retired, and the tipsy revellers departed to their respective homes. Paddy Corcoran and a few others must cross the lough, and on coming down to the beach, were thunder-stricken at finding a human figure stretched at full length in the bottom of the little old boat. They examined: it was the piper. They tried to arouse him, but he was stiff, and stirless, insensible, and apparently dead.

With all their rashness and unreflecting precipitancy, the Irish peasantry are generous, compassionate, and kindly-hearted. A cry of horror arose from Paddy and his comrades. They upraided themselves for having wounded the feelings of the unfortunate stranger, and they accused themselves with being the cause of his untimely and miserable death. Their iron visages were pale with sadness and remorse; and it was strange to see those wild, reckless, laughter-loving boors, as they wrung their hands and wept bitterly over the stiffened form of the unconscious piper.

His hat, coat, and pipes were procured from the wedding-house, and they departed over the now tranquil waters of the Lough. On arriving at the cabin of Dandy Delany, they carried in the Scotchman, and laid him on the straw bed in the chimney corner, from which the tailor and his wife were just after getting up. Dolly raised the death-howl, and beating her bosom, and tearing her hair, frantically vociferated: 'Och musha, the great God may look down upon you a *wirra*, this blessed morning. 'Tis the poor death you met with a *hagur*, and how can they ever sleep an hour in peace that brought you to it. It's little the notion we had last night when you left us, safe and sound, my poor misfortunate *bouchal*, that you would be coming home to us this morning "a dead snipe". Well, may the Lord have pity on the mother that reared you, if she be a living woman, and may Heaven have mercy on your poor soul the last day.'

'Amen, if we are bound to pray for him,' quietly ejaculated Dandy.

The controversial discussion which this last observation of the tailor's was likely to excite, was prevented by a loud groan from the piper in the corner. 'By this and that,' shouted Dolly, 'he's coming to – he is worth two dead men yet.'

She was partly right. Life was not extinct when he was found in the boat, and now the warmth of the bed-clothes and of the turf fire which blazed quite convenient, restored animation. In a few minutes, his reason returned; he was able to speak: and Dandy and Dolly, and Paddy Corcoran, and the others, danced, like wild Indians, about the cabin floor for joy. The piper gazed in surprise at their strange antics, and quickly recognised the well-remembered features and new grey coat of Paddy Corcoran. He cast on him one fierce glance of the most malignant ferocity, and raising himself on his elbow, passionately ordered him to quit his presence.

'Avaunt, villain,' he exclaimed. 'To you alone I owe my sufferings, and you alone I blame for my untimely death; avaunt, I say, your presence pains my sight!'

'You have no sign of death upon you,' said Dolly, 'and I am thinking you will live to eat part of the goose that will graze on the same Paddy Corcoran's grave.'

'Peace, woman,' cried the Scotchman, 'turn out those folks, I am dying.'

'Dying is it, *a chorra?*' said Dolly.

'Yes,' said the piper, 'do as I bid you, I want to speak privately to you and your husband.'

Paddy Corcoran and his companions, on hearing this, left the cabin; and Paddy, as he cast one lingering, deprecatory look at the stranger, was observed to wipe his eyes with the skirt of his new frieze coat.

'Shut that door,' said the piper. Dandy did so, and fastened it too with the spade-handle.

The piper motioned to Dolly to go sit at his back. She understood him, and did as desired, raising the sick man from the straw and placing her knees as a support to his back; the three children lay asleep at the piper's feet, and Dandy sat on a low stool at the side of the miserable bed.

'D'ye hear?' said the piper.

'Yes, a *gragal*,' replied Dandy and Dolly, both speaking together.

'You are very poor, I ken.'

'As poor as Lazarus,' cried the pair, 'the poorest day ever he was.'

'Now, mark me – I am dying.'

Dandy and Dolly wept again.

'But ere I gang, I have a word to say; I can raise you from poverty if you follow my directions and keep your ain secrets.'

'To the last inch of our lives we will!' exclaimed the tailor and his rib.

'Weel, then, hearken. I told you my name and my native place already, and I told you truth. I have more to tell you;' and he looked steadfastly at his auditors.

'Lord save us from harm,' ejaculated the pair.

'I was once a soldier in a Highland regiment. I was with my corps in Ireland, in 1798.'

'Aye, *a chorra*! the troublesome year,' responded Dandy. 'Bad luck to it, this morning, fresh and fasting, for a '98; it brought trouble enough to many a one – many's the scalded widow and helpless orphan that unlucky year left on the world.'

'We were stationed in a midland county. I was then a fine athletic young man – aye, as ever wore the tartans.'

'You were *aroon*,' said Dolly, 'and you have the marks and tokens of a fine man about you this moment; may the Lord fit and prepare your sowl for a better place than Grantstown.

The poor Scotchman smiled, sadly indeed, and went on.

'I was with my regiment in one of the chief military quarters of the south: we had not been long there when I got acquainted with Ellen Noonan, the only daughter of a rich old broker of the town. Her father was hospitable and good-natured, as the Southern folk are generally, and though he got some inkling of my communication with Ellen, he still made me welcome at his board; for in those stormy days, the wealthiest Irish Catholic did not scorn the companionship of the meanest soldier in the British ranks. Besides, he was of a romantic turn of feeling, and loved to hear of wars and battles – of Highland lakes and hills, the vale of Glencoe, and the Mc Donalds of Glengarry. Still I did not dare to propose openly for the hand of his fair daughter. She was beautiful, wealthy, and a Roman Catholic; I was but corporal in a "petticoat regiment", and a heretic. Yet the maiden was willing to become my bride, and seek a highland home: so one glorious night in June, I bade adieu to my kilted brethren, and took my route on the high road to Belfast, having as companion Ellen Noonan, who contrived to carry away in her reticule one thousand red gold guineas of her father's anxiously-hoarded treasure. Another drink of water.' It was brought. 'We reached Belfast in safety, from whence we sailed to Port Patrick, in Old Galloway, in Scotland. There we stopped a few days to rest ourselves, and form plans for the future.'

'Och wirra, wirra,' cried Dolly Delany, 'wasn't she the shameless girl to run away from her poor ould father, and take up with a Scotch "petticoat man", as if she was his lawful married wife.'

'You wrong the poor lassie,' cried the dying man, eagerly: 'you wrong the poor thing: she *was* my wife; for before she would consent to quit her father, we were married, and that by a lawful and respectable Catholic priest.'

'And a priest married you,' said the tailor's wife, doubtingly.

'Yes,' replied the man: 'he at first seemed unwilling, but I showed him my sword, told him I was a British soldier, and without a word more he made us man and wife.'

'Och, he dare not demur,' said the woman. 'Did you ever hear how the McMahons of Ballyteague, were obliged to become heretics in that same misfortunate year of '98?'

'No,' said the dying man, 'nor shall I ever hear it: I am hardly able to finish my own story: I am getting worse every moment, and in half an hour I shall be where the wicked cease from troubling, and the weary are at rest.'

'Hould your bother, Dolly,' cried the man of stitches to his loquacious helpmate; 'hold your tongue, and let him finish his story.'

'Well,' resumed the piper, 'we lived a few days happily in Portpatrick and Wigton, but anxious lest I might not remain with safety in places so much resorted, we set forwards towards the hill country. I had previously provided myself with a small stock of toys, trinkets, and cheap haberdashery, and we determined to roam some months through the Highlands in the guise and character of hawkers or pedlars.

'For six months we followed this wandering mode of life, when I discovered that poor Ellen was in a fair way of becoming a mother. The roses faded from her cheek, the lustre was extinguished in her fine blue eyes, and her skin became rough and sallow with the cold air and cutting winds of the Western Highlands. It was evident that her health was breaking, and to make matters more painful, she became peevish and sour, complained loudly of our cheerless mode of life, and often upbraided me with my churlish and niggardly habits.'

'They say Scotchmen are all poor-hearted niggers,' said Mrs. Delany; 'they may be wronged, but at all events, all the water in Grantstown Lough would not wash away that stain from their names.'

'What's that to you, you slut,' angrily shouted the tailor, making a stroke of his clenched fist at her head, but without hitting the mark, for, poor fellow, he well knew that should matters proceed to personal conflict – to 'physical force' – he would come off but second best, in the heel of the battle.

'To shorten my story,' continued the piper, 'I got sorry for my past career, and hated poor Ellen. I would often ruminate on my base conduct in deserting my regiment and skulking away from the long pikes of the Irish Croppies, for God forgive me, I then hated Ireland and Irishmen, and thought no amusement so good as cutting the throats and burning the houses of popish rebels.'

'Many a comrade you had,' said the woman, 'may God forgive them only according as the poor Croppies deserved such cruelty from them.'

'You're beginning your prate again,' angrily shouted the tailor.

'As I said just now,' resumed the Scotchman, 'I got weary of my wife, she was so weakly and peevish, and so disposed to be extravagant. Nay, I soon hated her, and wished to get rid of her.'

'Och you thief of the world!' cried the woman in a kind of under growl.

'Well, one stormy, snowy day in February, we found ourselves benighted in the wild, savage vale of the Dochart, near Tyndrum, in the western district of Perthshire. We took refuge from the horrors of that awful hour beneath an over-hanging precipice of rocks which came in our pathway. It was, indeed, a horrid night. Although I was a Highlander, and well acquainted with the rigours of a Highland storm, I never remembered to have witnessed such a terrific night as that. Yet strange to say, I slept some hours soundly, and I dreamed of Ireland, of old Paul Noonan and his rifled coffers.

'When I awoke it was grey dawn, and the storm was lulled. I called poor Ellen, but a low moan was the only reply. I looked at her; she was stretched faint and exhausted at the bottom of a deep fissure, unable to speak, and utterly deprived of all power of motion. She was dying; I brought away her cloak and whatever coin she had in her pocket, then imprinting a hasty farewell kiss on her clay-cold lips, I left her there to die.'

'Och, ochone, you core-hardened churl!' cried the tailor's wife, crossing her brow, striking her breast, and turning her eyes up to the soot-polished rafters as if invoking anathema on all unfeeling husbands, or perchance invocating heaven for mercy on all ill-treated wives, such as Mrs. Delany herself and the departed Ellen Noonan.

'I fled northwards. I had nearly the whole of poor Noonan's thousand guineas, for we lived thriftily, and spent very little more than the profits of my toy-basket. I fancied myself now a rich and happy man, but alas! I was neither rich nor happy. I had gold to be sure, but it was the gold of another, and that feeling pressed like a mountain on my heart and made me wretched. At night my dreams were terrific. My dead wife, pale and haggard, would seem standing at my bed, upbraiding me with my neglect, my cruelty, my desertion – with being her murderer. Then old Paul Noonan would come with his white hair waving in the breeze, and point his long white finger at me, and say in hollow tones: "Restore me my daughter, where is my fine red gold?" In my day-wanderings I fancied I met Ellen's ghost in every glen and lonely spot, and heard her dying moan in every blast that swept the savage hills – and then the gold, oh! that cursed gold!

Ben Lomond itself is not heavier than that money seemed to weigh on my person, and, if perchance two pieces would clank together, the jingle was more terrifying to me than the yelling of a thousand devils. Yet I felt some comfort, for I determined to get rid of it on the very first opportunity.

'But how was I to dispose of it? I dare not face the injured Noonan, nor durst I venture myself in Ireland lest I should be arrested as a deserter. There was but one mode of getting clear of it satisfactorily. I said I would seek Ellen's corpse in the cavern, deposit the money in her pocket, and bid an eternal adieu to Scotland and home.'

Here the poor fellow was excessively agitated. His form trembled convulsively; his utterance became thick and partially inarticulate, and he motioned again for a drink of water.

'All the water in the lough abroad would not quench his thirst,' cried Dolly, as she gazed in astonishment at the extreme eagerness with which he swallowed the draught of muddy liquid.

'Don't let him want plenty of it, any how,' said her husband compassionately; 'as we can be of no further assistance to him, let him have all the cold water he wishes for.'

'Och muscha, I will, and cead mille failtha,' said the good-natured woman, brushing a tear from her eye with her red fist, 'if a spill of my heart's blood could be of any comfort to the poor creature, he should be welcome to it. God knows whose corner ourselves might die in yet.'

The piper went on. 'Poor Ellen had not been a month dead when I again sought her unburied corpse. It was a cold and bitter, but brilliantly moonlit night, and I came prepared with a spade and shovel to dig a grave and commit her bones to their mother clay. I entered the cavern, and the red glare of my lanthorn gleamed horridly on the decaying remnants of the once lovely Ellen Noonan. The skeleton was there, but skin and flesh were gone, devoured by rats and weasels, or the wild foxes of the neighbouring hills. I dragged the fleshless bones from their resting place, and having previously dug a deep grave hard by, laid them down sadly into its depths, and then depositing the gold – upwards of nine hundred and fifty guineas – in the hollow of the skull, covered the grave carefully, and set forward within that hour to visit a sister who lived in Stirling previously to my intended departure from the land of my nativity.

'But yet I was not at peace. I still did not perform my duty towards old Noonan so honourably or satisfactorily as I might have done. His daughter, to be sure, was beyond recovery, but not so his guineas, the savings of many a long and anxious and painful year. "No," I mentally ejaculated, "no, I will go to Ireland. I will venture all, run every hazard, to restore to the old man as much of his property as can be still recovered. Yet, I will never open Ellen's grave myself, never again will I look on her blood-freezing skeleton. But I will go and confront her father, I will confess all, and tell him *where* and *how* his gold may be found."

'I sailed in a week after for Belfast, where I purchased my pipes, intending to proceed on my journey in the garb and character of a wandering minstrel. I soon arrived in the native town of my poor Ellen, but her father had been dead for some weeks previously, and of any other member of his family I could learn no tidings. Desolate and heart-broken, I left the spot, but vowed I would never more return to Scotland.'

'I hope you are going to a better place than that out-of-the-way, bleak cowld country, and may God grant you a good journey!' said the tailor.

'He is not dying,' said Dolly. 'He is as good yet as two dead men any how.'

'This is neither time nor place for trifling. I am dying – in half an hour I will be in another and, I trust, a happier world.'

'I think, Dandy,' said the woman, 'you ought to go for Father Patrick, and don't let the poor fellow die like a beast. I would never sleep a night easy if he died without the rites of the Church in my cabin.'

'Who is Father Patrick?' asked the dying man.

'The priest of the parish – as good a man as ever wore the vestment,' replied Dolly.

'Ah weel then,' continued the piper, 'I have nothing to say with Father Patrick or any other priest of Rome. A Presbyterian I was reared, and I am not afraid to die in the creed of my fathers.'

'Oh well,' said Mrs. Delany something bitterly, 'forced prayers are no devotion. It's no affair of mine how you die, only that I would be glad every one would do what's best for their poor souls.'

'I have no more to say,' resumed the piper, 'but merely to ask you, good man, have you courage enough to go open Ellen's grave, and fetch away the gold?'

'For what?' asked Dandy.

'For what?' echoed the sick man. 'For what but to raise yourself and your family from beggary. Noonan is dead and gone. There is none to claim the treasure, so you may as well have it, as to leave it mouldering in the clay.'

'Eh Dolly?' said the tailor, looking somewhat deprecatingly at his wife, 'what do *you* think of this piece of business?'

'Why what do I think?' replied the woman: 'sure God and the world knows, the gold can be no good to anybody where it is, and we may as well have it as anybody else; only Dandy *agrah*, the journey is such a tremendous one; and besides, who knows but Ellen's ghost might try titles with any one who would disturb her grave or lay fingers on her father's guineas.'

'Fudge,' said the expiring man, contemptuously: 'some of your old Irish papistry and superstition. Never mind ghosts – dead men tell no tales – nor dead women either.'

'For those matters,' said the tailor, 'I care not a *thraneen*; but I fear as I am a simple ignorant fellow, who never was a hen's race from home in my life, I would never be able to make out that wild spot where the gold lies buried.'

'I'll tell you what you'll do, Dandy,' said the female. 'Paddy Whitley, the schoolmaster, is not much engaged at present: ask him to go with you, and as he is such a knowledgeable man, and can do the rule of three and book-keeping, I'll go bail he'll make off the spot in less than no time.'

'Do you run over to Mat McDermot's for him,' said Dandy, 'he slept there two nights back: go for him until we talk about it.'

'Be quick,' said the Scotchman, 'I am getting worse momentarily.'

Dolly withdrew, and in less than ten minutes reappeared, leading by the skirt the pedagogue – the redoubtable Patrick Whitley, philomath, &c. the literary luminary of Upper Ossory, and brightest star of the broad parish of Aghaboe.

Dandy immediately communicated the particulars of the business to the schoolmaster, who looked 'unutterable things', during the strange recital. The dying piper was getting every moment weaker, and it was with difficulty he succeeded in making him comprehend his wishes about the hidden treasure. However, by Dandy's assistance – aided, of course, materially by Dolly, he made himself understood. The schoolmaster entered with a pencil his memorandums on the fly leaf of a copy of Gough's *Arithmetic*, which he carried in his pocket, and expressed himself ready and willing, at an hour's warning, to accompany the tailor on his strange expedition.

'A-ni-ther dr-op of wa-ter, the last I sh-all re-qui-re,' muttered the dying man, now evidently commencing the last throes of departing mortality.

It was brought, but ere it could be raised to his burning lips, he uttered a single stifled groan, and his spirit was with Him who gave it.

'It is all over!' said the schoolmaster.

'He is dead as a snipe,' added Dandy.

'What matter for that?' cried Dolly, wiping the corner of her eye: 'what matter if we could say: "Lord have mercy on his soul!"'

'His soul is in better hands than yours or mine, Mrs. Delany,' said the Ossory luminary. 'It is not our business to judge him, now that he is gone where we all must quickly follow.'

The piper was waked as decently as if he was a son of the sod, only that nobody said 'God rest him', nor was the requiem mass chaunted for the repose of his soul, as would happen did he die a member of the Catholic communion. However, his remains were treated with every becoming respect; for the peasantry never insult the corpse of even their greatest enemy. An Irishman often finds little hesitation in sacrificing human life to his revenge or feelings of 'wild justice', but he never insults the dead or triumphs over a fallen foe. With the piper, although he was a stranger, an 'alien' in country and creed, his remains were respected and in the proper time decently interred in the neighbouring Protestant church-yard of Aghaboe.

It was a splendid moon-lit evening in the month of April following, when two men entered the wild vale of the Dochart in Perthshire. They strode along slowly, yet apparently with much anxiety and trepidation. One of them carried a spade, the other held a book open in his hand into which he ever and anon cast his eye, now and then turning his gaze anxiously over the scenery and into the golden-vested heavens.

'You're passing the spot, master,' cried the man with the spade; 'with all your learning and geographical knowledge, I have more gumption myself, though I do not know a B from a bull's foot.'

'What do you mean?' asked the schoolmaster, peevishly.

'I mean,' said Dandy, 'that this is the very spot, described by the piper as marking the grave of his wife and his father-in-law's gold. Look here, see the little grey rock, and the sloe-thorn bush, and look again; there is the identical tuft of ferns, which he said grew near the foot of the grave.'

'Faith, Dandy, you have a good eye. I believe you are right in your opinion'; and so saying, he knelt down upon the spot, and repeated the *De Profundis* for the soul of poor Ellen Noonan. Dandy repeating the responses; for the most ignorant Irish peasant is seldom found unable to say that favorite Psalm for the dead.

Their devotions ended, both arose from their knees. Dandy struck the earth smartly with his spade; 'True enough,' he cried, 'here it is; I know it by the hollow sound. May the Lord have mercy on the souls of the faithful departed.'

'Very good,' said the pedagogue, 'begin – in God's name begin.'

The tailor stripped off his coat and hat; he worked briskly; in half-an-hour the task was performed, and the anxiously sought for treasure secured in a strong canvas bag, which Dandy had constructed for the purpose, before he left home.

'Will you re-bury the bones?' asked the schoolteacher.

'Would a duck swim?' replied Dandy. 'What news you want. Is it leave Christian limbs bleaching under the sun and sky, as if they were the bones of a dead horse? No, no, but I will bury them as carefully as if they belonged to St. Patrick, or my own poor Dolly.'

And the kindly-hearted tailor kept his promise. He replaced the bones carefully in their resting-place, and covered them with much care and precision. Then muttering another prayer for the dead, the two companions strode hurriedly away through the moonlit haze, mentally wishing themselves safe and sound again on the Irish side of the herring-brook.

That night-week the adventurers arrived in Grantstown; weary enough indeed, but the strange sights they had seen, and the success of their journey, amply compensated them for their labour and pain. Dolly of course was glad to see them home in safety, yet she was not as happy a woman as when the Scotch piper first crossed her threshold. Gold she had in abundance, but her conscience whispered that 'it was not her own'; and her superstitious fancies were incessantly conjuring up the ghost of Ellen Noonan, coming at midnight to her bedside, demanding back her old father's money. 'No, no,' the affrighted woman would often cry; 'I wish the Scotchman or his pipes never entered our cabin; an hour's rest or peace never crossed us from that day to this. They say "money is the devil, and that God keeps it from us", and I wish from my heart that God or something else had kept that piper from darkening our door.'

But the jingle and glitter of the gold was tempting, and by degrees she became not only reconciled to its being kept in her cabin, but soon began to form plans for its disposal. As good luck would have it too, the poor schoolmaster was dead within a month after his arrival at home. He contracted a cold in his adventure, from which he did not recover, but went very luckily 'out of the way', leaving his moiety of the treasure to the fortunate Dandy and Dolly Delany.

The remainder of our story is easily told. Dandy Delany and his family grew rich all at once. People, of course, wondered how the mischief he grew so 'unbeholden' in a moment, and more so still at the 'consequential airs they set up for'; but the wiseacres of the neighbourhood explained the former phenomenon by ascribing the cause to some fairy interventions or other, and the latter as the natural effect of the former, corroborating their statement, too, by the application of the old proverb, 'Set a beggar on horseback and he'll ride to the devil'.

The Grantstown tailor soon gave up 'stitching.' He took farm after farm for his children, yet he continued to reside several years after, in his cabin by the lake. But he is not there now. Himself and his wife, after settling all their elder children in the world, removed with the younger to one of the principal towns in Munster, where he resumed his old avocations, made money quickly, and is now a wealthy man and a respectable master-tailor.

But although the tailor's family are well to do in the world, they are not much respected, even by their inferiors. The secret of how their father acquired his wealth, has long since transpired, and the *soubriquet* of 'the grave-robber' has ever since been attached to his name. The knowing ones of the neighbourhood prognosticate the downfall of his family to their former poverty, sagaciously observing, when speaking on the subject, that, 'what is got under the devil's belly, always disappears over his black majesty's back'.

The Dying Mother's Lament

An inquest was held at Corbet's-town in this county, on the bodies of four human creatures, found dead in a ditch on the lands of Webb's-borough. It appeared in evidence, that a poor female with three little children had been wandering for some days through that neighbourhood in a state of extreme destitution. They had received charity at a cabin a couple of days before their melancholy death, – the mother appearing in a state of apparent unconsciousness, evidently the effect of extreme mental anxiety. On the same evening (Friday Nov. 27) they were seen on the road, near the spot where their dead bodies were found on the morning of the following Monday. It is supposed they sat down to shelter themselves from the weather, which on that evening was very severe, and that from exhaustion they were unable to proceed until overtaken by the darkness and loneliness of night. When found, the hand of one of the children and the foot of another were eaten away, it is supposed by dogs or swine. The mother appeared to be about thirty years of age, the eldest child (a girl) about nine. A *post mortem* examination of the bodies was made by a physician, who was of opinion that they had not partaken of any description of food for twenty hours before death. In the stomach of one of the children, he found some portion of an undigested potato. The bodies were much emaciated, and must have been dead for a considerable time before they were discovered.

– From the *Kilkenny Moderator*.

The following verses were suggested on reading this melancholy intelligence. The wretched mother is supposed to speak:

'Oh God, it is a dreadful night, – how fierce the dark
winds blow,
It howls like mourning *Banshee*, its breathings speak of
woe;
'Twill rouse my slumbering orphans – blow gently, oh
wild blast,
My wearied hungry darlings are hushed in peace at last.

And how the cold rain tumbles down in torrents from
the skies,
Down, down, upon our stiffened limbs, into my
children's eyes:–

80

Oh God of Heaven, stop your hand until the dawn of
day,
And out upon the weary world again we'll take our way.

But, ah! my prayers are worthless – oh! louder roars the
blast,
And darker frown the pitchy clouds, the rain falls still
more fast;
Oh God, *if* you be merciful, have mercy *now*, I pray –
Oh God, forgive my wicked words – I know not what I
say.

To see my ghastly babies – my babes so meek and fair –
To see them huddled in that ditch, like wild beasts in
their lair:
Like wild beasts! No! the vixen cubs that sport on yonder
hill,
Lie warm this hour, and, I'll engage, of food they've had
their fill.

Oh blessed Queen of Mercy, look down from that black
sky –
You've felt a mother's misery, then hear a mother's cry;
I mourn not my own wretchedness, but let my children
rest,
Oh watch and guard them this wild night, and then I
will be blest!'

Thus prayed the wanderer, but in vain! – in vain her
mournful cry;
God did not hush that piercing wind, nor brighten that
dark sky:
But when the ghastly winter's dawn its sickly radiance
shed,
The mother and her wretched babes lay stiffened, grim,
and dead!

December 18th, 1846.

Caoch the Piper

One winter's day, long, long, ago,
   When I was a little fellow,
A piper wandered to our door,
   Grey-headed, blind, and yellow –
And, oh! how glad was my young heart,
   Though earth and sky looked dreary –
To see the stranger and his dog –
   Poor 'Pinch' and Caoch O'Leary.

And when he stowed away his bag,
   Cross-barr'd with green and yellow,
I thought, and said, 'in Ireland's ground,
   There's not so fine a fellow'.
And Fineen Burke and Shane Magee,
   And Eily, Cáit, and Mary,
Rushed in, with panting haste to see,
   And welcome Caoch O'Leary.

Oh! God be with those happy times,
   Oh! God be with my childhood,
When I, bare-headed, roamed all day
   Bird-nesting in the wild-wood –
I'll not forget those sunny hours,
   However years may vary;
I'll not forget my early friends,
   Nor honest Caoch O'Leary.

Poor Caoch and 'Pinch' slept well that night,
   And in the morning early
He called me up to hear him play
   'The wind that shakes the barley'.
And then he stroked my flaxen hair,
   And cried – 'God mark my deary',
And how I wept when he said 'farewell,
   And think of Caoch O'Leary'.

And seasons came and went, and still
   Old Caoch was not forgotten,
Although I thought him dead and gone
   And in the cold clay rotten.
And often when I walked and danced
   With Eily, Cáit, and Mary,
We spoke of childhood's rosy hours,
   And prayed for Caoch O'Leary.

Well – twenty summers had gone past,
   And June's red sun was sinking,
When I, a man, sat by my door,
   Of twenty sad things thinking.
A little dog came up the way,
   His gait was slow and weary,
And at his tail a 'boccough' limped –
   'Twas 'Pinch' and Caoch O'Leary!

Old Caoch! but ah! how woe-begone!
   His form is bowed and bending,
His fleshless hands are stiff and wan,
   Aye – Time is even blending
The colours on his thread-bare bag –
   And 'Pinch' is twice as hairy
And thin-spare as when first I saw
   Himself and Caoch O'Leary.

'God's blessing here,' the wanderer cried,
   'Far, far, be hell's black viper;
Does anybody hereabouts
   Remember Caoch the Piper?'
With swelling heart I grasped his hand;
   The old man murmured 'deary!
Are you the silky-headed child,
   That lov'd poor Caoch O'Leary?'

'Yes, yes,' I said – the wanderer wept
   As if his heart was breaking
'And where *a vhic machree*,' he sobbed,
   'Is all the merry-making

I found here twenty years ago?' –
  'My tale,' I sighed, 'might weary,
Enough to say – there's none but me
  To welcome Caoch O'Leary.'

'Vo, Vo, Vo!' the old man cried,
  And wrung his hands in sorrow,
'Pray, lead me in *asthore machree*,
  And I'll *go home* tomorrow.
My peace is made – I'll calmly leave
  This world so cold and dreary,
And you shall keep my pipes and dog,
  And pray for Caoch O'Leary.'

With 'Pinch', I watched his bed that night,
  Next day, his wish was granted;
He died – and Father James was brought,
  And the Requiem Mass was chanted –
The neighbours came; – we dug his grave,
  Near Eily, Cáit, and Mary,
And there he sleeps his last sweet sleep –
  God rest you! Caoch O'Leary.

Lines Written on a Visit to my Brother's Grave

The thin grey cloud scuds over the hill,
And round the grave so damp and chill;
The ocean blast is piping shrill,
  My Brother.

Even Winter flowers now cease to bloom,
The 'Bending Tower' is wrapped in gloom,
And darkly frowns above thy tomb,
  My Brother.

Down sinks the Sun's departing ray,
The stock dove homeward wends his way,
But here I kneel, for thee to pray,
  My Brother.

A partner in the common lot, –
Thy bones amid thy kindred rot –
By all the world thou art forgot,
  My Brother.

'Forgot' – ah cruel word, – no, no,
There still is *one* left here below,
Whose love is thine in weal and woe,
  My Brother.

Whose fondest thoughts are with thee ever,
Who ne'er forgot thee, and will never,
Till Death his thread of Life shall sever,
  My Brother.

Forget thee, – no, – when all is gay,
When pleasures lightning 'round me play,
My spirit watches o'er thy clay,
  My Brother.

And tho' my eyes may sparkle bright,
'Tis but the bleak heart's polar light,
For still thy image haunts my sight,
   My Brother.

And when the breeze of Heaven I hear,
Whispering low and sad and clear,
Methinks your deep-toned voice is near,
   My Brother.

Oh! for that time – that blessed time,
When you and I, unstained with crime,
Plucked flowers in childhood's sunny clime,
   My Brother.

When grief and anguish came not nigh us,
When desolation hobbled by us,
Nor Providence sent ills to 'try us',
   My Brother.

Like Summer-clouds the moments flew,
Our atmosphere looked calm and blue,
A brilliant vista met our view,
   My Brother.

No sighs were there, no burning tears,
Nor stern Atropos with her shears,
Nor withered hearts, nor wasting fears,
   My Brother.

But oh! it was too bright to last;
With storm our sky was overcast,
And you were broken by the blast,
   My Brother.

And lonely *I* am left below,
With none to feel, or mourn my woe,
Or wipe the hot tears as they flow,
   My Brother.

I weep; – why weep that thou art flown
To stand before thy Father's Throne,
Where tears and sorrows are unknown,
  My Brother?

Then, 'rest in peace' – no more I'll mourn,
In yon cold sky the bright stars burn,
'Mid graves no longer I'll sojourn,
  My Brother.

Farewell! – when next again we meet,
Perchance, within my winding-sheet,
My corpse your dear lov'd dust shall greet,
  My Brother.

From Earth and all its sorrows riven,
Our youthful follies all forgiven,
We'll meet, and part no more, in Heaven,
  My Brother.

Song of The Irish Railway Labourer

The gold star of love on the blue Slieve-Bloom burns;
   The hip-rose is wafting its scent by the grove;
High, high through the grey fog the raven returns;
   And I will go meet the dear maiden I love.
In the hot summer's sun I have cheerfully sung:
   I thought of Bridgheen, and my pain was no more;
And now when the bell its glad signal has rung,
   I'll wander away by the banks of the Nore.

My Bridgheen is chaste, and my Bridgheen is fair,
   And I know in my heart all her love is my own;
My fate and my fortune with her I will share,
   And I'll be more blessed than a king on his throne.
Then come, my soul's treasure; you promised to
     meet me
   When the rook was 'gone home', and my day's toil
   was o'er.
Och, come forth, *ma colleen*; with rapture I'll greet thee,
   And pull thee sweet 'posies' down, down by the Nore.

I scorn each proud one – I care not for wealth,
   Though my hands are so rough, and my coat is of grey.
I sigh not – God blessed me with manhood and health;
   I am blithe as the red-breast that sings on the spray;
And, oh! when my Bridgheen comes home to my arms,
   I'll kiss her and bless her, and wander no more,
I'll live with my darling and gaze on her charms,
   And build her a cot by the banks of the Nore.

The Rose

(A Fable From The Persian)

In olden time, when Love below,
   In this rude world, had built his bower,
All beauties that he could bestow,
   He brought from Heaven: a favourite flower,
Amongst the rest, he planted there,
   And white and pure as arctic snows,
And chaste, and innocent, and fair,
   And modest, was Love's lovely Rose!

The God amongst his Roses flew,
   In wild delight, one May-day morn,
And as he sipped the silver dew,
   His foot was wounded by a thorn.
His blood on every flower was shed,
   Beneath, below, around, above,
And every Rose grew 'rosy red',
   To prove a Rose had wounded Love!

Love, weeping, sought his mother's arms;
   Into her bosom straight he flew;
And there, amidst a thousand charms,
   Forgot that pain he ever knew.
His wound was staunched with sweetest kisses;
   In raptures, he forgot his pain;
But – wily rogue – to taste those blisses,
   He often sought the thorn again!

In air once more the God is flown,
  But glancing down on earth below,
The Rose, he found, was stamped alone
  With impress of his happy woe.
He shook his wings – the scent of Heaven
  To every Rose on earth was given,
To prove to every bleeding lover,
  That bliss will come when pain is over!

To Spring

Stern Winter quits his throne at last,
His withering away is fading fast,
The savage storm-fiend, fierce and vast
  Has ceased his groaning;
No more is heard the loud, wild blast
  At midnight moaning.

Then come, bright goddess, vestal Spring,
Expand thy light and sunny wing,
Or, hither haste, and with thee bring
  Bliss from above;
Oh come, and merry birds will sing
  Of peace and love.

Come from thy fairy-footed cave,
Beyond the eastern azure wave;
Yes, smiling damsel, come and brave
  Thy sire's chill breath;
Oh come, and prostrate Nature save
  From icy death.

Come with thy laughing eyes of blue,
With thy broad veil of shining dew,
With smiling face of morning hue,
  And rosy bloom;
With heavenly fragrance, fresh and new,
  Fair Virgin come.

To thee, rude Winter yields his seat,
For thee the shivering lambkins bleat –
For thee each songster woos his mate;
  And every thing
Thy advent sweet, impatient wait:–
  Then hasten Spring.

Oh come, fair Queen of happy hours,
From thy lov'd, ever-verdant bowers,
And in thy lap bring 'sunny showers',
 And balmy gales;
To rouse young Flora's embryo flowers
 Thro' Erin's vales.

Bring to the trees their Summer coat;
Make aerial music wildly float
Through every grove – from every throat,
 And warbling tongue;
Bid the cuckoo send her glad note
 The woods among.

Make Echo on her frolic rounds,
Through dingles, glens, and upland grounds,
Respond, incessant, to the sounds
 Of the wild dove;
On light, strong wing to Heaven's bounds
 Let the sky-larks rove.

In short, bring with thy happy trains,
Blue sunny skies, and verdant plains,
Cheap simple joys, and vocal strains,
 And every thing
To charm the smiling nymphs and swains,
 That love thee, SPRING.

The Rifleman's Grave

'Twas a sultry summer's day,
  And Ionia's rocky shore
Heard the bugle's martial lay
  And the rifle's abrupt roar;
For a youthful Irish warrior
  Was being laid in his lone grave,
Where old Phaeacia's craggy barrier
  Breaks the ocean's foaming wave.

In his own dear native vale
  Did the stranger soldier die,
The 'Keeners' with wild wail
  Would raise the funeral cry;
And Erin's blue-eyed maids
  Would ornament his bier
With many a flowery wreath
  And many a pearly tear.

But on *that* strange rough coast
  There was sung no burial hymn;
There was raised to Heaven no Host;
  There was said no *Requiem*;
Save the tragi-comic hum
  Of each careless, stern comrade,
Save the pealings of the drum –
  No obsequies were paid.

Yet, Soldier, though no mother,
  Nor father, mourned thy doom,
Though no sister or fond brother
  Wept o'er thy lowly tomb,
The vestals of the ocean
  Will watch thy hard chill pillow,
And thy *caoine* with sad devotion,
  Will be murmured by the billow.

Rest, silent and profound,
   Fast by the lonesome 'deep' –
No more the bugle sound
   Will break thy leaden sleep;
No more the 'brazen throat
   Of war' shall ope thy eyes,
Till the angel's trumpet note
   Shall command thee to 'ARISE'.

Devil May Care

Musha, 'Queen of the Sea', is it true what they say
All about the grand 'speeching' you had t'other day
About Ireland, and Dan, and Repeal? I declare
I think you were bullied; but, devil may care,
They shan't bully Paddy – so devil may care.

I heard, when a boy, you were gentle and true –
That you lov'd poor old Ireland and Irishmen too –
That your heart was as just as your form was fair,
And I wished you were here; but, the devil may care,
I've got my own darling – so devil may care.

And you've got young Albert, and long may you reign,
And lightsome and brightsome, and strong be the chain
That binds you together in love, now so rare
To be found at 'Head Quarters'; but, devil may care,
That's a case for the lawyers – so devil may care.

But Paddy a 'case' of his own has just now,
So off goes my 'caubeen' and here's my best bow;
My belly is empty, my back is all bare,
I'm hungry and naked; but, devil may care,
Good times are approaching – so devil may care.

Acushla machree, we are wounded and sore,
So bad that we cannot endure it much more;
A cure we must have, though the Saxons may stare
And 'curse like a trooper'; but, devil may care,
Shin fane is our watchword – so devil may care.

Through many a century of darkness and gloom
We writhed in our sorrow and wept at our doom;
We begged and implored, but they laughed at our
    prayer –
The answer they gave us was – 'devil may care',
You're 'mere Irish' rebels – so devil may care.

But no longer, like cowards, we'll kneel to the foe –
'Soft words they will butter no parsnips' we know;
Our RIGHTS they *must* give 'on the nail' – 'a child's share'
We claim, and *must* get. By St. Patrick, we swear,
We won't be put off with a 'devil may care'.

Then rouse you, Victoria, and give us our own,
And eight millions of 'aliens' shall stand round your
    throne;
And, och! with such arms encircled, who dare
Pluck the red rose of Britain? 'The devil may care' –
She may cry, Come all Europe – 'The devil may care'.

To T. F. M.

Brave chieftain of the buried lance! –
  Sweet minstrel of the tuneless lyre!
Our souls are sick and sad to-day; –
  Oh! shall the light you lit expire!
Or, shall we watch its dying ray,
  Till freedom's breath is thine again;
Oh! long ago we'd wither up,
  But hoping it would shine again.

The ways of Providence are strange,
  But Providence is just at last!
It smoothes the ocean's wildest waves,
  And lulls the loudest mountain's blast;
And he who sees the tyrant flag
  Flaunt on those old green hills of ours,
Will one day stretch his blood-red hand,
  And crush those withering ills of ours!

Then do not quail, oh! bravest son
  That prostrate Erin mourns to-day,
For glorious things await thee yet!
  Things which the boldest must not say;
God's finger, in thy ruling star,
  Inscribed a brilliant fate for thee,
Then, mock your chains – the victor's crown
  And Ireland's blessing wait for thee.

The tyrant grips thee tightly now;
  But, well-beloved, don't despair –
The God who formed thy gallant soul,
  Of that rare soul will have a care;
And Heaven that poured its richest gifts
  Upon that lofty brow of thine,
Has registered in golden scroll,
  That Anti-Saxon vow of thine!

Sonnet On Sickness

At man's idolatry of the clay he wears
How laughs the ruthless tyrant of the grave!
How scoffs at all his studied arts to save
A failing form, that mocks his anxious cares,
And tottering sinks beneath a few brief years!
Yet e'en his iron breast doth often yield,
And grant, at least, a warning to our prayers,
To bid us arm for the eternal field.
So this may be his messenger to me,
Untimely drooping in the flower of youth.
I deem it so: Heaven grant me to prepare
In Thine own time to meet eternity;
And to remember still the sacred truth –
The soul, not body, is our first great care.

Wootton Wavern

Appendix 1

Letters of John Keegan to John Daly

1

Killeany, June 5th 1846

My dear Sir,

Your letter of the 3rd inst. is with me. I return you unqualified thanks for the instructions you have given me, yet none of these would sound well for my purpose. The reason why I ask your aid in *this* case is:– I have it in contemplation to write a novel, the hero of which was a native of my own neighbourhood – a consummate villain who spent all his years, dreaming of, and digging for, gold. At length he seduced a farmer's daughter by the temptation of his mystic treasure – robbed her family and became an out-law and a murderer. 'Tis a wild tale indeed, and I hope to weave an attractive [tale *deleted*] novel out of these *facts*. He is rememberred [*sic*] in this place by the name of 'Roothawn Carrig' which I thought implied a person digging amongst rocks or old ruins. But even supposing this correct, I did not think his character sufficiently defined by that term as although it represented him as a 'digger' or excavator in certain places, it does not indicate *what* he sought for, or his object in digging or searching amongst those places. Hence my application to you for some expressive and comprehensive term, and now, that you know the whole affair, I am in hope that you can find some attractive and *characteristic* term for the hero of my tale. I have several chapters of it compiled already and am pleased with my work so far as it has gone.

I am glad to know that you are about becoming a 'happy man'. A buxom widow is good, provided she may have the 'kelther' – if not, 'bob' her and see farther. Six children would press heavy on a struggling man if their mother had not wherewithal to stop their mouths. I am not married myself, nor am I in any fuss about a 'rib' for I would rather go 'root' for one in the ruins of Herculaneum than seek her in my own green plains, provided she was not to my taste – and *that*, I fear is rather squeamish on matrimonial matters.

Buy Ledwich's Survey of Aghaboe for me, and send me word that I may send cash by a person who will bring it to me. I do not much prize his 'Antiquities'. But as I could almost cast a stone from my own door into the fine old romantic parish of Aghaboe, I feel deep interest in its local historic and topographical survey.

I am happy my dear sir, to have your friendship – prouder of you than if you wore a Coronet over an *oiled* and *brushed* and *puppy* pate. I am sorry to tell you, that of late, this *Jackeen* spirit is creeping even amongst the peasantry of some portions of the Queen's Co. I mourn to see *dandyism* in dress and a certain degree of *slang* in language and accent slowly gaining ground amongst our once generous and good people. There are various causes for this lamentable degeneracy, one of the most prominent of which is, the influx of strangers and 'tramps' on the numerous rail-way works in the country.

I mean to appear more prominently in the literary world. I *feel* that *nameless something* which warns me that I have the elements of some success about me. I will try. I have different novels – tragedies – poems &c. in contemplation. But I am ruined for opportunities of reading and conversing with *men* – I have plenty of tag-rag pedagogues and *soi-disant* 'great fellows' who would *favor!* me with an occasional 'dish of chat', but I would prefer half-an-hours talk with an itinerant tinker or such an old fellow as my poor dear friend 'Ceaoch O'Leary' to the society of such ill-grained buffoons.

Yours, my dear Mr Daly

John Keegan.

*Write as soon as you can spare a moment.

NB I never met M^r McSwiney yet I got a good account of him. Please give him my respects. I hope I will see him and you in Autumn. How is '*The Irish National Magazine*' getting on. I had a letter from the Editor on my return from Dublin, explaining the cause of my 'Sunday Evening Dance' being postponed – I saw or heard nothing from them or the magazine since.

2

Killeany 10th June 1846

My dear Mr Daly

You have conferred on me a compliment which I shall never for-get. I *will* try what I can do with your Irish poem although certainly I am rather unwilling to take merit for that which should belong to another. What species of rhyme will I adopt? May [I] include *two* of yours in one of mine or *vice versa*? Will I condense or expand? I think Mr Walsh is not the *only* person of genius in Ireland. The fact is, I never liked the spirit of his poetry – it is acquired by labour not a bit of *nature* in it – or if inspired at all, it is by the 'Court fool' of the fairy palace of Knock-shegowna or Carrig-Cleena. No son of genius ever yet had his overweening ridiculous vanity or his puppy, upstart demeanour and, mark my words! he will have no monument to per-petuate his memory but the remembrance of his own overbearing, repulsive and self-sufficient – I will say 'errors' although I thought to employ a harsher term.*

I am glad you approve of the term 'Roothawn Carrig' – in my mind, it would be a very attractive title for an Irish tale of rustic life, and I *will tell* that tale, before I am much older, to the people of Ireland. John Banim's tale owed much of its success to its singular title 'Croohoore na Billeoge'. Still when you write to your country friends please enquire about that matter.

When I see the *National Magazine* containing my 'dance', I will send you the omitted stanza – the omission was not mine – there *was* a political verse – the finest in the piece, and that, I presume, is the one rejected by the men of the Magazine.

There is another novel in 'my eye', the scene of which lies on the Eastern side of the Queen's Co. – in the Carlow direction. I will tell you about it at another time.

I pray God, your intended marriage may conduce to your temporal and eternal weal. I have a still higher opinion of you for your *unselfish* feelings. Still, for your sake, I wish she had the gold, for after all it forms a prime ingredient in the cup of earthly comfort. And yet, I am making myself ridiculous in talking thus. I could this day or hour, marry a girl with 70 or 80 *shiners* in her purse, yet I despise her &

them, and am determined to wed another with *less beauty, less intelligence* and *not one-half* her fortune. And the former maiden, with these advantages combines virtue and good conduct – yet I prefer the less favored – why? faith I cannot say – only that I *love her.*

I am sure you feel yourself with me, in a predicament not dissimilar to Sindbad the Sailor when he trudged and panted beneath the burthen of the 'Old man of the Sea' – well blame yourself! had you held your head as stately as Pedagogue Walsh you would never be annoyed by

Your loving friend
John Keegan.

*Of course Mr W. is not to hear my opinions – at least till he provokes me further.

3

June 11th 1846

My dear Daly,

Like the 'Bottle Imp' of German story, you cannot now get rid of me, unless, indeed, you can contrive like the unfortunate possessor of that celebrated demon, to sell me for less than I cost you. Please send me whatever information you can about Slieve-Na-Mon, and I shall give it along with the poem. I would prefer putting it in the *National Magazine* if I thought that periodical would *live* long enough to bring out a *volume.* However, I am not fully resolved yet as to which I shall send it – If you like how I succeed in this, you will probably favor me with more – particularly if you had any old fragment connected with the Co. Kilkenny of which locality I am very fond. Before sending it to print, I will send you a copy for your opinion, but you must not let it into the hands of Mr Walsh. Do you think I could, at this time of day, be successful in an attempt to study Irish – if you advise me to do so, I will set about it for I am ashamed of my ignorance of that magnificent language. Say all you can about the traditions of Slieve-Na-Mon perhaps I could find materials for a tale to include or embody in my 'Gleanings' in *Dolman's Magazine.* If any other unpublished tradition of your own *native place* should occur to you, please let me hear it – at your leisure.

You may *confide* in me. *No one* shall ever hear a breath of what passed concerning Mr Walsh. I am certain you have no *private* pique to that fool, but like *myself,* you cannot help deploring the weakness of a man who possesses some talent some celebrity, and who I expected was possessed of *what is far better,* an amiable disposition and a manly soul. But let him go. I am sorry for him, and I feel no worse towards him than you do – nor have I reason to feel personal animosity to him but I cannot help regretting the infatuation which involves him and which I fear will ultimately prove ruinous to his prospects & his labours.

I am in no haste to wed. Indeed I scarcely ever met one whom I would choose 'for better for worse'. But I *must* soon marry, if my present avocation in life be not changed – But one thing I am certain of – I intend to have a country girl – I never will 'take' a 'flag-hopper' nor a 'blue-stocking'. Plain and unassuming in *my own* habits, the 'bone of my bone' must not be a high-flyer.

I have had letters from various friends in England and Ireland on this morning – yet not one more welcome than yours to

your sincere friend
John Keegan.

You need not distress yourself to reply *immediately* to this or any other letter of mine. I like a punctual correspondent certainly but I would be sorry to distress him. I am not ceremonious so I shall not take offence at trifles.

But whenever you have time to write I will be *happy* as well as *obliged* by your correspondence.

J. K.

4

15th June 1846

My dear Mr Daly,

A thousand thanks for your interesting communication of the 12th. I had it in my head to pay a short visit to the Scottish Highlands in the next Autumn, but I am resolved to alter my route to the glorious regions of Munster – Wexford, Waterford, and Tipperary. The more I learn of our own country the more I love her, and the deeper my regret at those early-imbibed impressions which taught me not to look for anything great or grand or beautiful in Irish history or Irish song. I am a convert long ago, however, and from the brief period of my acquaintance with you, I am becoming enthusiastic in my love of home and all that appertains to our native west – I am not too old to learn and my study henceforward shall not be exclusively devoted to the History and Literature of Foreign Lands. I will look abroad over our own Green Isle for scenes, lovely as those of the 'sunny Eastern Climes' and in the page of our own history I will seek for material, wild & romantic as the dreamings of my childhood ever conjured from the depths of my untutored fancy.

In the 'University Magazine' I published, some seven years ago, a tale of 'Butter-Charming,' but your anecdote will supply me with ground-work for a splendid episode in my work in *Dolman*, or perhaps an isolated story in *The National* or some other Magazine. But, say was it for *witch-craft* the woman was executed? I never read of any witch-craft prosecutions in Ireland since the celebrated case of Alice Kelter in Kilkenny save one or two which occurred in the North of Ireland in the 17th century. Or was it for murder? or how did she acquire the dead man's *paw*, or preserve it from decomposition, or was it merely the skeleton she applied or how did she get either? How did she fall out with the girl who *stagged*, or how did that girl acquire her knowledge of the witches illicit dealings with the 'old-boy'? Any other fact connected with this matter will much oblige me, but you need not write till you have leisure or an idle hour.

Your letter is valuable to me but I despair in being successful with Father Moore of Rosbercon. I am naturally timid, distant and, 'tell it not in Gath' – *proud* – aye as Lucifer. I never can brook the idea of *courting* acquaintance, though (*you know by sad experience*) when once acquainted with a person I like, I am always eager to improve and keep up a correspondence. Yet I *will try* Mr Moore. If I succeed I shall bless him & you – if I fail I but lose a sheet of paper and a postage stamp.

By next Saturday you will have my version of your Irish poem. I never felt so anxious about any thing – I am not half so doubtful of my projected *monster* novels as of those few stanzas. But I will try & if I miscarry none shall know it but my dear Daly. I will send a little song to the magazine by tomorrow's post, though they are treating me discourteously. They do not manage so shabbily in England – Mr Dolman though not very liberal in his scale of payments, is prompt, polite and respectful in his transactions with me – I suppose *all or nearly all* your Dublin gentry, estimate ment in proportion to the quality or fit of the '*duds*' or clothes of the aspirant. This feeling helps to leave them as they are – the laughing-stock and bye-word of Europe. This, too, influenced my friend Mr. Walsh as he stared with affrighted optics at my rustic dress in your shop during our brief and *never-to-be-forgotten* interview. Yet indeed, I have as good clothes as he and better than what *I* saw of his wardrobe, although I scarcely ever put them on me, as I am quite indifferent to *appearances* in myself or any body else.

I send you a list of my fellow labourers on *Dolmans Magazine* – and you will be glad to hear that in many of the reviews of that periodical my exertions are highly applauded. I shall be anxious for some tale or legend of your 'own place' – yet I do not wish to hurry you or occupy your time to your prejudice.

Like you, sometimes, I write an odious scrawl. Like my dress, however, I can *change* – and you will be surprized when I tell you that on *some occasions* I can write a most delightful 'hand'. I dare say you can do so too, but you need not put your powers to the test in your correspondence with me.

Once more I wish to remark, that I would not *press* on your time. Write at your pleasure and not till then but believe me

Yours faithfully
John Keegan

John Keegan

5

June 23rd 1846

My dear Mr Daly,

Your letter of the 18th inst after running its rounds through Kilkenny, Maryborough &c. reached me on this morning. I am not angry at your silence for I am not so selfish as to expect that a man having business to mind could be annoying himself every day with such an idle twaddler as I am. I hope however that the *Cause* to which you allude as compelling your silence was not of a painful or disagreeable nature – I sent another little song ('The Song of the Railway Labourer') to the *National* – the last I will ever send them – altho, indeed I would not hesitate to contribute *gratis*, were it not for the discourteous ungentlemanly manner in which they have treated me. Though I should not boast, I must say they have lost in me, many an attractive piece in prose and rhyme. I am disgusted with Dublin and with Irish meanness – we do not deserve to be free or glorious – we never will be the *latter* whilst we remain the mean, selfish unprincipled creatures we are at present.

I am highly obliged as well as amused at your account of the Butter Charmer. All I want now to complete my arrangements for a tale on that incident is some *Irish* word signifying 'Butter-Charmer'. I will then be able to weave a wild and amusing tale for *Dolmans Magazine* a copy of which, when printed, I shall order to your address.

I shall be glad of your *Banshee* tale. In the September *No.* of the *Dublin University Magazine* you will see a tale of mine founded on the *Banshee* superstition. The family to which I belong (I now speak of the maternal side, descendants of the Molonys and Macnamaras of Clare and Limerick) have long had the honor of a hereditary append-age in the *Banshee* and the tale to which I allude is founded on the *last* visit of that strange being to that family in Nov. 1818. I was then 2 years old and in the house in my grandmothers arms when the Banshee made her *fare-well*!! visit to the family – try & see the tale tis not well told indeed but wildly interesting, especially to you who knows so much of the writer. My family was extremely superstitious and imaginative. There is an aunt of mine, (who was they say a most beautiful girl), said to be *at present*, occasionally seen with the fairy host in the neighbourhood – Her name was Margaret Molony – died 35 years ago aged 17 years. My mother – Mary Molony – who still is a stout woman of 55, says she often met her and held conversation with her since she became a wanderer in the green-wood. The nature of those confabs, however, she never would reveal to me or any other person. But a quire of paper would not contain all the romance belonging to my family, and their sufferings in the cause of James II are still vivid in the memories of the older members. We are a numerous clan and widely spread over this and the neighbouring parishes. I could count 300 able-bodied men of my blood on any emergency!!!

'Oh for a steed, a rushing steed'!!!

I was ill with head-ache and constipation of bowels these latter days and was in no frame of mind to set about your poem. I shall try tomorrow or after. I heard, only last night a splendid tale of Finn Mac Cool about which I must ask your advice bye & bye. There is an old peasant named Coyne who lives near Ballyragget intimately acquainted with all the Fenian traditions. He sent me word to go spend a week at his cabin and I mean to accept his invitation coming the winter evenings. Although I have a comfortable and happy fireside of my own, I will not turn up my nose at the poor peasant's straw couch. I would feel happier there than in the tinselled drawing-rooms of your Dublin puppies where there is nothing but arrogance and ignorance and (*I am serious*) *genuine vulgarity*.

I do not recollect having spoken of Mr Walsh to Mr Meany. If I did, however, I did not *speak my opinion* as I did to you. At first sight Mr Walsh lost my esteem – pecky without just cause – but whether or not, however I may admire his talents I never can love or respect the man – such are, with me, the effects of first impressions.

We have an elegant young priest in our parish – Revd. Jas. Dunne. I was praising you to him, and he longs to see you. The next time he goes to town he will call *incog* to see the compiler of the 'Jacobite Relics' for he is himself a thorough-going Jacobite if by that term we can understand an enemy to the British Monarch of the reigning dynasty. I will let you know the hour he will call, whenever he goes.

I *will* try Revd. Mr Moore – yet what use in amassing literary treasures when we have no medium by which to communicate them to the public – Once more I must curse and execrate your Dublin Jackeens who will not set manfully or spiritedly about the regeneration of their national literature.

On this very week two remarkable 'cases' of the olden superstition occurred in my immediate neighbourhood – one is a case of Butter-Charming the other of fairy-child-kidnapping. The changeling belongs to a gossip of my own named John Cassin a younger man than I am and whilst I write, it is said to be breathing its last. The father was yesterday to a celebrated fairy-man for a cure, but I have not yet heard what he 'done' with the wizard. The bewitched cow is the property of a poor man named Kelly. She is under bann since May-morning but is 'cured' just now by the fairy-man above-referred-to who resides near Freshford.

I'm not half-finished yet, but as my paper is full, I must defer further chit-chat to my next letter.

Wishing you 'good luck till you're tired of it.'

I remain my dear friend

Yours faithfully

John Keegan

1. Could you give the town addresses of D. F. MacCarthy who is I hear to be editor of the second Ballad Poetry. I presume he too, is a 'nob'. Your 'Young Irelanders' are playing Hell with your 'Loyal Association'. Tho I hate the most of that clique yet I would advocate many of the principles which they wish to promulgate.

2. Was my Ballad *acknowledged* in the last *National Magazine* – 'J.K.' was the signature.

3. I *can* read your worst scrawl – *tear* away.

4. If you have any shorter & less knotty Irish piece by you let me have it in your next. The one you sent *looks crooked.*

5. Can you guess how is the *National Magazine* going on? Has it a good character? Does it circulate? Do the papers notice it at all? Could you form a company yourself for the publication of a weekly magazine. In such hands as yours aided by Mr Walsh and a few others. It ought to be good. I think if you could once establish it you would succeed. Try the Celtic Atheneum.

6

June 27th 1846

My Dear Daly,

If I be a living man you shall have my version of your Irish poem some day next week. This reminds me of a translation of a lament for Oliver Grace of Courtstown, Co. Kilkenny which I gave about 8 years ago in the *Leinster Express*, and which was greatly praised on its appearance. It was versified from Dr Drummond's Metrical translation in 'Hardiman's Irish Minstrelsy' and I think I was successful. God send I can succeed as well with yours – if so I shall be satisfied. *Perhaps* it might fill a niche in your projected Celtic Magazine. But *apropos* I fear any *publication exclusively* Celtic or antiquarian is still premature. The country is not yet organized for such, if you will pardon me a political or agitating term. There is no popular Magazine in Ireland. Might you not try and combine general literature with that of the olden time. I mean by 'general literature,' essays, tales, poems, criticism, but all of course appertaining to Ireland and Irish matters. You have a splendid opportunity of benefitting the country & I should think, *yourself* also. Ask the advice of your friends. You could procure a sufficient staff of writers, and I am sure, they would not be unreasonable in their demands for remuneration. I myself could give you good help. Mr Walsh I am sure, would be a host and your own reminiscences of the past would fill many a column to advantage. Ponder well on this. Your club I think would back you. A certain portion of your space could be devoted to Antiquarian research, Irish music, language, records, &c., &c. Another portion would be well-occupied if devoted to literature of a lighter and more generally attractive nature. *Now* I have a host of matter in tales and romances, songs and ballads – several others have supplies too, and it is bad that we have no means of giving them to the world. Try what you can do. Still I would not advise you to run any *risque* but I am confident that if the thing was set about spiritedly and carried on vigorously it *should* succeed. Shew this letter to Mr Walsh.*

I got on yesterday a letter from Mr Meany excusing his apparent discourtesy in not communicating with me sooner. He was visiting in Clare. I am to have a long letter from him on tomorrow with a bundle of magazines. But tell Mr Walsh that I will not write a line for them without the 'brass'. Let him do so too. I think he is well deserving of payment, and as we say down here 'Tis a bad dog that is not worth a whistle'.

I will try Coyne. I never saw him but I am told that altho not very well educated he is extremely intelligent. I breakfast with Revd Mr Dunne tomorrow as I generally do every Sunday. I will ask him about 'Punch-drinking,' but I opine 'tis not *your* man, for M^r D is not 7 years a priest. His age is 33. I believe, he knows nothing of Kilkenny Co. or its people, but he wishes to know you. I am not half-done yet. I am never tired of talking with you. My own obscure, secluded life would afford you much amusement, and may perhaps occupy columns in your magazine!!! Easy *abhic.* You see I can quote Irish!!!! How is M^rs D *that is to be?* That *Bridgheen* of the *Railway Labourer* who was she? No indeed, guess again. 'Keegans *intended*' – By cripes you hit it!!! Yet I am not a 'ganger' or 'Navvy'.

Next week you shall hear again from me, tell them farewell and believe me

Yours faithfully
John Keegan.

*To have *his* opinion on the matter.

7

July 5th.

My dear Daly,

If this finds you alive at all, let me have an answer *next* post. I want the Irish for 'Pilgrim' or wandering 'Religious' – whether he be sincere or an hypocrite. I want that word for the title of a beautiful tale which I am writing at present.

I got a letter – a kind and gentlemanly one from Revd. Mr Moore of Rossbercon. He will stand to me as far as in his power, but expects me not to depend too much for bread on my literary exertions and cites Banim, Griffin &c. as warnings on the uncertainty of literary success and the misfortune of literary scribblers.

And, *will you believe it?* Mr Walsh honored me too with an introductory letter in reply to my observations to you *anent* the Magazine. I suppose he was telling you.

I metamorphosed your 'Chase', and I am rather pleased with my attempt but I will try another form of rhythm and send you that which I think best.

Write quickly and at good length to yours

John Keegan

8

18 Aug. 1846

My dear Daly,

When you read my letter you cannot justly accuse me with ingratitude or even eccentricity in suspending, for a time, my correspondence with you – a correspondence which gave me both delight and profit, and a correspondence which, I trust, will not finally terminate but with Death.

But I have been in thraldom. I have got married under disagreeable circumstances and to a person rather unsuited to a man of my stamp, & what is worse, one against whom my friends and family entertain strong prejudices. Do you remember my 'Song of the Railway Labourer' in the Penny Magazine – the girl alluded to in those verses is now my wife. She brought me no pecuniary wealth – she is not extremely handsome nor otherwise peculiarly attractive, & yet I married her for love or rather, because, as Napolean said of the Russian dynasty, 'A fatality involved me' – 'my destiny should be fulfilled' – I was – but in an early letter I will tell you my romantic tale – 'tis indeed, a strange one.

I am delighted at the high distinction you give me in introducing my verses in your new work – I must have a copy or two elegantly bound. If I can assist in circulating it, pray give me that pleasure. You did not say what Ledwich cost – let me know and I shall remit it. Remember me to Mr Walsh. How is Meany & his '*National Magazine*'? How is the Celtic Atheneaum going on? What the devil did you do with 'Young Ireland' – (three cheers for Young

Ireland!) Groans, nine times nine, for Whig alliance place-hunters and suck-my-holes! (Irish pudor!)

Write quickly – you shall then have a yarn as long as my arm, and till then

believe me now
as before yours &c
John Keegan

Have you brought home the widow?

9

Killeany 20th Aug 46

My dear Friend,

'Thou who win may laugh', and I do not envy you your mirth at the news of my marriage with an artless unsophisticated country maiden, when, had I 'looked around me' I might perchance have hooked a 'fifty-years-old', well-skilled in the ways of the world, and competent to induct me with a *coup de grace* into the mysteries of the Bridal Chamber. I wish you much joy of your widow, but take care, my good fellow, that as she got the knack of 'sowing' husbands that she does not consign you one of those days to the fate of the rotten potatoes – a fate which, bye the bye, hardier fowls than you or I have met with at the hands of 'buxom widows'.

I hope my Bridget is no '*moderagh*'. I know her since her infancy. We played and danced and went to school together, and on last Saturday night (15th) we went to bed together. She is certainly not the best choice I could have made. I could have got a *belle* – a 'dasher' with veils and chains and eke some portion of the 'yellow dirt'. But because I courted Biddy, and won her heart, I *could* not play the rascal or break my honor. I married her despite of my friends, and I hope I wont regret it. She is quiet, mild, unassuming and affectionate. She loved me for *my own* sake, and now she disclaims every wish – every desire to usurp even the liberties becoming to a wife. Indeed I think she will not be what Ireland was to the Peel government – 'my chief difficulty', and I hope she will give me no cause to curse the day I met her. Her name is Collins – the fourth daughter of a small farmer (her elder sisters still unmarried) and spent her years in that routine of rustic labour peculiar to girls of her grade in Ireland. Many years ago – in our very childhood – there was an attachment between us, and, then when brighter prospects opened before me I could not be ungrateful to her who loved me in gloomier hours. Do you approve of my conduct?

I am surprised at your having got Ledwich so cheap – I thought it would cost three times that. I shall direct a man to call and pay you for it in the course of next week.

I despised Edwd Walsh at first sight – I now abhor him for his ingratitude to poor Duffy. Any crime for me before ingratitude. He is an arrant rascal, that Walsh – pray never mention my name to him.

Revd Mr Dunne was not in town since. When he goes he will call to look at some books – and before he quits he will contrive to make himself known. He is a perfect gentleman – warm-hearted, and high-spirited.

I long for your forthcoming volume. Say is my name given in connection with the Harvest Hymn? or are there many pieces of other writers? Did you include Walsh? – I fear you did.

Answer this soon. With respects to Mrs Daly, and looking forward to a long-continued and friendly correspondence. I am my

dear Daly yours
John Keegan

I perceive the *Pilot* is attacking my papers in *Dolman* – I am not surprised at that, for I know I have enemies in that rascally establishment. I despise them.

What is M^rs D's maiden name? Where did she grow? What is her age? Is she a beauty?

J.K.

10

Sept. 4th 1846

My dear Friend,

Although, on reading your determination to exclude my poem from your forthcoming *vol.* I felt that sickness of heart which disappointed hopes bringeth, yet you will never find me *selfish* or *ungrateful* or *unreasonable* all of which I would be were I to take umbrage at my friend looking to his own *interests in preference to my humours*. No doubt, I would be happy, honored, exalted at the very idea of being seen in your book, but then when that would clash with your interests, I would blush to press myself upon you.

In last *Dolman* you will find my tale of the '*Dihreoch's* Legacy' – I wish you may see it – perhaps some of the young men at Duffys would lend you a *no* for an hour. Some of them are very civil. Tis a good story.

Although Mr Walsh may possibly be 'a man after God's own heart', he is certainly not one after mine, & though I am no incendiary I am glad that you and he have disagreed. I think no good 'true man' could deal with that stinking prig. I hated him at first sight, and, on my way home on the Coach, I wondered often how a man of your apparent stamp could tolerate his effrontery and his ignorance.

If any paper – *Pilot* or *Freeman* should come in your road noticing the September *Dolman*, will you post it to me, and if necessary I would return it. I know well them two will be on my taw as they suspect me of 'Young Irelandish' sympathies. I have even been accused by a London writer with Voltaireism, though God knows all I know of Mr Voltaire is that he was a learned rascal, a philosophic omedhaun and a formidable foe to true religion.

Revd. Mr Moore sent me last week a *ballad of his own make* & the ground-work of a local tale. With a request I should correspond with him regularly – I will sometimes.

I never gained 6^d by C. G. Duffy or any of his party, yet I wish *him* well and I am no foe to the others. I know nothing of their private characters – some say they are insignificant but I look to principles not to men. – Down here, almost every man of intelligence, except the priests, would join them.

One word more – if you retain *any* modern verses in your book, do not put me out. – I never wrote to Walsh but once in reply to his *own letter* – never will again unless a *necessity* should arise.

Yours faithful [*sic*]
John Keegan

If I was you, I would call on Walsh to return my M.S.S. and if he refused I would either apply for *legal* redress or publish, in the newspapers, a protest against his appropriation of them to his own behoof. Of course, I am not dictating to you, however.

I hope Mrs D. is well. I am going on pretty fairly – the *dove* has driven the *raven* from my breast and I am tranquil. God be with you till you hear again from me.

Next week I will send for Ledwich's Aghaboe.

The spectre *famine* is stalking over the land – the appearance of the country is appalling.

Appendix 2

Letters of John Keegan to *Dolman's Magazine*

I

17 September 1845

Sir,

It appears that the anti-Catholic press of London is still indefatigable in its slanderous attacks on the venerable and high-minded priesthood of Ireland. A paragraph is now running through the low Irish Orange newspapers, copied from the *Times*, denouncing the Irish Catholic priests as tyrants and extortioners, and inveighing against the exorbitancy of their 'fees,' particularly with regard to marriages, baptisms, 'offerings' at funerals, and 'blessing of cattle.' Base and ignorant calumniators! I know the Irish Catholic clergy as well, perhaps, as any man of my rank and years in this kingdom, and consequently am able to bear testimony to the utter falsehood of those charges. It is alleged that in parts of Ireland the 'fee' for marriages is sometimes as high as *20l.* True: but why is it not added that those cases are indeed 'few and far between,' and *never* occurring but when the contracting parties are wealthy and respectable, and *willing* as they are *able* to make their parish priests 'the better of them,' as we say, at their weddings? Not a word is said about the innumerable marriages of persons in the poorer grades of life, for which the officiating priest never claims or receives one farthing. Not a syllable about the many cases in which peasant-marriages, proving unusually unfortunate, the marriage-fee is generously returned to the poor struggling wretches. Oh no; these bright instances of the charity and generosity of the Irish priests are left in the shade, and they are shewn forth as heart-hardened, merciless, and avaricious tyrants. Shame! shame upon such base and villainous conduct; and shame upon the British people, who allow themselves to be duped by the foul misrepresentations of those mercenary and hypocritical slanderers!

When an Irish peasant contemplates getting married, he gives notice to the priest of his parish: the 'banns' are duly published from the altar, and on the appointed day the parties attend at the residence of the clergyman, where the ceremony is performed. If the bridegroom can afford it, he pays the priest £1 (seldom more is given, and more is *never* asked) as his fee; but if he states his disability to pay, or if he appears unusually distressed, the priest officiates cheerfully without the least demand in the shape of remuneration. When a marriage occurs in wealthier classes, the priest, and sometimes his co-adjutors, are invited to the house of the bride's family. They seldom refuse to attend – more with a view to indulge the good-natured pride of their parishioners, and to maintain that feeling of affection and cordiality which ever subsists between the people of Ireland and their clergy, than through any self-interested or pecuniary motive. The ceremony is there performed; the bridegroom pays whatever he chooses, and on the distribution of the 'bride's-cake,' the friends of both parties give some trifling silver coin – the whole amounting to a sum averaging from *3l.* to *5l.* – in a few cases, when the parties are 'very well off,' perhaps to *10l.* Then there is a group of beggars at every Irish wedding – perhaps there are thirty. To each of them the priest gives a sixpence or a shilling, and to the piper or fiddler, he gives half a crown or five shillings. In the morning, when he gets from bed he finds his door blockaded by all the beggars and 'poor widows' and 'fatherless children' in his parish. They have heard of 'the wedding,' they know the priest has had a 'wind-fall,' and the opportunity is too good to be suffered to escape. They come *en masse* to make their claims; and, before the siege is raised, the pocket of the clergyman is nearly as empty as ever.

Here is a faithful statement from one who has no motive which might induce him either to 'extenuate' or 'set down aught in malice.' It is very true that the marriage-fee sometimes *does* amount to *20l.* and even more; but these cases occur only when the marriage takes place in the very highest class of the Irish Catholic gentry, and the proceeds are generally disposed of in the manner I have stated.

With respect to that charge which represents the Irish priest as encouraging early and improvident marriages for their own selfish gain, I will merely observe that I have been regularly in attendance at public worship during the last twenty years, and I fearlessly assert, that there is no subject connected with the social condition of the peasantry, to which the attention of their priests is more assiduously directed than to their marriages, and that I never knew an instance of *such* unions being introduced, that the priest did not publicly denounce and reprobate that reckless practice, and caution his parishioners against the results invariably arising from improvident and ill-assorted marriages.

I had intended to notice the other equally ill-grounded charges against our beloved clergy; but, as this letter has already run to a greater length than I anticipated, I must defer my observations on those matters to the next publication of your invaluable Magazine.

I am, Sir, yours respectfully,

"J. K."

2

13 October 1845

Sir,

In my letter published in the last number of your enlightened and truly Catholic Magazine, I directed the attention of your readers to 'things as they are' with regard to Irish peasant marriages, and gave a brief but faithful outline of the manner in which they are conducted, so far as the Catholic priesthood is concerned. I said enough, I hope, to prove, that the priests are not exorbitant or unscrupulous in their demands on those occasions, and I promised to dispose – in your number for November – of the other equally ill-founded charges against that venerable body. I now hasten to redeem my promise:

It is alleged that the Irish priest will not baptize an infant without a fee of five shillings! What ignorance, as well as ruffianism do not those hired traffickers in falsehood and calumny display? Listen to the truth! The infants of the Irish Catholic peasantry are generally baptized on Sundays at their respective chapels, or they are taken to the residence of the clergyman on week days, or else, during the season of Christmas and Easter 'stations,' they are christened at the houses in which those 'stations' are held. None of the readers of *Dolman* are ignorant of what is meant by a 'station.' On those occasions, when the father of the infant can afford it, he gives the priest a couple of shillings, or half-a-crown, as his 'dues.' But it happens in many cases, that the wretched man is unable to give anything: What then? Why, the ceremony is cheerfully performed without hesitation, and without one farthing being demanded. I have often seen, when the peasant would evince an unusual degree of poverty, the priest refuse the money which the poor fellow generously proffered. Nay, I have often and often been present at baptisms, when, in cases of extreme destitution, the priest gave the wretched parents whatever loose coin he might happen to have on his person. But it often occurs too, that when the parents are in comparatively comfortable circumstances, for the 'credit of the thing,' they invite the clergyman to perform the ceremony at their own residence. On these occasions, certainly, the priest will not officiate gratuitously. Why should he? There is no poverty in question. He often has a long distance to come. The parents have the option to carry their child for baptism to the chapel, or the clergyman's house, but they prefer the alternative; and why should they not be made to pay for the gratification of their 'bit of pride?' Yet, even then, he *extorts* nothing. The people are left to themselves, and the sum varies according to the means or the generosity of the party. Less than five shillings is seldom offered; and, except when the parties are of the higher grades, seldom a larger sum is accepted.

No wonder that Paddy should be the veriest scare-crow of Adam's race – robbed, as he is made appear to be, by those 'sacerdotal swindlers,' – the H*Irish* priests! 'Not content with plucking him whilst in health and strength, their griping rapacity is carried even to the straw couch, on which his woe-begone and tortured form is extended in the hour of death!' But why indulge in burlesque on such a subject? Instead of fleecing the dying peasant, as he is represented to do, I never yet knew an Irish priest demand a farthing for his attendance at the bed of death. No, no: – through the pelting of the storm; amid the gloom and solitude of midnight; in summer's heat, and winter's snow, the zealous herald of salvation cheerfully responds to the call, which summons him to the desolate sheeling, where disease and death and destitution, have fixed their dreary reign. There, often with his clothes drenched with rain, and his form trembling with the cold of the biting and humid night-air, the good father sits in the gloom and smoke and stench of that filthy hovel, whispering words of hope and trust, alluring to brighter worlds, and inspiring the sinking spirit of the dying sinner, with confidence in the merits and mercies of Christ Jesus. And he not only does this without money and without price, but he never departs from such a scene, without leaving his mite, – very often, more than he can at all afford – behind him.

But then, 'all his losses are pulled up by that fruitful source of clerical profit, – 'offerings' at funerals!' Offerings at funerals are certainly customary in some districts of Ireland; – in others, such a thing is never heard of. But they never occur, except when the priest is specially invited to attend, in his clerical capacity, at the house of mourning; and when the friends of the deceased are able and predetermined to compensate him for his attendance. On these occasions, no doubt, the priest will expect remuneration. It is just he should get it. He is always willing to perform the burial rites at his own chapel for a mere trifle; or in case of poverty, without any remuneration. But when the parties prefer paying a larger sum for his attendance at the house of the deceased, I say again the priest is acting justly and wisely in demanding payment; yet even then, he is not hardened or unmindful of the wants of his parishioners. Take an example – a bright example – of the generosity and disinterestedness of the Irish Catholic priest, on these as well as every other occasion. Last winter, a poor but respectable man died in this parish, (Raheen, Queen's Co.) leaving a large family unprovided for. The parish priest was called on to attend at his funeral; – the dead man's friends were able to pay the clergyman, and they gave him a sum, amounting to about five pounds. 'Oh, what a grab,' exclaims the ruffianly but impotent calumniator of the Catholic clergy. But listen! The priest called the children of the dead man about him. – 'Here,' he said, 'take this money, I have not a pound on earth, yet I will not want! Your necessities are greater than mine; take it, and my blessing be with you!' Such an example is worthy of being recorded. Yet, such instances are frequent in every part of Ireland.

One word about 'cattle blessing,' and I have done for the present. I was reared in a district of Ireland, where the population is in a ratio of about ten catholics to one protestant and dissenter. I have lived there constantly since my birth. I have had as good an opportunity of being acquainted with every matter pertaining to 'priests and popery,' at least as any of the correspondents of the *Times*, and yet I declare, I never *heard* of such a thing as 'cattle blessing' by Catholic priests, until I read of it from the columns of that journal. Need I say more on this subject?

I shall often again recur to these and similar slanders on our holy and venerated priesthood; not indeed because their exalted character needs my interference, or the interference of any other person, but because it is well to expose the falsehood of their calumniators to the English people, and particularly the enlightened and high-minded and Christian readers of *Dolman's Magazine*.

I am, Sir, yours respectfully,

J. K.

that he was a learned rascal, a philosophic Omedhaun, and a formidable foe to true Religion.

Revd Mr Moore sent me last week a ballad of his own make the ground-work of a local tale. with him a request I should correspond with him regularly — I will sometimes

Never joined C by C. G. Duffe or any of his party, yet I wish him well and am no foe to the others. I know nothing of their private Characters — Some say they are insignificant but I look to principles not to men — Down here almost every man of intelligence except the priests, would join them.

One word more — if you retain any modern verses in your book, do not put me out. — I never wrote to Walsh but once in reply to his own letter — never will again unless a necessity should arise

Yours faithful

John Keegan

His Archbishop however is 'O'Fahys' over the Tuam — the appearance of the country is appalling

Part of Keegan's letter to Daly, 4 September 1846

Notes

The Boccough Ruadh

Source: *Irish Penny Journal* 23 January 1841.

In the *Irish Penny Journal* this story contains a preamble of several paragraphs outlining the circumstances in which Keegan first heard the tale:

> I was sitting in the cottage of a neighbouring peasant, amid a small but happy group of village rustics, and enjoying with them that enlivening mirth and sinless delight which I have never found anywhere but at the fireside of an Irish peasant.

Ford was spelt 'foord' in several, but not all, instances in the original version.

Clough-na-Boccough Keegan has a note explaining that this stone was, at a later time, incorporated in the parapet of the bridge, and that it was the local belief that the stone descended to drink from the river every night at midnight.

Shannikill An old graveyard, containing monastic remains, a short distance from Poorman's Bridge.

the bearer 'The bier or hand-carriage on which the dead are borne to the grave' (Keegan's note).

The Dihreoch's Legacy

Source: *Dolman's Magazine* September 1846.

Keegan sought and obtained the word 'dihreoch' (Irish *díthreabhach* 'hermit, recluse') from John Daly: see Appendix I, Letter 7.

In the story as originally published, Shanahoe was referred to as 'S—'.

shoolers 'Strolling beggars, wanderers, pickpockets, persons of suspicious character. Boccoughs are of this class; but that term is usually applied to the blind, the crippled and the mutilated' (Keegan's note).

Skibbeeya 'Jack Ketch, the common hangman, but vulgarly used to represent a big, ugly, naked, strolling beggar-man' (Keegan's note).

Dr. Doyle Dr. James Doyle, Bishop of Kildare and Leighlin, better known as J. K. L. (James of Kildare and Leighlin).

The oil portrait known as 'The Dihreoch's Legacy' is currently on loan to Heritage House, Abbeyleix, from St Brigid's Church, Shanahoe.

The Bewitched Butter

Source: *Dublin University Magazine* October 1839.
This story is referred to in Appendix I, Letters 4 and 5.

In the story as originally published, Aghaboe is spelt 'Aghavoe'.

Land-rail 'Vulgarly called the "corn-creak" from its resorting to green corn and its creaking cry. There is no person who has been reared in the country who is not always delighted at hearing the wild, well-known call of this singular bird' (Keegan's note).

Shean More 'A wild and rocky hill near Aghaboe. It is on the property of Sir Edward Walsh, bart., of Stradbally Hall, in the Queen's County' (Keegan's note).

The Fairy's Revenge

Source: *Dolman's Magazine* April 1846.

grisset 'An iron vessel for melting grease, tallow and other substances. A piece of a broken pot or boiler makes a good grisset' (Keegan's note).

hough 'A distance, supposed to be the length of one's leg and thigh' (Keegan's note).

The Grave-Robber

Source: *Dolman's Magazine* March 1847.

Fairy interventions 'It is very common in the remote districts of Ireland when a person suddenly betters his condition by unknown means to ascribe the circumstance to the favour of fairies. . . . This feeling was formerly far more prevalent than at present, however, it is still far from being exploded' (Keegan's note).

The Dying Mother's Lament

Source: *Dolman's Magazine* January 1847.

Though the inspiration for this poem derived from a newspaper article, as is clear from the preamble, Keegan had first hand experience of the Great Famine, as his last sentence in his correspondence with John Daly shows (Appendix I, Letter 10). He himself was to fall victim to one of the great causes of mortality during that period – cholera – just a few years later.

Banshee Keegan discusses traditions of the *Bean Sí* in his own family in a letter to John Daly: Appendix I, Letter 5.

Caoch The Piper

Source: *Irish National Magazine* 16 May, 1846.

Probably Keegan's most well-known composition, made popular among primary school children of past generations due to its inclusion in school readers.

Caoch (meaning blind, or purblind) was spelt 'Ceaoch' in the poem as originally published, and *Cáit* 'Cauth'; 20th century schoolbook editions of the poem – generally under the title 'Caoch O'Leary' – changed the latter to 'Kate', and *boccough* became 'lame man' or 'old man'.

Lines Written On A Visit To My Brother's Grave

Source: *Leinster Express* 20 January 1844.

The date of death of Keegan's brother (thought to have been named Peter) is not known.

The 'Bending Tower' A reference to Cromogue, the churchyard where Keegan's brother is buried, three miles on the Mountrath side of Shanahoe. The churchyard contains the ruins of an early ecclesiastical site, and Keegan (in a note) interpreted 'Cromogue' to mean 'bending tower', referring to one of the surviving features of the church.

Song of the Irish Railway Labourer

Source: *Irish National Magazine* 20 June 1846.

Keegan makes a passing reference to the railway works taking place throughout the country in his earliest surviving letter to John Daly (Appendix I, Letter 1). Work on the construction of the Dublin to Cashel railway line, with a branch line to Carlow, commenced in 1845. The line reached Maryborough (now Portlaoise) in June 1847, and Ballybrophy in the following September.

He refers to this poem on three subsequent occasions (Appendix I, Letters 5, 6, 8); in the latter two he explains that the *Bridgheen* in question is his own intended, Brigid Collins, whom he married 15 August 1846.

The Rose

Source: *Leinster Express* 13 August 1842.

To Spring

Source: *Leinster Express* 6 May 1837.

The Rifleman's Grave

Source: *Leinster Express* 22 April 1837.

Devil May Care

Source: *Nation* 23 September 1843.

This address to Queen Victoria – one of Keegan's most political poems – was occasioned by the Queen's speech of August 1843, which brought that particular session of the British parliament to a close. In her speech she stated:

> I have observed with the deepest concern the persevering efforts which are made to stir up discontent and disaffection among my subjects in Ireland, and to excite them to demand a Repeal of the Legislative Union.
>
> *Nation* 26 August 1843

Albert Victoria and Albert were married in February 1840.

Shin fane The OED records the earliest instance of 'Sinn Féin' ('we ourselves') as 1905, in an article by Arthur Griffith, who is generally accepted as being the originator of the expression. This line, however, suggests that Keegan may in fact have been the one to coin the phrase.

To T.F.M.

Source: *Irishman* 10 February 1849.

The poem is addressed to Thomas Francis Meagher, one of the leaders of the failed Young Ireland rising of 1848. Meagher's death sentence of October 1848 was commuted to transportation, to which time this poem may be dated. In his claim that 'glorious things await thee yet' Keegan was being prophetic, for Meagher escaped from Tasmania in 1852, and was to play a glorious part on the Union side in the American Civil War, afterwards becoming Territorial Secretary and Acting Governor of Montana.

Sonnet on Sickness

Source: *Dolman's Magazine* March 1849.

This is one of Keegan's last known compositions, and was published a few months before his death. It displays Keegan's sure grasp of the sonnet form, and – with his reference to his 'untimely drooping in the flower of youth' – an awareness that his death was not far away. Devoid of the maudlin and the melodramatic, this may well be Keegan's best poem.

The location of the composition in 'Wootton Wavern' (probably a misprint for Wootton Wawen in Warwickshire, just south of Henley-in-Arden) places Keegan in England just prior to his return to Dublin, where he was to die of cholera in June 1849.

Appendix 1

These ten letters are to be found in National Library of Ireland MS 2261. John Daly, also O'Daly, 1800–78, to whom the letters are addressed, was from Sliabh gCua in Co. Waterford. An Irish scholar, he had a bookselling and publishing business in Anglesea St, Dublin. He was involved in founding the Celtic Society, the Ossianic Society, and the Society for the Preservation of the Irish Language. With the co-operation of Edward Walsh he produced *Reliques of Irish Jacobite Poetry* in 1844, and collaborating with James Clarence Mangan he published *The Poets and Poetry of Munster* in 1849.

Daly had moved to Dublin from Kilkenny City in 1845, where he also had a bookselling business. From one of his lost letters (*Irish Book Lover* 14 (1924) 65, compare *Legends and poems*, xxviii) it is clear that it was in Kilkenny that John Keegan met him for the first time:

> I first met O'Daly in Kilkenny in 1833, when he kept the school there for teaching Irish to the Wesleyans of that city. He, I am sorry to say, had renounced the Catholic creed, and was then a pious 'Biblical'. He subsequently came back and is now living in Dublin, Secretary to the Celtic Athenaeum, and keeps a bookseller's shop in Anglesea Street. He is one of the best Irish scholars in Ireland. He is about fifty-five years of age, low-sized, merry countenance, fine black eyes, vulgar in appearance and manners, and has the most magnificent Munster brogue that I ever had the luck to hear.

1

The reason why I ask your aid Keegan's request – possibly made during his recent visit to Dublin, mentioned in the postscript – was for an Irish term for the hero of his projected novel, which, if completed, has never been discovered.

I am glad to know that you are about becoming a 'happy man'. John Daly's first wife, Ellen Shea, did not die until 1849, and the following year he married Mary Murphy, alias Griffith (John O'Donovan, *The tribes of Ireland* (Dublin 1852) 5). These letters suggest that Daly was involved with the widow at least four years prior to the death of his first wife, and misleading Keegan into thinking he was on the point of marrying her.

Herculaneum An ancient city in Italy, located between Neapolis and Pompeii. Excavation work began in the eighteenth century and continued into the nineteenth century.

Ledwich's survey of Aghaboe Rev. Edward Ledwich, Vicar of Aghaboe 1772–97. In 1790 he published his *Antiquities of Ireland.* His *Statistical Account of the Parish of Aghaboe* was published in 1796.

Jackeen In *Dolman's Magazine* April 1846, Keegan wrote of 'the Dublin Jackeens', whom he had observed while on a visit to Dublin: 'the cheap aristocracy of our metropolis . . . young, active and seemingly respectable men you will meet idling, roaming from morning till night through the streets and thoroughfares of Dublin . . . "every day is a Sunday" with the Jackeens.' The earliest recorded instance of 'Jackeen' in the OED is 1840. Since then the word has expanded semantically to signify any native of Dublin.

the numerous rail-way works in the country See note to 'Song of the Irish Railway Labourer' above.

Mr. McSwiney Conor McSweeney, antiquarian, journalist and friend of Daly.

Sunday Evening Dance A poem by Keegan published in the *Irish National Magazine* 30 May 1846. The eighth stanza was omitted by the magazine and Keegan refers to this omission in Letter 2.

2

Mr Walsh Edward Walsh (1805-1850), a poet and schoolteacher, whose work was published in contemporary newspapers and journals. He provided metrical translations for Daly of a type which Daly seemed, from these letters, to have been seeking from Keegan. His work was published by Daly in *Reliques of Irish Jacobite Poetry* (1844).

Keegan's animosity towards Walsh, in this and subsequent letters, is in contrast to his affectionate account of him in the letter quoted in *Legends and poems*, xxviii–xxix.

Knock-shegowna or Carrig-Cleena Two locations in Munster – in Cos Tipperary (near Ballingarry) and Cork (near Mallow) respectively – associated with fairy spirits.

John Banim The Kilkenny novelist, poet and playwright (1798-1842) whose most famous works include *The Celt's Paradise, Revelations of the*

Dead Alive and *Tales by the O'Hara Family* (written jointly with his brother Michael). 'Crohoore na Billeoge' refers to John's tale *Crohoore of the Bill-Hook*.

another novel This novel, if written, has not been discovered.

Sindbad the Sailor A reference to an episode in Sindbad's fifth voyage in the Arabian Nights.

3

the 'Bottle Imp' of German story A reference to 'Der Geist in der Flasche'.

Slieve-na-Mon On the evidence of Letter 2, Daly had requested Keegan to provide him with a metrical version of a poem. The references to 'Sliabh na mBan' (the well-known mountain in south Tipperary) here, and to 'Chase' in Letter 7, suggest that the poem in question was the Ossianic Ballad 'Seilg Shliabh na mBan' ('The Chase of Sliabh na mBan'). Daly eventually published an edition with literal translation in 1861 (*Laoithe Fiannuigheachta* 2nd Series (Dublin 1861) 126–31).

my Gleanings in Dolman's Magazine Several of Keegan's contributions to *Dolman's Magazine* in 1846 and 1847 were entitled 'Gleanings in The Green Isle', written in letter format under the pen-name of 'The Man in the Green Cloak'.

4

a short visit to the Scottish Highlands The story of 'The Grave-Robber', printed above, shows Keegan's familiarity with Scotland.

Butter-Charming A reference to the story entitled 'The Bewitched Butter' included in the present selection.

Alice Kelter Lady Alice Kyteler, who was alleged to have murdered all four of her husbands, and who was tried for witchcraft in Kilkenny in 1324.

Father Moore of Rosbercon Fr Philip Moore, then curate of Rosbercon, Diocese of Ossory; later Parish Priest of Johnstown, Co. Kilkenny. A founding member of the Kilkenny Archaeological Society and of the Ossory Archaeological Society.

Mr. Dolman Charles Dolman, editor of *Dolman's Magazine*, published in London 1845–9, to which Keegan was a frequent contributor.

Song of the Irish Railway Labourer A poem published in the present selection.

a wild and amusing tale for Dolman's Magazine This particular butter-charming tale, if ever written, was not published.

the September No. of the Dublin University Magazine Keegan has the September 1839 edition of the *Dublin University Magazine* in mind, wherein he commenced a series entitled 'Legends and Tales of the Queen's County Peasantry', the first tale being 'The Banshee'.

My mother – Mary Moloney Thomas Moloney's sister. Canon O'Hanlon mistakenly gives her name as Bridget (*Legends and poems*, vii).

Mr. Meany Stephen Joseph Meany (1825-1888), born in Clare, having worked as a journalist on the *Freeman's Journal* he founded the *Irish National Magazine*. He was imprisoned in 1848 after the Young Ireland rebellion, and was jailed for fifteen years after the Fenian rising in 1867.

Revd. Jas. Dunne Curate in the parish of Raheen, Co. Laois, 1842–51; curate in Mountrath after that until 1858, and Parish Priest to 1867. The present church of St. Fintan in Mountrath was built during Fr Dunne's ministry in that parish. It was Fr Dunne who married Keegan and Brigid Collins in August 1846, and perhaps he is the 'Father James' referred to in the final stanza of 'Caoch the Piper'.

Jacobite Relics A reference to John Daly, *Reliques of Irish Jacobite Poetry* (Dublin 1844).

a gossip of my own A familiar friend.

She is under bann Under the curse of a supernatural power.

D. F. MacCarthy . . . Ballad Poetry Denis Florence MacCarthy, poet and academic, published his *The book of Irish ballads* in Dublin in 1846.

'Loyal Association' Daniel O'Connell's 'Loyal National Repeal Association' and the Young Irelanders split on the issue of physical force in 1846.

Celtic Atheneum Properly 'Athenaeum'. In December 1845 Daly and others founded 'The Celtic Athenaeum or Irish Historical and Literary Society', to publish documents in Irish with translations, and documents in other languages relating to Ireland. John Daly was the Assistant Secretary. Within a year the name was changed to 'The Celtic Society'.

6

a lament for Oliver Grace Keegan's version of Drummond's translation (James Hardiman, *Irish minstrelsy or bardic remains of Ireland* II (London 1831) 244–51) was published in the *Leinster Express* 16 June 1838.

your projected Celtic Magazine This was probably Daly's response to Keegan's suggestion in the fifth postscript to Letter 5.

your club The Celtic Athenaeum or Celtic Society, see notes to Letter 5 above.

Bridgheen of the Railway Labourer See notes to 'Song of the Irish Railway Labourer' above.

7

On the cover of this letter Daly has inscribed the following verse:

Ag seo leabhar breac Ui Dhalaigh
fear gránna gan mhaise
nár thug bean riamh grádh dho
a ttaobh áileacht a phearsa.

the Irish for 'Pilgrim' See note to 'The Dihreoch's Legacy' above.

Griffin Gerald Griffin (1803-1840) Limerick poet and novelist whose most famous work was *The Collegians*. He was a friend of John Banim.

your 'Chase' See note on 'Slieve-na-Mon' in Letter 3 above.

8

the Penny Magazine Keegan is, in fact, referring to the *Irish National Magazine*.

your new work Daly evidently intended including Keegan in a proposed anthology of verse. From Letter 9 (20 August) it appears that Keegan's 'Harvest Hymn' (see below) was the piece to be included. By early September, however, the planned publication had been changed to exclude contemporary verse, to Keegan's disappointment, as is clear from Letter 10.

In fact, this book never appeared, possibly overtaken by Edward Walsh's *Irish popular songs* of 1847. Daly did produce an anthology – of Munster verse – with translations by Mangan in 1849 (*Poets and poetry of Munster*).

9

Duffy Charles Gavan Duffy (1816-1903) editor and one of the co-founders of the *Nation*.

your forthcoming volume See note to Letter 8 above.

the Harvest Hymn Keegan's poem entitled 'The Irish Emigrant Reaper's Harvest Hymn to the Virgin', which was first published in the *Nation*, 21 September 1844.

The Pilot is attacking my papers in Dolman A critique of the July 1846 edition of *Dolman's Magazine* appeared in the *Pilot* of 13 July. Keegan was criticised for his poor knowledge of Irish.

10

Mr Voltaire François Marie Arouet (1694–1778), French writer and philosopher noted for his scepticism and criticism, especially in religious matters.

Appendix 2

These letters appeared respectively in the October and November 1845 editions of *Dolman's Magazine*. They were written in response to a letter from 'Verax' in the *Times*, 5 September 1845.

Scrittori italiani e stranieri

Alessandro D'Avenia

L'ARTE DI ESSERE FRAGILI

Come Leopardi può salvarti la vita

MONDADORI

Dello stesso autore in edizione Mondadori

Bianca come il latte, rossa come il sangue
Cose che nessuno sa
Ciò che inferno non è

⋀ | librimondadori.it | anobii.com

L'arte di essere fragili
di Alessandro D'Avenia
Collezione Scrittori italiani e stranieri

ISBN 978-88-04-66579-3

© 2016 Mondadori Libri S.p.A., Milano
I edizione ottobre 2016

Anno 2017 - Ristampa   15 16 17 18 19 20 21

L'ARTE DI ESSERE FRAGILI

*A tutti i ragazzi e a tutte le ragazze
ai quali sono state spezzate le ali,
prima di spiccare il volo.*

*A tutti gli uomini e le donne
che difendono le cose fragili,
perché sanno che sono
le più preziose.*

*Alla mia famiglia,
nella quale imparo giorno per giorno
l'arte di essere fragile.*

Della lettura di un pezzo di vera poesia, in versi o in prosa, si può dir quello che di un sorriso diceva lo Sterne; che essa aggiunge un filo alla tela brevissima della nostra vita.

GIACOMO LEOPARDI, *Zibaldone, 1° febbraio 1829*

Ove tende questo vagar mio breve?

GIACOMO LEOPARDI, *Canto notturno di un pastore errante dell'Asia*

La felicità è un'arte, non una scienza

La felicità non è che il compimento.

Zibaldone, 31 ottobre 1823

Caro lettore,
sui mezzi pubblici delle città che attraverso colleziono volti e sguardi, perché è lì che scovo i personaggi delle mie storie ed è lì che si annida la felicità di un tempo e di un luogo. A volte sorrido a qualcuno, anche se non lo conosco, gettando nello sconcerto il malcapitato o la malcapitata, poi però vedo che qualcosa si scioglie e i tratti di un volto, prima accigliato, rivelano luminosamente che si impiegano più muscoli del viso per essere tristi che per sorridere (lo dicono anche gli scienziati). Mi sembra che stiamo dimenticando l'arte di essere felici, e che quando lo siamo, per paura che lo stato di grazia sia un'illusione, lo condanniamo a esaurirsi, come un giardiniere che non si fida del seme di rosa a causa della sua piccolezza e fragilità, e per questo decide di non curarlo.

Quando guardo una rosa, mi accorgo che le cose dell'universo non sono tenute a essere belle, eppure lo sono. Perché noi non riusciamo a raggiungere la bellezza di una rosa o dimentichiamo come si fa? Troppo concentrati sui risultati anziché sulle persone, trascuriamo di prenderci cura di noi stessi come esseri viventi, cioè chiamati a essere di giorno in giorno più vivi, capaci di un destino inedito, e ci accontentiamo di attraversare stancamente la ripetizione di giorni senza gioia. Io credo accada perché spesso alla vita preferiamo il suo rivestimento, come se chi ha ricevuto un regalo si accontentasse del pacchetto per paura di rimanere deluso.

La diffusa infelicità del nostro tempo, e di tutti i tempi passati e a venire, è causata da carenza di passioni "felici", che sono la chiave di una vita "vivace". Dalla passione – sia come trasporto per chi e cosa si ama, sia come capacità di farsi carico di chi e cosa si ama – dipende il destino di una persona. L'epoca delle passioni tristi, come qualcuno ha definito questo nostro tempo ebbro di emozioni di superficie ma assetato di amori profondi, è esangue e spenta per mancanza di destini tesi a diventare destinazioni, quella condizione, cioè, in cui abbiamo presa sulla nostra vita così com'è e la facciamo fiorire, trasformando ciò che ci è capitato in scelta, ciò che ci è dato in desiderio, ciò che abbiamo in passione, la strada che stiamo percorrendo in ispirazione per una meta. Invece lo smarrimento è un'espressione tra le più diffuse nei volti della mia collezione. Che cosa fa sì che perdiamo la via, che cosa ostacola la vita?

Sorprende la percentuale di ragazzi di quindici anni che in Occidente ha già tentato una volta il suicidio: sotto i ventiquattro anni è la principale causa di morte dopo gli incidenti stradali. Il rifiuto della vita, affiancato a disturbi e comportamenti di vario genere (anoressia, bulimia, iperattività, deficit di concentrazione, dipendenze, abbandoni scolastici, giochi sadici e violenti alla *Arancia meccanica*), costituisce il grido di angoscia di una generazione ora in ansia ora in fuga dall'esistenza che le è toccata; una generazione che ha il volto dell'uomo di Munch che urla sul ponte, sopra il quale ha dimenticato da dove viene e dove va e rimane sospeso nell'angoscia della vertigine, non sapendo se andare avanti o tornare indietro.

Dove sono finite le passioni felici, profonde, durevoli? È ancora possibile risvegliarle in noi o sono definitivamente perdute? Esiste un metodo per la felicità duratura, uno stare al mondo che dia il più ampio consenso possibile alla vita senza rimanere schiacciati dalla sua forza di gravità, senza soccombere a sconfitte, fallimenti, sofferenze, anzi trasformando questi ultimi in ingredienti indispensabili a nutrire l'esistenza? Si può imparare il faticoso mestiere di vivere giorno per giorno in modo da farne addirittura un'arte della gioia quotidiana?

Giunto alla soglia dei miei quarant'anni, tempo fecondo di bilanci, il segreto di quest'arte di esistere senza paura di vivere, o meglio accettando anche la paura, credo di averlo trovato, ed è quanto di più prezioso io abbia. In queste pagine, caro lettore, vorrei raccontartelo, come in una chiacchierata fra amici, magari nella penombra di una sera senza incombenze. Anzi, preferirei che te lo raccontasse l'amico che me lo ha svelato, colui che quando avevo diciassette anni varcò la soglia di camera mia per non uscirne più.

Nella nostra stanza facciamo entrare solo chi ha il diritto di vederci scoperti, senza difese, persino nudi. Ancor di più a diciassette anni, quando la porta della nostra camera è una soglia invalicabile tra il mondo degli adulti, che vorrebbe imporre il suo ordine e le sue forme, e il caos informe dei vestiti sparsi ovunque, mescolati a libri di scuola, spartiti musicali e reliquie provenienti da chissà quali altri universi. Ma è anche la frontiera tra interiore ed esteriore, tra quello che si vede di noi oltre quella porta e quello che siamo veramente a tu per tu con noi stessi; tra "mondo", cioè ciò che sembra puro, ordinato, regolato, e "immondo", caos al quale non si riesce a dare un ordine, un senso, ovvero un significato e una direzione. Nessuno può varcare quella frontiera, se non chi ha il passaporto per il nostro cuore, o chi vi si intrufola con l'arte della seduzione o del contrabbando.

Pensa, lettore, a ciò che ti sta accadendo adesso, all'atto di sconsiderata fiducia che si consuma nel leggere un libro al fuoco antichissimo e moderno di una lampadina, nella condizione orizzontale del proprio letto: stai permettendo a un estraneo di entrare nella tua notte, il momento in cui abbassi le difese. Con questo gesto affronti la paura del buio e ti rendi disponibile al mistero.

Così è accaduto a me con chi mi ha svelato il segreto della felicità, l'ultimo a cui avrei pensato, da ragazzo, di concedere la chiave della mia stanza:

Giacomo Leopardi.

11

Di' la verità, sei rimasto deluso e nella tua mente si sono insinuati due fatti ingombranti: la gobba e il pessimismo.

Quale ragazzo farebbe mai entrare in camera sua un tale che ha come segni distintivi, complice la scuola, la gobba e il pessimismo in un crescendo di tre stadi (soggettivo, storico, cosmico)?

Se avessimo raccontato altri episodi della vita di Leopardi, forse ora la percezione che abbiamo di lui sarebbe ben diversa e più aderente all'effetto reale che questo poeta ha sull'interiorità dei ragazzi.

Se avessimo per esempio raccontato che da bambino amava scappare in soffitta e giocare con le ombre e le luci che penetravano da una tenda; che amava interpretare personaggi eroici nelle rappresentazioni giocose con i fratelli?

Se avessimo raccontato che sul diario scriveva che il suo divertimento era passeggiare contando le stelle?

Se avessimo raccontato che cercava di meritarsi l'amore impossibile di una madre poco propensa alle carezze e di un padre troppo rigido?

Se avessimo raccontato che, nei suoi anni napoletani, amava come un bambino il pane di Madama Girolama, le pizze dolci e i gelati di Vito Pinto, tanto da dedicargli un verso – sì in una poesia! – sull'arte del gelato ("l'arte onde barone è Vito"); che quando poteva si sedeva al Caffè in largo della Carità a sorbire il suo gelato e zuccherava il caffè fino a farlo diventare uno sciroppo? E che nascondeva i dolciumi proibiti dal medico sotto il guanciale e li divorava nottetempo?

Se avessimo raccontato che comprava spesso un biglietto della lotteria o suggeriva a chi tentava la sorte il numero vincente, perché sapeva che i gobbi portano fortuna e lasciava che la gente per strada ne ridesse bonariamente?

Se avessimo letto ad alta voce il sonetto dedicato alla vecchia cuoca di casa Leopardi, Angelina, di cui adorava sorrisi e lasagne?

Se avessimo raccontato il suo bisogno di amici, che lo portava a riconoscere nell'amicizia qualcosa capace di vincere persino la morte?

Leopardi ebbe presa sulla realtà come pochi altri, perché i suoi erano sensi finissimi, da "predatore di felicità". A guidarlo era una passione assoluta. La custodiva dentro di sé e la alimentò con la sua fragilissima esistenza nei quasi trentanove anni in cui soggiornò sulla Terra; per questo ebbe un destino scelto e non subìto, pur avendo tutti gli alibi per subirlo o per ritirarsi da qualsiasi passione. Fu invece un cacciatore di bellezza, intesa come pienezza che si mostra nelle cose di tutti i giorni a chi sa coglierne gli indizi, e cercò di darle spazio con le sue parole, per rendere feconda e felice una vita costellata di imperfezioni.

In queste pagine pongo domande (la letteratura serve a fare interrogativi, non interrogazioni) e rispondo a Leopardi, che mi ha a sua volta accolto amorevolmente nelle sue "stanze" (così si chiamano le strofe delle poesie) scrivendomi lettere accorate e vigorose: questo è un epistolario intrattenuto con lui in uno spazio-tempo creato dall'atto della lettura, lo spazio-tempo della bellezza, che vince sul tempo misurato dagli orologi ed espande la vita come solo amore e dolore, scrittura e lettura possono fare.

Ma questo libro è anche un atto di fedeltà a due dei progetti mai realizzati da Giacomo. Egli avrebbe voluto scrivere una *Lettera a un giovane del ventesimo secolo*, come accenna nello *Zibaldone* nell'aprile del 1827, e mi piace immaginare che a ricevere quella lettera sia stato proprio io, nato centocinquant'anni dopo quella nota, nel secolo verso il quale egli si sentiva proiettato. Leggere ciò che un altro uomo ha scritto è entrare in relazione epistolare con lui: lui ci scrive, noi, a distanza di migliaia di ore, rispondiamo. La poesia è un messaggio in bottiglia, che vive della speranza di un dialogo differito nel tempo. Questo è stata per me, adolescente naufrago nella sua stanza, la poesia di Leopardi.

L'altro progetto che lasciò incompiuto era un poema, in prosa e versi, sulle età dell'uomo. Costretto a vivere più in fretta di tutti noi, per via delle sue condizioni fisiche, Leopardi mi ha insegnato ad accostarmi alle età della vita con parole precise, rendendole così reali e abitabili, e mi ha aiutato a trovare gli strumenti dell'arte del vivere quotidiano in ogni tappa dell'esistenza, identificando il fine per cui esiste e la passione felice che deve attraversarla e guidarla.

Il libro è quindi diviso in sezioni che segnalano i passi dell'esistenza umana e ciò che può illuminarli dall'interno. Leopardi ha distillato, come si fa con gli ingredienti dei profumi, le tappe che ci accomunano tutti, qualunque siano longitudine e latitudine di appartenenza, qualunque sia la "dote" che la vita ci ha offerto. Queste componenti fondamentali dell'essenza della vita le chiamo: adolescenza, o arte di sperare; maturità, o arte di morire; riparazione, o arte di essere fragili; morire, o arte di rinascere. Arte è ciò che chi ha talento per la vita (tutti) può imparare e migliorare giorno per giorno, perché ogni tappa sia illuminata, guidata e riscaldata da un fuoco che non si spegne, quello della passione felice di essere al mondo come poeti del quotidiano e non stremati superstiti o pallide comparse. Non esclamiamo forse, di un momento di gioia: "È pura poesia"?

Queste pagine non contengono soluzioni semplici, perché semplice la vita non lo è mai, e non lo è stata per Leopardi in particolare, ma suggeriscono come un po' più semplici potremmo essere noi, con uno sguardo più puro sulla vita.

Unisciti a noi, lettore, e se, strada facendo, sentirai il morso della fatica, abbi pazienza (anche questa parola viene dalla stessa radice di "passione"), il panorama alla fine sarà indimenticabile. Ricordo ancora l'incanto che provai passeggiando nel giardino delle rose di Regent's Park a Londra, trovandomi faccia a faccia con i suoi trentamila esemplari di più di quattrocento tipi, ognuno con un nome diverso, ogni singola rosa di una differente sfumatura di colore. Lì, mi parve di vedere e sentire il segreto della polifonia del mondo.

Il campo di rose sarà nostro. Il campo di rose dei destini umani e della loro fragile e possibile felicità, che, come scrive Leopardi, non è che il compimento di una vita, di ogni vita, per raggiungere il quale "è necessario alle cose esistenti amare e cercare la maggior vita possibile a ciascuna di loro" (*Zibaldone*, 31 ottobre 1823).

Se ti fidi, lettore, prometto di aiutarti a cercare questa vita e a risvegliare questo amore.

ADOLESCENZA
o l'arte di sperare

La speranza è come l'amor proprio, dal quale immediatamente deriva. L'uno e l'altra non possono, per essenza e natura dell'animale, abbandonarlo mai finch'egli vive, cioè sente la sua esistenza.

Zibaldone, 31 dicembre 1821

Fondarsi sulle stelle

Una casa pensile in aria sospesa con funi a una stella.

Zibaldone, 1° ottobre 1820

Caro Giacomo,

nessuno di noi si sottrae al rito delle stelle cadenti, perché almeno una notte ogni trecentosessantacinque tutti vogliono sentirsi parte di una storia infinita, nella quale al cadere di una stella si leva un desiderio, come se i nostri sogni fossero collegati con i movimenti dell'universo secondo una logica perfetta. Gli antichi, infatti, dicevano che se le stelle non determinano i fatti della vita almeno li influenzano. In quell'istante, immersi nel buio che copre il brutto vizio di non sentirci all'altezza della vita, siamo finalmente titolati a esprimere nel silenzio del nostro cuore ciò che per noi più conta, ciò per cui desideriamo vivere. Quella scia silenziosa di fuoco penetra attraverso i nostri occhi e con il suo ultimo sussulto di fiamma innesca le polveri inerti del nostro cuore, provocando un'esplosione ed espansione inedita.

In quel momento sentiamo di meritare la bellezza, proprio per la sua gratuità, e si fa strada in noi la fiducia che la vita quotidiana possa diventare il terreno fertile per coltivare i nostri desideri, perché fioriscano. Sono attimi che mi piace definire di "rapimento", improvvise manifestazioni della parte più autentica di noi, quel che sappiamo di essere a prescindere da tutto: risultati scolastici, successi lavorativi, giudizi altrui e l'esercito minaccioso di fatti che vorrebbero costringerci entro i confini della triste regione dei senza sogni. In una notte di stelle la parte più vera di noi cerca di farsi spazio, anche se spesso ci affrettiamo a convincerci che sia stato solo un gioco o un sogno "campato in aria". Ma proprio tu, Giacomo, inesausto frequentatore di spazi celesti, avevi compreso che la parte più vera di noi è una casa da poter abitare ovunque, con le fondamenta al contrario, appese a una stella, non cadente ma luminoso riferimento per la nostra navigazione nel mare della vita. Tu mi hai insegnato che il rapimento non è il lusso che possiamo concederci una notte all'anno, ma la stella polare di una vita intera.

Non si tratta di esperienze mistiche o sentimentali, ma vertiginose e originali, qualcosa che tutti sperimentano quando si innamorano, come testimoniano i versi di Pedro Salinas alla sua amata, tratti dal canzoniere d'amore del Novecento che amo di più: "Quando tu mi hai scelto / – fu l'amore che scelse – / sono emerso dal grande anonimato / di tutti, del nulla. / [...] Ma quando mi hai detto: 'tu' / – a me, sì, a me, fra tutti – / più in alto ormai di stelle / o coralli sono stato. / [...] Possesso di me tu mi davi, / dandoti a me" (*La voce a te dovuta*). Quando si è scelti si scopre la propria originalità: lo spazio interiore si amplia a dismisura e da lì ci si può lanciare nel mondo senza paura. Veniamo rapiti quando un frammento di realtà ci chiama a uscire da noi stessi pur rimanendo in noi stessi, anzi appropriandoci del nostro io autentico più in profondità. Abbiamo l'impressione di poter finalmente afferrare la vita e farla nostra: vogliamo la luna e non ci sentiamo stupidi a desiderarla, quasi fosse un diritto e un dovere.

Anche tu, Giacomo, percepisti di essere qualcuno e non qualcosa in un momento di rapimento. Esser poeta era il tuo compito, la poesia la tua casa ancorata alle stelle: per far tuo il segreto di quella gravità al contrario non potevi essere meno che poeta. Tu sei l'uomo grazie al quale posso portare, tutte le volte che voglio, una notte stellata dentro la mia stanza, una luna piena dentro la mia classe, e per qualche istante ritrovare intatti i desideri più profondi del cuore, senza che il cinismo li chiami follie.

Qualche tempo fa mi sono ritrovato con una supplenza

di un'ora in una classe dell'ultimo anno delle superiori. Era un lunedì qualunque, di quelli che si affacciano con il peso del dì di festa malinconicamente alle spalle. Mi sono giocato quell'ora nell'unico modo che non mi risulta deprimente: vediamo che cosa imparo da ragazzi che non conosco e forse non vedrò più. Ho deciso di farmi raccontare i loro momenti di rapimento nel corso degli ultimi anni. I momenti in cui il richiamo del mondo reale li ha rapiti e riportati dentro loro stessi facendoli esclamare: "Questa è casa, è così che vorrei abitare il mondo".

Uno di loro mi ha parlato dello sci alpinismo e del contatto con il silenzio della montagna, un altro della sua passione per i componenti elettronici e dei circuiti che sta costruendo per la gestione intelligente della casa; una mi ha raccontato del deserto in Mauritania dove ha passato alcune notti e dove ha percepito tutto il vuoto che c'è sotto le stelle, un'altra del suo sentirsi a casa quando si occupa di bambini, mentre un'altra ancora aveva cominciato a fare volontariato sulle ambulanze per il primo soccorso e si era sentita finalmente utile. Un ragazzo mi ha parlato dei Lençóis Maranhenses, le "lenzuola" dell'area desertica di Maranhão in Brasile, dalla caratteristica sabbia bianca che si riempie di pozze d'acqua piovana purissima e si affaccia sul mare, come un luogo appena uscito dalle mani di Dio, mentre un altro mi ha spiegato che guardando i film dei grandi registi si sente chiamato a creare immagini e storie altrettanto belle. I ragazzi cercano case ancorate alle stelle nel contatto con una natura che racconta l'infinito e, con la sua bellezza schiacciante, richiama a una purezza al tempo stesso vergine, indomabile e pericolosa. Oppure nel contatto forte e reale con le vite degli altri, vite spesso fragili, per le quali fare qualcosa di buono.

Sono uscito da quella classe rinnovato nei desideri e nei progetti della mia vita, perché come loro si sono sentiti in quei luoghi, mi sento io in classe. Con i ragazzi e con i loro cuori malinconicamente assetati di infinito, di purezza, di amicizie, di slancio per ciò che è buono, vero, bello, io mi sento a casa, perché loro sono parte essenziale di quel rapimento che intuii quando avevo diciassette anni e decisi che avrei fatto l'insegnante. Furono tre le mie stelle cadenti.

Un giorno, a quell'età, mi soffermai per caso su un canale che trasmetteva un film in cui un rapito Robin Williams, nelle vesti di un professore, risvegliava le anime assopite dei suoi ragazzi spingendoli a cercare, tra le pagine della letteratura e della vita, il verso che avrebbero aggiunto al grande poema del mondo. In quella scena vidi il mio futuro e il senso delle passioni maturate, quasi inconsapevolmente, nel mio passato.

Tutto fu confermato, qualche tempo dopo, da un momento simile, quello in cui il mio professore di lettere mi prestò il suo libro preferito, le poesie di Hölderlin, e mi disse che dovevo leggerlo in due settimane. Tra quei versi e le annotazioni a matita del mio insegnante fui rapito da quel poeta capace di infinito come pochissimi, debole nell'arte della vita ma versato più di ogni altro in quella della musica delle parole: "Sai tu di che porti il lutto? Non è cosa morta solo da qualche anno, non si può dire esattamente quando esistette, quando passò: ma fu, è, è in te. Quel che tu cerchi è un tempo migliore, un mondo più bello" (Diotima a Iperione, in *Iperione*). Mi sentii a casa, in quella ricerca della bellezza, in quella malinconia di un lutto che lutto non era, ma era una sete che condividevo. Mi rapì anche il fatto di essere depositario di un segreto, quello del mio insegnante, che in me aveva visto il fuoco di un futuro docente come lui e che quella mattina, invece di lamentarsi di un altro giorno di scuola, aveva scelto dalla sua biblioteca un libro per un alunno, proprio quell'alunno che ora ti scrive.

E infine, quello stesso anno, il professore di religione della mia scuola, padre Pino Puglisi, detto "3P", fu ucciso dalla mafia. Anche in quel caso fui rapito, ma dal dolore (molti rapimenti sono frutto di crisi profonde) e dal desiderio di essere un insegnante capace di dare in qualche modo la vita per i ragazzi, anche per quelli che non sembrano meritare i nostri sforzi.

Come tu mi hai scritto, Giacomo, desideri, passioni, dolori, e soprattutto l'amore, sono il catalizzatore del destino nel caos di atomi della nostra fragile esistenza:

Nessuno diventa uomo innanzi di aver fatto una grande esperienza di sé, la quale rivelando lui a lui medesimo e determinando l'opinione sua intorno a se stesso, determina in qualche modo la fortuna e lo stato suo nella vita. [...] Il conoscimento e il possesso di se medesimo suol venire o da bisogni e infortuni, o da qualche passione grande, cioè forte; e per lo più dall'amore.

(Pensieri, *LXXXII*)

Ancora oggi, che ho trentanove anni, vivo del fuoco di quei rapimenti di diciassettenne: sono il mio centro, la mia originalità, la mia casa, la mia gioia quotidiana, il mio entusiasmo, ciò da cui tutto ha avuto origine. Non può essere meno potente di una stella, il fuoco che innesca la passione per la vita, per questo tu immaginavi una casa ancorata alle stelle, e le stelle ti hanno accompagnato dal primo all'ultimo verso. Sembrano metafore e parole, immagini di sognatori, ma dopo anni di insegnamento so che è la verità.

Caro Giacomo, tu mi hai svelato il segreto per far fiorire un destino umano intuito nell'adolescenza. Solo la fedeltà al proprio rapimento rende la vita un'appassionante esplorazione delle possibilità e le trasforma in nutrimento, anche quando la realtà sembra sbarrarci la strada.

Raccontami dove hai trovato la forza, Giacomo. Suggeriscimi che cosa posso rispondere a quella ragazza che mi ha confidato che i due rapimenti della sua vita, un amore e la danza, sono miseramente falliti, per mancanza di corrispondenza il primo, e per un infortunio grave la seconda. Raccontami come hai fatto tu a essere fedele per tutta la vita a quel primo rapimento, quando nel corso degli anni ti sembrò impossibile farne realtà.

Raccontaci come si lotta per essere felici quando tutto il mondo resiste e la corrente è contraria, perché anche noi possiamo trovare la tua chiarezza e la tua forza. Insegnaci il segreto di un cielo stellato trecentosessantacinque giorni all'anno, di una vita che si aggrappa al futuro. Se un seme non "spera" nella luce non mette radici, ma sperare è difficile, perché richiede consapevolezza di sé, apertura e tanti fallimenti. Sperare non è il vizio dell'ottimista, ma il vigoroso realismo del fragile seme che accetta il buio del sottosuolo per farsi bosco. Insegnaci, Giacomo, quest'arte di sperare.

Rapimento,
o la chiamata a essere qualcuno

Umilmente domando se la felicità dei popoli si può dare
senza la felicità degli individui.

Lettera a Pietro Giordani, 24 luglio 1828

Caro Giacomo,
un antico proverbio dice che "un seme nascosto nel cuore di una mela è un frutteto invisibile". Per saper vedere le cose racchiuse nel seme, però, ci vuole un senso speciale, il senso dell'originalità: niente di eccentrico e straordinario, è la pura e semplice consapevolezza dell'origine, che ci permette di intuire per che cosa siamo al mondo. Ma il suo manifestarsi è così piccolo che occorre prestare un'attenzione assoluta, perché questa origine ci raggiunga. Ognuno nella vita ha almeno un minuto di nitida chiarezza, luce e gioia d'essere al mondo come portatore di una novità irreplicabile. Questo è l'inizio della felicità, mi hai detto: come possibilità da abitare e far fiorire.

Sono pochi ed essenziali i momenti di rapimento nella vita di un uomo e, in quegli istanti, passato, presente e futuro diventano all'improvviso compresenti, come un seme in cui simultaneamente si riescano a scorgere l'albero da cui proviene, l'albero che genererà e tutte le stagioni in mezzo. Questo senso di ampliamento e contrazione del tempo, cristallizzazione e apertura, è rapimento, contatto con la propria origine e quindi originalità.

È come quando pensiamo, della persona di cui ci siamo innamorati, "mi sembra di conoscerti da sempre" e "voglio stare con te per sempre". Quando accade, ci sentiamo chiamati a una felicità duratura, non effimera: non siamo più

23

anonimi, finalmente possediamo un nome proprio, che nessun altro può avere.

Per questo, Giacomo, non comincio a raccontare la tua vita dal giorno in cui nascesti, o dalla tua infanzia, come giustamente fanno gli storici, perché i romanzieri hanno un'altra percezione del tempo. Chi narra sa che il tempo ruota attorno a un nucleo, una sorgente, che non è l'inizio, è semplicemente il centro, in relazione al quale il prima è preparazione e il dopo affermazione. Una biografia assomiglia a una linea, ma una vita assomiglia a una spirale, il centro rimane nella stessa posizione e i minuti gli si arrotolano attorno, ora più vicini ora più lontani, in base alla fedeltà alla propria originalità. Quel centro è il rapimento e l'adolescenza ne è lo scrigno.

Proprio in questi termini, quando avevi diciotto anni, tu mi hai descritto il tuo rapimento. Quattro anni prima tuo padre ti aveva dischiuso le meraviglie della sua biblioteca, che gli era costata dieci anni di lavoro e che aveva generosamente messo a disposizione della gente di Recanati e dintorni. Ti immagino seduto allo scrittoio dal quale volevi conquistare l'amore dei tuoi genitori, soprattutto di tuo padre. Piegato alla luce di una candela e con una coperta sulle spalle nei mesi più freddi, guardavi attraverso pagine capaci di raccontare mondi altrimenti inaccessibili dalle vie del borgo natio, come fanno oggi gli adolescenti con la rete.

Come tutti i ragazzi cercavi distrazione dalla noia di giornate tutte uguali e i libri erano l'unica risorsa a disposizione tra quelle mura. Nei libri cercavi la formula per essere felice, come se la felicità fosse una scienza, scavavi tra le pagine come un ragazzino che tenta di dissotterrare il tesoro seguendo gli indizi contenuti nella mappa. E il tesoro arrivò, ma in modo inaspettato, forse proprio per salvarti da quegli anni che ti procurarono un corpo inadatto a respirare bene.

A diciott'anni avvenne qualcosa di imprevedibile: il destino entrò dalle esili pareti del tuo corpo. Avevi voluto conoscere il mondo attraverso una biblioteca e la vita ti richiamò fuori da quelle stanze, in un libro diverso, fatto dalla natura.

Mi piace rileggere le parole che mi hai scritto per descrivere la luce della tua chiamata, fuori dalla biblioteca:

Quando io vedo la natura in questi luoghi che veramente sono ameni (unica cosa buona che abbia la mia patria) e in questi tempi spezialmente, mi sento così trasportare fuor di me stesso, che mi parrebbe di far peccato mortale a non curarmene, e a lasciar passare questo ardore di gioventù, e a voler divenire buon prosatore, e aspettare una ventina d'anni per darmi alla poesia.
(Lettera a Pietro Giordani, 30 aprile 1817)

Queste righe, rivolte a uno degli intellettuali più noti del tuo tempo, a cui avevi scritto proprio per chiedergli consiglio sul tuo futuro, sono la testimonianza del tuo minuto di rapimento, quel contatto vitale con la realtà che ci fa entrare in risonanza come un diapason, fino a capire che quella è la nostra tonalità, che quello spazio è casa nostra, che è lì che vorremmo abitare, perché è lì che ci sentiamo a casa, ovunque nel mondo. Le tue parole, Giacomo, mi hanno fatto capire dove comincia tutto.

Quel rapimento ti portava a rispondere a Giordani – che ti consigliava di dedicarti prima alla tecnica della prosa – che non eri disposto ad aspettare, perché la meraviglia viene prima della tecnica e ne è la causa, e non viceversa. La meraviglia costringe la bocca ad aprirsi e le braccia ad abbandonarsi, e solo dopo mette in movimento parole e azioni.

Non voglio già dire che secondo me, se la natura ti chiama alla poesia, tu abbi a seguitarla senza curarti d'altro, anzi ho per certissimo ed evidentissimo che la poesia vuole infinito studio e fatica, e che l'arte poetica è tanto profonda che come più vi si va innanzi più si conosce che la perfezione sta in un luogo al quale da principio né pure si pensava. Solo mi pare che l'arte non debba affogare la natura e quell'andare per gradi e voler prima essere buon prosatore e poi poeta, mi par che sia contro la natura la quale anzi prima ti fa poeta e poi col raffreddarsi dell'età ti concede la maturità e posatezza necessaria alla prosa.
(Lettera a Pietro Giordani, 30 aprile 1817)

Un adolescente senza meraviglia è un adolescente senza rapimento, come un'arte senza meraviglia è tecnica fredda o provocazione effimera. Quando ci si meraviglia appare uno splendore ancora impreciso, che spinge la nostra attenzione ad andare oltre. Meravigliarsi è, infatti, come presentire o intravvedere un'intera storia in un primo sguardo quando ci si innamora.

L'adolescenza, indipendentemente dai suoi mutevoli confini anagrafici, ha come scopo, Giacomo, questo seme di futuro, questo fuoco che rende lottatori temprati, seppur fragili. Raggiunta la profondità originaria, comincia a zampillare la fonte dell'agire ispirato, tutto il resto è una mascherata, un'imitazione, un contagio effimero. Se non si scava e non la si scova, la ricerca si protrae indefinitamente. Ciò che cerchiamo è già in noi, ma non è attivato per mancanza di contatto con la realtà, e finché non lo troviamo restiamo prigionieri dei due principi che dettano il copione nell'infanzia e nell'adolescenza: il principio di piacere e il principio dell'obbligo, motori che ci spingono ad agire per un dettato esterno e non per un fiorire interno, capace di tutto integrare. La parola "rapimento" in latino si usava per descrivere la corrente di un fiume che tutto assume e supera, per arrivare al mare. Senza essere rapiti, non solo non si arriva al mare, ma si scivola nel sonno o si fugge nel sogno.

Spesso ti capitava di non sentirti all'altezza di quella chiamata, sperimentando l'inadeguatezza che ci prende tutti di fronte alla grandezza di un rapimento rispetto alle nostre reali capacità, la "scontentezza nel provare le sensazioni destatemi dalla vista della campagna, come per non poter andare più addentro e gustar più, non parendomi mai quello il fondo, oltre a non saperlo esprimere" (*Ricordi d'infanzia e di adolescenza*). Ma ricacciasti la tentazione di pensare che fosse stata solo un'illusione, come fa chi ha troppa paura di costruire una casa fondata sulle stelle. Non solo non potevi abbandonare quel frammento di mondo che ti era stato affidato, ma non potevi abbandonare noi che l'avremmo potuto ricevere in regalo dalle tue parole. Prendersi cura è il fine del rapimento, come quando ci innamoriamo e ci viene affidata una persona. I latini per "curare" usavano la parola *colere* da cui *cultum*, da cui il termine "cultura" (l'agricoltura non era altro che il prendersi cura del campo). La cultura non ha nulla a che fare con il consumare oggetti culturali: ci si illude che consumando più libri, più musica, più quadri, si acquisirà più cultura. Conosco persone che consumano tantissimi oggetti culturali, però questo non le rende più umane, anzi spesso finiscono con il sentirsi superiori agli altri. Cultura vuol dire stare nel campo, farlo fiorire, a costo di sudore. Significa conoscere la consistenza dei semi, i solchi della terra, i tempi e le stagioni dell'umano e occuparsene perché tutto dia frutto a tempo opportuno. Nella cultura ci sono il realismo del passato e del futuro e la lentezza del presente, cosa che il consumo non conosce: esso vuole rapidità e immediatezza, non contempla la passione e la pazienza.

Il mondo doveva sapere il prezioso e fragile segreto che avevi scoperto in una semplice primavera, in un semplice cielo notturno dominato dalla luna e dalle stelle. Così fa qualsiasi innamorato: non parla d'altro che del suo amore. Infatti per rinnovare il tuo rapimento regolarmente ti affacciavi nella notte dal tuo scrittoio, dopo aver spento la candela, e non appena la vista si abituava a quella luminosa oscurità sentivi lo spazio e il tempo entrare dentro di te: cominciavi a contare le stelle del cielo, che ai tuoi tempi non era ancora inquinato da altre luci, mentre una brezza calma spirava dal mare nella campagna recanatese e ti accarezzava il volto, e percepivi che quell'infinito era la tua casa. Da te ho imparato, Giacomo, come si guardano le stelle da una finestra mentre il mare, specchio del purissimo azzurro del cielo, respira infaticabile e tranquillo. Da te ho imparato come ci si meraviglia, sovrastati dalle cose non fatte dall'uomo che ispirano quelle che l'uomo può fare. Da subito avevi intuito che la vita va dal meno al più, bastava guardare il fiorire dei semi in primavera: il poeta sa che il futuro delle cose è celato già nella loro origine.

27

L'adolescenza non è una malattia

> La somma felicità possibile dell'uomo in questo mondo, è quando egli vive quietamente nel suo stato con una speranza riposata e certa di un avvenire molto migliore. Questo divino stato l'ho provato io di 16 e 17 anni e colla certa e tranquilla speranza di un lietissimo avvenire.
>
> *Zibaldone*, 1819-1820

Caro Giacomo,
tu mi hai mostrato l'essenza dell'adolescenza, raccontandomi la tua. Mi hai fatto conoscere il coraggio che ci vuole per acconsentire al fatto di essere nati, per accordare consenso all'assoluto involontario di essere qui, soprattutto quando se ne vive la fragilità. Il coraggio di avere un destino e farsene carico, cioè cogliere se e per cosa valga la pena vivere. Mi hai spiegato che questo consenso non si accorda in un istante, come per il rapimento, ma richiede la pazienza delle stagioni: è arte che si impara in una vita intera.

È necessario lasciarsi prendere dall'eccesso di speranza che caratterizza questa tappa, e che spesso gli adulti minimizzano o criticano.

Infatti quella speranza a volte i ragazzi la perdono a causa di noi adulti. Hanno paura perché non riescono a vivere i loro sedici, diciassette anni nel modo in cui dici tu, Giacomo, con "certa e tranquilla speranza". Vivono immersi in narrazioni disperanti che hanno la meglio sulla realtà, sull'esplorazione del possibile, perché spesso chi dovrebbe testimoniare il futuro è privo di destino: provoca vocazioni solo chi ha trovato e vive la propria. In questi anni di insegnamento e incontri, ho visto ragazzi già annoiati, stanchi, corrosi dalla monotonia, arrugginiti, dagli occhi spenti, quasi vecchi. Non la maggioranza, ma c'erano. Ma tu mi hai insegnato che serve poco per ravvivare quel fuoco nascosto tra la cenere: basta, per esempio, citare le parole di un poeta, di uno scrittore, magari proprio le tue, per scoprire ciò che dà consistenza alle speranze, ciò che rende reale l'invisibile: l'invisibile della statua nell'idea, dell'albero nel seme, della cattedrale nello schizzo, dell'amore in un primo sguardo. Mi hanno colpito le parole di una studentessa di quindici anni che attraversava un momento di particolare fragilità e alla quale avevo prestato un libro adatto alla situazione, il diario di Etty Hillesum, una ragazza ebrea che racconta la sua maturazione a contatto con l'orrore nazista, che le spezzerà il corpo ma non lo spirito. Etty trasforma ogni cosa in vita, perché ogni cosa nell'interiorità, in particolare in quella femminile, può diventare vita feconda. Trasforma in vita persino la sua morte, chiudendo il diario con una frase che porto scolpita nel cuore e nella testa: "Si vorrebbe essere un balsamo per molte ferite". Dopo aver letto il libro, quella ragazza mi ha scritto: "Volevo ringraziarla per avermi prestato un libro tanto prezioso: se prima mi limitavo a vedere il bianco e il nero nella vita, ora le sfumature fanno parte di me. Certo mi è impossibile non vedere, di tanto in tanto, cose che mi rattristano, ma non oso più incolpare la vita di questo, non la considero più ingiusta o cattiva. Semplicemente vivo le situazioni spiacevoli e affido a Dio il mio dolore. Etty è così simile a me che leggendo per la prima volta le sue parole mi sono sentita finalmente Bene (con la B maiuscola), era come se quelle parole fossero lo specchio dei miei pensieri. Ho segnato su un quaderno quasi ogni frase che mi è sembrata vicina a me e a ciò che sto provando in questo momento ed è stato liberatorio, come ammettere che quel dolore c'è e che anche qualcun altro lo ha vissuto. Etty e io siamo così vicine che avrei tanto voluto parlarle, dirle proprio quelle cose che io vorrei sentirmi dire. Mi ha insegnato molto, con la sua giovane irrequietezza, forza, fede, ma soprattutto con il suo amore inarrestabile per la vita".

Ancora una volta la lettura aveva creato uno spazio e un tempo in cui gli uomini si incontrano, costruiscono legami e trovano le parole per definire se stessi, soprattutto nei momenti di passaggio. L'uomo, oltre a essere, è divenire, e

29

l'adolescenza è divenire più di ogni altra tappa. E la si vive appieno proprio attraversando fino in fondo la crisi che la riempie di interrogativi.

Vengo tempestato di domande, sia come insegnante sia come scrittore, e in questi anni le sto raccogliendo per generi e argomenti. Che cosa mi chiedono i ragazzi? Come si fa a vivere, come si fa a sognare, come si fa ad amare, come si fa a trovare Dio, come si fa a trovare la propria strada, come si fa a non soccombere di fronte al dolore... Così mi sono convinto che gli adolescenti non hanno domande: *sono* domande. Riformulano con i loro silenzi gli stessi "perché" reiterati tipici dei bambini, ma su un piano diverso: il bambino chiede come mai ci sono le stelle, l'adolescente chiede come ci si arriva, perché la speranza è desiderio (*de-sidera*, distanza dalle stelle), la sua mancanza è un disastro (*dis-astro*, assenza di stelle).

Ricordo ancora con grande malinconia una chiacchierata con una diciassettenne. Ero in una città per la presentazione del mio secondo romanzo. Alla fine dell'incontro una donna mi si è avvicinata e mi ha detto che questa studentessa non aveva potuto partecipare, benché ci tenesse tanto, perché era ricoverata in ospedale. Soffriva di anoressia ed era un momento molto delicato. Quella donna mi chiedeva di andare a trovarla. Andammo subito.

Minuta, fragilissima, aveva due occhi non del tutto spenti e ancora pieni di possibilità, nelle quali però non credeva più. Non mi permetteva di parlarle di speranza, di futuro, di bellezza. Non credeva in tutte quelle cose per cui era fatta la sua età e per questo era lì, ricoverata, a rischio della vita, spirito abbattuto in un corpo di farfalla. Ho sentito davanti a me un muro invalicabile, il cuore di quella ragazza si era rintanato da qualche parte, in un'oscurità che nessuna luce riusciva a raggiungere. Allora sono rimasto un po' in silenzio con lei e poi le ho raccontato dei miei progetti e dei miei sogni, e di qualche brutta figura per farla ridere. Ci siamo salutati con un abbraccio e le ho detto semplicemente che nessuno avrebbe potuto prendere il suo posto, che ciò che al mondo poteva fare, poteva farlo solo lei, e che lei era stata un dono per me, in quei pochi minuti. Una lacrima le ha inumidito la guancia, quasi si concedesse un lusso. Non ho saputo più nulla, ma spero che quella timida lacrima fosse il segno di una speranza, di un nodo che cominciava a sciogliersi.

Ho ricevuto tante lettere di ragazzi distrutti da insegnanti capaci di dire a un esame andato male: "Non sarai mai buono a fare nulla", o davanti a una classe numerosa il primo giorno di scuola: "Siete troppi, vi diminuiremo". Ragazzi poi riaccesi e salvati da altri, che hanno fatto emergere qualità prima insospettabili. Mi ricordo di una ragazza, delusa dalle lezioni di una sua professoressa, che durante l'intervallo faceva un corso di italiano in corridoio con l'insegnante di un'altra sezione, che rimaneva lì, disponibile a quesiti e curiosità. E lei amava l'italiano più di ogni altra materia proprio grazie a quelle lezioni da corridoio. O ancora di quel ragazzo, precipitato in un gorgo di noia e senso di inutilità, che, spronato da un insegnante a dedicarsi agli altri, il giorno in cui entrò in un centro per bambini cerebrolesi sentì rinascere in sé la vita, di cui per la prima volta comprese la fragilità e preziosità.

Anche tu, Giacomo, invocavi l'aiuto di qualcuno che sapesse accogliere quel tuo modo di essere e lo guidasse. Qualcuno che ti amasse così com'eri e ti permettesse di riceverti come neanche tu eri capace di fare con te stesso. Non ti bastava una biblioteca per essere felice (così come oggi non basta la rete, anche se sembra contenere il mondo intero), per questo cercavi amori e amicizie, come fa ogni adolescente. Ma i primi furono solo sogni impossibili, quasi gesti muti lanciati a ragazze di famiglie che gravitavano attorno alla vostra – come Maria e Teresa, che sarebbero diventate la tua Nerina e la tua Silvia – o a donne mature e di bellezza prorompente, come la contessa Lazzari. Amori in cui desiderio e immaginazione facevano tutto. Le amicizie, invece, ti sembrarono l'unico modo di dare seguito ai tuoi desideri, perché ti avrebbero aperto le porte alla repubblica delle lettere e quindi alla celebrità. Per questo cominciasti a scrivere agli intellettuali di spicco del tempo, e grande fu la tua sorpresa quando Pietro Giordani prese sul serio il tuo talento e la tua solitudine. Dopo un'adolescenza passata in compagnia dei nomi sul frontespizio dei libri, il richiamo della realtà si faceva forte. I tuoi genitori, Monaldo e Adelaide, non erano riusciti a comprendere la tua fragilità e gioivano nel vederti immerso nei tuoi studi, perché era ciò che doveva fare il primogenito di casa Leopardi, senza cogliere che era altro quello che cercavi. Ti mancava l'affetto, il calore, ti mancava quello di cui ogni adolescente ha più bisogno: sentirsi amato.

"Il tuo cuore agitato, sente sempre una gran mancanza, un non so che di meno di quello che sperava, un desiderio di qualche cosa anzi di molto di più" (*Zibaldone*, 27 giugno 1820). C'è sempre una gran mancanza nel cuore dell'uomo, e ancor più in quello di un adolescente che si è sentito poco amato.

Solo esperti del cuore umano, i maestri, possono curare e guidare un cuore acceso senza che si ripieghi su e contro se stesso, perché non possiamo volere meno amore di quello che ci spetta.

Una volta, alla fine di un incontro con studenti delle superiori durante il quale avevo parlato di questi temi, una professoressa, forse preoccupata dall'entusiasmo dei ragazzi, disse: "L'adolescenza è importante, però non sopravvalutiamola". Quelle parole tradivano forse la paura di entrare nell'arena educativa rispettando questa tappa per quello che ha di eccesso e quindi di fatica. Noi adulti vorremmo controllare l'adolescenza, credendo sia una scorciatoia per educare, ma questa fase della vita, con la sua sete di libertà, non vuole controllo, bensì apertura, accettazione, affermazione, destinazione, obiettivi, che fanno da limite naturale all'eccesso in modo che possa trovare i confini entro cui definirsi e, soprattutto, la sua forma più vera. Quando Padre Puglisi organizzava quelli che lui chiamava campi vocazionali li intitolava infatti: "Sì, ma verso dove?". Una frase che contiene l'affermazione totale di ciò che ogni ragazzo è, ma anche la sua tensione *verso* qualcosa (la parola *ad-olescente* indica tensione verso una pienezza).

Tuttavia, in assenza di rapimento, chiamata, destinazione, l'educazione si rifugia nel controllo, nell'obbligo, nei divieti, che infatti i ragazzi non capiscono.

Sei stato tu a insegnarmi, Giacomo, proprio con la tua sofferenza, a guardare i miei studenti senza pretendere di controllarli, senza sottovalutare i loro sedici o diciassette anni, ma prendendo sul serio quell'eccesso, a volte destabilizzante, e indirizzandolo: fu un eccesso mal riposto a rovinarti la salute, fu un eccesso ben indirizzato a salvarti la vita. È nell'eccesso dell'adolescente che si mostra e si nasconde il fuoco della speranza o della disperazione.

Uno crea, l'altro distrugge. Uno serve ad ammorbidire, forgiare e temprare l'acciaio, l'altro a bruciare boschi e biblioteche.

Ma è lo stesso fuoco.

Vivere le domande

Ed io che sono?

Canto notturno di un pastore errante dell'Asia

Caro Giacomo,
in quest'epoca si parla tanto *di* adolescenti, ma si parla troppo poco *con* gli adolescenti. Parlare con un adolescente non è articolare un elenco di "devi" o "dovresti". Non guadagna la fiducia dei ragazzi chi la cerca scimmiottando la loro adolescenza, ma chi partecipa alla loro vita, scegliendo volta per volta la giusta distanza. Solo chi vive il suo rapimento genera rapimenti e provoca destini: solo se io so che cosa ci sto a fare al mondo metto in crisi positiva un adolescente, che non vuole gli si spieghi la vita, ma che la vita si spieghi in lui, e vuole avere a fianco persone affidabili per la propria navigazione. Se un adulto fa l'adolescente di ritorno inganna i ragazzi: penseranno che diventare adulti è desiderare di tornare indietro o provare rimpianto per qualcosa che non si ha più. Vorrebbero essere sicuri di se stessi e invece dobbiamo aiutarli a essere sicuri *di essere* se stessi, cominciando ad accettare ciò che sono e non caricandoli di "io" immaginari e irraggiungibili. Per questo in noi devono trovare chi è sicuro di essere se stesso, fragilità comprese, inadeguatezze comprese, fallimenti compresi, insomma limiti compresi. Anche tu, Giacomo, lottavi per non rinunciare a quella sicurezza di essere te stesso, alla tua vocazione.

Questa generazione di adolescenti è più rapida delle precedenti, entra in contatto con molto più mondo in meno tempo, conosce più cose della mia, ma ha anche un punto debole: ha meno criteri di decodifica dei messaggi, non sa da dove si prenda il mondo, indossa la realtà spesso al contrario, come una maglietta in cui non si distingue il davanti dal dietro, l'esterno dall'interno. Trova la soluzione a furia di provare e riprovare, se non si scoraggia prima. Abbiamo dato loro tutto per godere la vita, ma non abbiamo dato loro una ragione per viverla. Abbiamo scambiato la felicità con il benessere, i sogni con i consumi.

Il risultato è una generazione spesso perduta in un deserto di noia, a caccia di oasi di senso, intrappolata in miraggi emotivi necessari a risarcire una profonda solitudine, non quella feconda del poeta che si allontana dal mondo per ritrovarsene poi più innamorato e arricchito, ma quella di chi si sente abbandonato da tutto e di cui io sono testimone quando raccolgo le confidenze di ragazzi che mi conoscono solo attraverso i miei scritti. Allora mi chiedo: ma accanto a loro non c'è nessuno che li osserva? Noto una tendenza alla resa nell'età fatta per l'eroismo; infatti quelli che non hanno ancora rinunciato a lottare sentono fortissimo il dolore di qualcosa che era loro dovuto ma che hanno perduto, senza sapere bene come: una sorta di smarrimento. Eppure questo dolore, se decidono di non ignorarlo o lasciarlo prosperare, è la loro salvezza perché acuisce la sete, le domande. Una volta un collega mi ha criticato dicendomi: "A scuola bisogna seminare dubbi, non certezze". Non credo che a scuola l'alternativa sia tra dubbi e certezze, ma tra libertà e schiavitù. Non si tratta di seminare certezze, bensì di incoraggiare l'uso della libertà in direzione di ciò che è vero, bello e buono per ampliare il raggio d'azione del vero, del bello, del buono, le tre cose che rendono una vita appassionata e appassionante. E se non avessimo un minimo di certezze perché insegnare Shakespeare, Omero e Dante? Perché le leggi della fisica? Perché la vita delle stelle e delle cellule? Lo facciamo perché pensiamo che questo serva a orientarsi nel mondo, ad abitarlo, anche quando si fa inospitale.

Ricevo centinaia di domande "impossibili" dai ragazzi, perché quelle domande sono anche mie e anche io sono in viaggio verso le risposte, che arriveranno solo a patto di tenere vive le domande: la vita non è mai avara di risposte quando si rimane aperti a lei con domande precise.

"Perché deve accadere tutto questo?" mi ha chiesto una ragazza con la madre malata di tumore.

"Come si fa a scoprire un sogno per la vita?" un ragazzo roso dalla noia.

"Come faccio a non buttare la mia adolescenza?" un ragazzo arrugginito dal consumismo.

"Come faccio a tornare a innamorarmi? Non ci riesco più" mi ha chiesto a tu per tu una ragazza con il tormento di una violenza subita e mai rivelata a nessuno, neanche ai genitori.

"Come impegnare le proprie risorse migliori in un mondo in cui prevale il più furbo e spregiudicato?" un ragazzo deluso.

"Come sopportare il fatto di non essere bella?" una ragazza con poca stima di sé.

"L'amore per sempre è solo un'illusione o è possibile?" una ragazza con i genitori che si odiano.

"Perché dovrei smettere di tagliarmi se è l'unico modo per evitare il dolore ancora più profondo che mi accompagna?" mi ha chiesto una ragazza autolesionista.

"Come si fa ad appassionarsi alle materie scolastiche se i professori sono i primi a non crederci?" Penso che questa sia una delle domande più frequenti: cercano testimoni della bellezza, non insegnanti senza fede nella bellezza.

"Come fa a credere in Dio?" Me lo chiedono in moltissimi, senza vergogna, anche davanti a centinaia di coetanei.

I genitori spesso sono spiazzati perché, come capita a me, nemmeno loro hanno la risposta per molte di queste domande, e quindi scantonano nelle procedure, nei doveri, negli impegni, negli oggetti. Ma il risultato è già la domanda. Il segreto è che i ragazzi sappiano di non doverne portare da soli il peso e si cominci insieme il viaggio che condurrà alle risposte.

L'adolescenza è la tappa dell'informe che cerca la forma, del caos che cerca l'ordine, della speranza che cerca l'esperienza e dell'impossibile che cerca il possibile. Proprio tu, Giacomo, consapevole di questa tappa come altri mai, attraverso i personaggi dei tuoi canti hai dato forma di domanda all'informe sperare e temere, non offrendo risposte, ma vivendo le domande, senza spegnerle. Sono quelle di Saffo e del pastore errante, di Nerina e di Silvia, del passero solitario e del viandante confuso... Le parole della tua poesia sono strumenti che aiutano ad affrontare la vita di tutti i giorni, ad abitarne luci e ombre, proprio perché riescono a dare voce al grido del cuore silenzioso. Hai snodato una specie di filo di Arianna nel labirinto della vita. E non è importante quanto sia complesso il labirinto, ma quanto forte e lungo è il filo per affrontarlo, e il compito meraviglioso di uno scrittore è raccontare sia il labirinto sia il filo.

Raccontami come hai fatto a inoltrarti nella vita, nonostante i tanti snodi dolorosi a cui ti ha costretto. Come sei rimasto fedele al tuo rapimento, come hai continuato a sperare senza perderti, schiacciato dai limiti che la vita ti impose? Come hai fatto a tenere vivi tutti i punti interrogativi delle tue poesie?

Quello sfortunato di Leopardi

> Questa ed altre misere circostanze ha posto la fortuna
> intorno alla mia vita, dandomi una cotale apertura
> d'intelletto e di cuore.
>
> *Lettera a Pietro Giordani*, 2 marzo 1818

Caro Giacomo,
quando devo iniziare la parte di programma che ti riguarda, non dichiaro la tua identità, ma dico che è venuta l'ora di leggere il più grande poeta moderno, un poeta che ha trasformato ogni limite in bellezza, ed ebbe chiaro che questa era la sua vocazione all'età dei ragazzi che ho di fronte.

Mi guardano con gli occhi grandi per quei pochi secondi che dura l'attenzione al nuovo di questa generazione, in attesa del nome. Ma dal momento che non lo rivelo, cominciano a fare ipotesi. Quando qualcuno indovina, quasi subito una voce aggiunge: "No... quello sfigato di Leopardi, no!". Abbi pazienza, sono giovani e ignoranti: si fanno prestare i luoghi comuni pur di avere un pensiero in bocca. Ma vedi, Giacomo, io *spero* che usino quell'aggettivo, perché smaschera tutta la paura che nasconde, quella di una cultura per la quale chi si chiede il senso delle cose non è altro che "sfigato", tanto quanto chi non ha un corpo perfetto. Eri veramente uno sfortunato da cui stare alla larga? Chi ha la gobba porta fortuna, si dice, ma tu ce l'avevi davvero? Pensa che c'è chi, per giustificare la tua poesia, parte proprio dalla gobba, anziché dal rapimento. Sei morto per una crisi respiratoria provocata dalla compressione del tuo corpo storto sul cuore. Non hai trovato mai un amore che corrispondesse ai tuoi innamoramenti.

Insomma, sei la quintessenza del giovane che nessun giovane vorrebbe essere. È vero, Giacomo? Ti difendi da solo o devo farlo io? Puoi farlo da solo, ma io devo ridurre la distanza tra la corazza dei miei studenti e la tua pelle. Devo spaccare quell'armatura di paure che impedisce loro di capire che l'arte da imparare in questa vita non è quella di essere invincibili e perfetti, ma quella di saper essere come si è, invincibilmente fragili e imperfetti. Per spaccare la corazza ho bisogno di una punta affilata e temprata, e allora ti impugno come una spada e leggo come se tu stesso parlassi ad alta voce, con le pause giuste:

Questa ed altre misere circostanze ha posto la fortuna intorno alla mia vita, dandomi una cotale apertura d'intelletto perch'io le vedessi chiaramente, e m'accorgessi di quello che sono, e di cuore perch'egli conoscesse che a lui non si conviene l'allegria, e, quasi vestendosi a lutto, si togliesse la malinconia per compagna eterna e inseparabile.
(Lettera a Pietro Giordani, 2 *marzo 1818*)

Chi ha l'ardire di chiamare sfigato un ragazzo così, capace di accettare e trasformare le sue sfortune in trampolino per aprire la testa e il cuore? Chi è capace come lui di affrontare la vita con questo coraggio e avere la malinconia come compagna di cammino, e nonostante questo creare così tanta bellezza? Mi fermo e chiedo: riuscireste voi a trasformare in canto il dolore della vita, i vostri fallimenti, la vostra inadeguatezza? A nutrirvi del vostro destino, più o meno fortunato che sia, per farne un capolavoro immortale?

Alle tue parole cala il silenzio. Abbiamo capito che con te non si scherza, non si banalizza. Così, proprio dalla porta della sfortuna, entriamo nella tua grandezza, Giacomo, e io li vedo risvegliarsi, perché ciascuno di noi nasconde dentro di sé la stanza della sfortuna, quella in cui le fragilità e inadeguatezze sono evidenti. Abbassano le difese, ché questo è il compito della letteratura: rendere l'uomo più vero e autentico, spogliandolo delle menzogne che lo allontana-no da sé, dalla vita, dagli altri. Così si risveglia la passione assopita, la propria originalità, e si confina la paura di non essere "abbastanza":

Sebbene è spento nel mondo il grande e il bello e il vivo, non ne è spenta in noi l'inclinazione. Se è tolto l'ottenere, non è tolto né possibile a togliere il desiderare. Non è spento nei giovani l'ardore che li porta a procacciarsi una vita, e a sdegnare la nullità e la monotonia.

(Zibaldone, 1° agosto 1820)

Ma questo desiderio di vita, di felicità, d'amore, fondamento del cuore dei giovani (e di tutti), è materia naturale e inestinguibile, e, quando non è indirizzato alla costruzione del mondo e della speranza, "circola e serpeggia e divora sordamente come un fuoco elettrico", scrivi in un altro passaggio del tuo diario nell'agosto del 1820. Non più un fuoco che riscalda e dà luce, ma un fuoco che prima o poi esploderà "in temporali e terremoti". Io vedo oggi con molta chiarezza questa energia che si disperde nel nulla. Incontro centinaia di ragazzi, e centinaia sono quelli che mi scrivono, stufi di non sapere per cosa giocarsi quell'infinito che sentono nel cuore. Vogliono progetti, non oggetti. Mentre noi cerchiamo di soddisfare il desiderio con le cose, loro chiedono quello che il desiderio contiene: la speranza dell'impossibile reso possibile.

Forse, in fondo, non è cambiato molto da quando eri giovane tu. L'adolescenza, secondo i ragazzi stessi a cui ho chiesto di definirla, è "energia" che vuole indirizzarsi alla vita per costruirla. Ecco la prima cosa che vedo in loro e che tu hai definito tanto bene: una forza creatrice, che si libera trovando forma in parole impugnate come armi per far esplodere il dolore o la gioia, per fuggire da "nullità e monotonia". Un ragazzo una volta mi ha detto: "Quando ho finito di leggere il suo libro un fuoco si era acceso dentro di me, e mi dicevo: io voglio vivere così. Adesso lei deve spiegarmi come mai questo è accaduto".

Adolescenza è questo fuoco che non vuole altro che ardere di passione e di passioni, a volte fino a bruciare se stessa per mancanza di combustibile. Questo fuoco c'è, io l'ho visto. È il fuoco della vita. Può trasformarsi in distruzione e, al limite, in autodistruzione, ma non può essere spento, e se sembra estinguersi, languire, divorato dal cinismo, dalla mancanza di speranza, poi riaffiora sotto forme esplosive o implosive, "temporali e terremoti" tu li chiami, io li chiamo: dipendenze, violenze, fughe, autolesionismi, suicidi, disturbi alimentari...

Questa generazione vuole testimoni, prima che maestri, perciò, Giacomo, tu devi aiutarmi. Le passioni si risvegliano a contatto con il fuoco, non con le istruzioni per accenderlo, soprattutto in questi ragazzi che le istruzioni non le leggono più, ma vogliono mettersi subito in gioco, *on fire*, come si dice nella lingua di Shakespeare.

Accendere e accelerare la speranza

Trovando la strada come aperta, correvo
per quella più speditamente.

Zibaldone, 1819-1820

Caro Giacomo,
ci sono altri due riti che metto in scena quando tu entri
in classe. Il primo è di ordine teatrale. Mi diverto a immaginare come si comporterebbe un autore se entrasse in classe:
Dante ci guarderebbe uno per uno, senza dire niente, mettendoci tutti in imbarazzo con i suoi occhi abissali come l'aldilà; Petrarca comincerebbe a raccontare di sé e di ciò che gli
sta a cuore in quel momento, quasi sottovoce; Tasso si torcerebbe le mani e aspetterebbe le nostre domande, a cui forse
nemmeno risponderebbe; e tu, Giacomo?
Tu apriresti la finestra, guarderesti per qualche istante
fuori respirando a pieni polmoni, poi ti volteresti e ci inviteresti a fare lo stesso, per ricordarci che c'è un "fuori" ed è
fatto di cose come cielo, alberi, tetti, montagne, suoni... l'infinito che ribolle nei limiti. Ci racconteresti di come quelle
cose ti hanno rapito, di come hai cercato per tutta la vita di
raggiungerle nella loro profondità, dovendola prima creare
in te, con le parole adatte. Ci chiederesti a che punto siamo
con il contatto con questa realtà così ricca e piena di possibilità. Tradiresti tutta la tua passione per la vita, proprio mentre il tuo corpo sembrerebbe avertela negata. E tutti saremmo presi dall'invidia o dalla meraviglia: come fa a trovare
tutto questo nelle stesse cose che vedo anche io?
Affacciato a quella finestra ci costringi, con i tuoi versi, a
questa rinascita dei sensi, per scatenare la quale bastereb-

be sfogliare una rosa o un libro (il verbo si usa sia per i fiori che per le pagine) con attenzione:

Che cosa è che eccita questi sentimenti negli uomini? La natura, purissima, tal qual è, tal quale la vedevano gli antichi: le circostanze, naturali, non procurate mica a bella posta, ma venute spontaneamente: quell'albero, quell'uccello, quel canto, quell'edifizio, quella selva, quel monte, tutto da per sé, senz'artifizio, e senza che questo monte sappia in nessunissimo modo di dover eccitare questi sentimenti, né ch'altri ci aggiunga perché li possa eccitare, nessun'arte ec. ec. In somma questi oggetti, insomma la natura da per sé e per propria forza insita in lei, e non tolta in prestito da nessuna cosa, sveglia questi sentimenti.
(Zibaldone, 1818)

Non solo il profumo delle rose è capace di questo, ma anche il profumo delle pagine dei libri. Così era accaduto a te nelle stanze della dimora recanatese, dove alternavi lo sguardo sulla campagna a quello sulla pagina. La grande biblioteca paterna era il continente da esplorare, il mare da attraversare. Mi impressiona, per la sua lunghezza e varietà, l'elenco dei libri di cui appuntavi il titolo di anno in anno sul tuo diario, che rivela la tua passione per ogni aspetto della realtà, la tua capacità di amare scienza e letteratura, le stelle come oggetto e le stelle come mito, la luna come pianeta e la luna come malinconia. Scavavi nelle pagine e nella notte per trovare il segreto della felicità e del futuro.

Tra i tredici e i diciott'anni imparasti da solo o con poco aiuto: greco, latino, ebraico, inglese, francese, spagnolo... Non perché fossi obbligato da compiti e interrogazioni, ma semplicemente perché volevi conoscere te stesso e il mondo; la tua curiosità era insaziabile, la tua passione assoluta, tanto che pur di cercare la salvezza ti rovinasti la salute, come fanno le falene che, per troppa fretta, si bruciano le ali in cerca della luce. Scrivevi i primi saggi, di cui facevi dono ai tuoi genitori, e, mentre l'inchiostro si asciugava sul foglio, ne approfittavi per memorizzare elenchi di parole nelle lingue che volevi imparare. Da quelle ore di studio escono le pagine, straordinarie se consideriamo la tua età, del *Saggio sopra gli errori popolari degli antichi*, da cui si intuisce che la ricerca della verità e la curiosità sull'uomo erano la stella polare di tutte le tue letture. In quegli anni avevi cominciato a scrivere anche un saggio, che rimase incompiuto, intitolato *Dell'amore della solitudine* e il sonetto *Sulla morte di Ettore*, il tuo primo componimento poetico, ispirato dalla precoce lettura di Omero e dedicato a un eroe tanto forte quanto fragile al cospetto di un destino ineluttabile: la sua carezza al figlio, impaurito dall'elmo luccicante, rimane probabilmente il capolavoro della fragilità eroica nella letteratura. Avevi anche intrapreso una *Storia dell'astronomia*, convinto che in cielo le stelle e la luna fossero segno di un mistero da non ignorare e avessero qualcosa da rivelarti.

Passavi giornate intere fra i libri paterni, concedendo solo un'ora di riposo ai tuoi occhi stanchi, e spesso tuo fratello Carlo ti sorprendeva in ginocchio davanti a un libro, nel cuore della notte, alla luce tenue di una candela. Fingevi di aver trovato poesie perdute di antichi autori greci, e traducevi un originale che non esisteva. Nella lettera in cui descrivevi il tuo rapimento di fronte alla natura parlavi anche di quello che ti suscitavano i libri, in particolare quelli di poesia:

Da che ho cominciato a conoscere un poco il bello, a me quel calore e quel desiderio ardentissimo di tradurre e far mio quello che leggo, non han dato altri che i poeti e quella smania violentissima di comporre, non altri che la natura e le passioni, ma in modo forte ed elevato, facendomi quasi ingigantire l'anima in tutte le sue parti, e dire fra me: questa è poesia, e per esprimere quello che io sento ci voglion versi e non prosa, e darmi a far versi. Non mi concede Ella di leggere ora Omero Virgilio Dante e gli altri sommi? Io non so se potrei astenermene perché leggendoli provo un diletto da non esprimere con parole, e spessissimo mi succede di starmene tranquillo e pensando a tutt'altro, sentire qualche verso di autor classico che qualcuno della mia famiglia mi recita a caso, palpitare immantinente e vedermi forzato di tener dietro a quella poesia.
(Lettera a Pietro Giordani, *30 aprile 1817*)

La bellezza di pagine e natura ti costringeva ad accelerare i tempi della tua vita interiore, risvegliata nella sua vocazione più profonda. Non conosce fatica l'adolescente che ha scoperto il suo rapimento ed è pronto a imparare anche da solo ciò che gli serve per raggiungere il porto del suo desiderio, intravisto nelle mappe del possibile. Avevi inoltre ben capito che non sono né i libri né la natura in sé a determinare le nostre passioni, sono soltanto capaci di svegliarle quando ci mettiamo in contatto con essi:

A ogni modo mi sono avveduto che la lettura de' libri non ha veramente prodotto in me né affetti o sentimenti che non avessi [...] che senza esse letture non avesse dovuto nascer da sé: ma pure gli ha accelerati, e fatti sviluppare più presto [...] Trovando la strada come aperta, correvo per quella più speditamente.
(Zibaldone, *1819-1820*)

Avevi capito che la crescita dell'uomo non è solo organica come quella di una rosa, ma interiore: conosce salti, risvegli, accelerazioni. Tu sapevi quanto un dolore, un amore, un sogno, una lettura possano "accelerare" un uomo, destarlo e restituirlo a se stesso con maggiore pienezza.

Quando i miei alunni capiscono che grazie a te i loro sensi, intorpiditi dagli schermi, saranno restituiti a se stessi, e che leggere accelera il compimento di sé, abbassano le difese e sono disposti, finalmente, ad ascoltarti.

Quasi un secolo dopo la tua morte è uscito un libro che amo molto: *Il mondo nuovo* di Aldous Huxley. Egli, immaginando il futuro, descrive il modo in cui i bambini, che non nascono più nelle famiglie ma nelle provette, vengono educati secondo un sistema di controllo che garantisce l'equilibrio del nuovo mondo, basato sui consumi. Per obbligarli a odiare le due cose che minano il consumo continuo di beni, vengono introdotti in stanze piene di rose e libri colorati, e non appena cominciano a sfogliare pagine e petali, si attivano assordanti allarmi sul soffitto e dolorose scariche elettriche provenienti dal pavimento. I bambini urlano impazziti, allontanandosi da rose e libri, l'apparente causa del dolore.

Tutto ciò viene ripetuto a intervalli regolari. Una volta cresciuti, si terranno istintivamente alla larga dalla natura e dai libri, cioè dalla realtà. Perché – spiega il direttore del Centro di incubazione e condizionamento – contemplare la natura e leggere libri sono abitudini che non generano consumi. La scena mi ha fatto pensare per contrasto alla scuola come luogo atto a restituire rose e libri ai milioni di ragazzi che la frequentano, a spezzare il meccanismo pavloviano indotto dalla società dei consumi, che spinge a non tenere in considerazione natura e libri, la realtà e il suo senso, proprio perché a essi i ragazzi spesso associano allarmi e scosse elettriche: noia, delusione, paura, obblighi insensati e mancanza di risposte.

Senza rose e senza libri, Giacomo, siamo perduti, perché è perduta l'occasione di provare quella meraviglia che può innescare la felicità. In quella biblioteca affacciata sulla campagna, in quelle passeggiate sotto le stelle che contavi radunandole in costellazioni personali, avevi trovato le tue rose e i tuoi libri, e ti abbandonasti a loro fino quasi a perdere la salute, perché non potevi rinunciare a essere fedele a te stesso. La speranza è un'arte che ha il suo prezzo.

Conservare l'infanzia senza essere infantili

> Non vivono fino alla morte se non quei molti
> che restano fanciulli tutta la vita.
>
> *Lettera a Pietro Giordani*, 17 dicembre 1819

Caro Giacomo,
perché l'adolescenza conduca al rapimento è necessario
che sia già il compimento della tappa precedente: l'infanzia. Se si sottovaluta o addirittura si trascura una tappa della vita, si rischia di passare il tempo a recuperarla in altre
età, con gli squilibri che questo comporta. Per vivere appieno l'adolescenza bisogna fare un passo indietro e scoprire
cosa non possiamo perdere dell'infanzia, senza per questo
essere infantili.

Mi hai scritto che l'infanzia di un uomo è come quella di
un popolo, e se è menomata quell'età è menomata tutta la
capacità creativa e di crescita di un bambino, di un popolo,
perché creare e crescere sono la stessa cosa. Mi hai scritto
che nulla nell'infanzia ci è indifferente, e questo è il segreto di quell'età, ogni pezzo del mondo è casa da esplorare,
amica o no che sia la stanza da aprire:

*Imperocché quello che furono gli antichi, siamo stati noi tutti, e
quello che fu il mondo per qualche secolo, siamo stati noi per qualche anno, dico fanciulli e partecipi di quella ignoranza e di quei
timori e di quei diletti e di quelle credenze e di quella sterminata
operazione della fantasia; quando il tuono e il vento e il sole e gli
astri e gli animali e le piante e le mura de' nostri alberghi, ogni cosa
ci appariva o amica o nemica nostra, indifferente nessuna, insensata nessuna [...] quando i colori delle cose quando la luce quando
le stelle quando il fuoco quando il volo degl'insetti quando il*

canto degli uccelli quando la chiarezza dei fonti tutto ci era nuo-
vo o disusato, né trascuravamo nessun accidente come ordinario,
né sapevamo il perché di nessuna cosa, e ce lo fingevamo a talen-
to nostro, e a talento nostro l'abbellivamo; quando le lagrime era-
no giornaliere, e le passioni indomite e svegliatissime, né si repri-
mevano forzatamente e prorompevano arditamente.
(Discorso di un italiano intorno alla poesia romantica)

Quando eri bambino amavi rifugiarti nella soffitta del no-
bile palazzo della *gens leoparda*, dove giocavi con la luce e
le ombre, schermando con una coperta il fulgore del mattino che entrava dalla finestra e lasciando penetrare raggi e
trame di luce che, simili a ragnatele, facevano da sfondo ai
personaggi di un teatro interiore che finalmente potevano
muoversi anche all'esterno. Era già chiara la tua vocazione
di ricerca della luce nell'ombra, dell'ombra nella luce, sapevi intrecciare e l'una e l'altra, e intuivi che la verità sarebbe
emersa da quel gioco crepuscolare. La tua infanzia è durata fino agli undici anni, età in cui ti rifugiasti in biblioteca
per divorare lo scibile umano con la curiosità che fino a quel
momento avevi rivolto alle cose della natura, ai giochi, ai
fratelli. Eri un bambino dal sorriso dolce, a volte malinconico, occhi celesti e meravigliati aperti sul mondo e quindi anche sulle sue ferite, che si nascondono solo a sguardi
superficiali. Infatti una delle cose che non sopportavi era il
momento in cui i tuoi genitori interrompevano i giochi con
i tuoi amici perché tornassi a casa: la fine di quell'incanto fe-
stoso ti rattristava sino alla prostrazione e alle lacrime. L'immaginazione piena di incanto di quell'età, capace di trovare
un gioco in ogni cosa, l'avresti poi paragonata a quella degli
uccelli, non a quella "profonda fervida e tempestosa, come
ebbero Dante, il Tasso; la quale è funestissima dote [...] ma
quella ricca, varia, leggera, instabile e fanciullesca" ("*Elogio
degli uccelli*", *Operette morali*).

Molte delle crescite mutilate del nostro tempo, Giacomo,
credo derivino proprio dal non coltivare questa immaginazione nei bambini, stanchi di usarla perché vedono troppo,

stanchi di desiderare perché possiedono troppo, perché nelle loro giornate, nel loro corpo, nel loro cuore e nella loro testa non c'è più uno spazio libero. L'immaginazione dipende dalla privazione, perché è proprio l'essere privato di qualcosa che invita il bambino a esplorare qualcos'altro, la negazione del secondo gelato lo porta a scoprire il mazzo di chiavi scosso dal papà davanti ai suoi occhi, ad afferrarlo e portarlo alla bocca, conoscendo così un nuovo tratto di realtà, trampolino per altre storie e ricerche. Il desiderio si sposta, la privazione (ora una perdita, ora una mancanza) ha generato una domanda, la realtà ha risposto in maniera imprevista, e questo è fonte di nuove creazioni, di nuova crescita.

Pensa che nel futuro da cui ti scrivo, per spiegare ai bambini delle elementari come si fa il pane, li si porta in un museo di scienze naturali, dove c'è una grande sala in cui è riprodotto un campo di grano: finto, con l'odore del grano finto, mosso da un vento finto. Un campo di grano ridotto a effetto speciale. Conosco una bambina convinta che le uova crescano sugli scaffali del supermercato. Abbiamo perso qualcosa nel contatto con il paesaggio, con le cose della natura, che mai ingannano, come rispose Aristotele a chi gli chiedeva dove avesse imparato tutte le verità che sapeva: "Dalle cose, perché non mentono". Sono gli uomini a mentire e a fingere.

Tu, invece, per tutta la tua infanzia ti nutristi della bellezza e della verità della natura, e così i tuoi versi sono abitati da oggetti conservati nella memoria con i colori e la purezza dell'immaginazione del bambino che eri stato, risposte a privazioni che la vita ti avrebbe imposto. Un poeta non si improvvisa a diciott'anni, ma a diciott'anni scopre che vuole mantenere intatto lo sguardo fanciullesco che rischia di perdere. Per questo la tua poesia, diversamente da quella dei tuoi contemporanei e conterranei, accoglie anche le cose più note, quotidiane e fragili: passeri, pastori, greggi, artigiani, lune, donzellette, fiori, garzoncelli, artigiani, canti...

Pochissimi riconobbero la tua grandezza, proprio perché sapevano ragionare solo da adulti, non tolleravano che la poesia si facesse con queste piccolezze. Tu invece, coerente con la tua infanzia, facevi dei tuoi versi un atto di fede alle cose: avevi fiducia nel quotidiano, nell'istante, come ogni bambino. Rinnovasti così la poesia, sorprendendo il tempo presente e a venire, trovando parole nuove per le cose di sempre, che avevi visto da bambino e che ora volevi curare, nominandole, rinnovandole come meritavano, rendendole capaci di evocare un paradiso perduto, o forse promesso. La tua poesia è capace di restituire speranza anche nella malinconia, perché trova e racconta la bellezza di cui sono intrise le cose, e nessuno spera se non convive con la bellezza in ogni istante, anche nel più oscuro.

Solo la bellezza crea speranza nel cuore e nella mente dell'uomo. La modalità in cui lo fa è duplice: maestà e semplicità. Sembrerebbero in contraddizione, ma in realtà sono solo due manifestazioni della pienezza, del compimento, della fioritura dell'essere. Io spero tutte le volte che il profilo di una montagna si staglia netto nel cielo e tutte le volte che un sorriso svetta su un volto trasformandone i tratti; spero tutte le volte che l'orizzonte di un mare unisce cielo e terra come una cerniera e tutte le volte che una carezza unisce due persone mostrando a un essere, in quel contatto, che la sua fragilità è una meraviglia; spero tutte le volte che un bosco fitto sembra confidare a chi vi passeggia il segreto di decenni di paziente compimento e tutte le volte che più fitto è un battito di ciglia a causa di uno stupore, di un amore.

Che cosa è più maestoso di una stella e più semplice della sua luce? La vita non è mai povera, povero è il nostro sguardo, incapace di leggere la realtà su più livelli, perché non sono attivati i nostri spazi interiori più profondi. La realtà risponde solo a chi le corrisponde, e chi corrisponde per eccellenza a questa maestosa semplicità è il bambino.

Come possiamo coltivare l'immaginazione per conservare intatto l'incanto del paradiso perduto o promesso? Come hai fatto tu a mantenerla viva per una vita intera, facendo scaturire da lì ogni verso che hai scritto?

Come scrittore mi capita di sentirmi chiedere spesso come faccio a inventare così tante cose, personaggi, episodi, trame, intrecci. Dove si trovano? Che cosa alimenta la mia immaginazione, che i più considerano una specie di magia capace di sconfiggere l'imbarazzo della pagina vergine?

La domanda confonde fantasia e immaginazione; la prima è di pochi, la seconda è di tutti quelli che la coltivano ed è strumento indispensabile di crescita e di vita, come l'acqua per un seme. Mentre però i bambini mescolano l'immaginazione con la fantasia, gli artisti sanno distinguerle e attingono più all'immaginazione, che è semplicemente un modo di guardare con attenzione, usando appieno i sensi: il contadino che vede la rosa nel seme ha immaginazione, non fantasia. L'immaginazione non è altro che continuare il profilo nascosto delle cose verso il loro compimento, a forza di considerarle con calma attraverso i cinque sensi. Non è fuga dal reale, ma piena immersione e penetrazione del reale.

Una luna, un passero, un gregge, una ragazza, una siepe, un cespuglio di ginestra ti bastavano, Giacomo, per farvi risuonare il canto dell'universo intero, come solo i bambini sanno fare quando le loro scope sono cavalli, i loro cappelli elmi, le loro matite spade.

Mi hanno raccontato di una bambina delle elementari che aveva un comportamento iperattivo durante tutta la giornata scolastica e in una sola ora trovava se stessa: quella di disegno. In quell'unico momento di armonia tra sé e il mondo circostante si tuffava nel foglio con assoluta naturalezza e il corpo si accoccolava tutto nella creazione artistica. Un giorno la maestra aveva già annunciato la fine dell'ora e ribadito di consegnare, ma la bambina continuava a disegnare, china sul suo foglio, come chi è immerso in un tempo e uno spazio diversi da quelli degli umani. La maestra, spazientita da quell'insubordinazione, si avvicinò per vedere cosa stesse combinando la sua piccola alunna.

"Sto facendo un ritratto di Dio" spiegò lei, senza alzare lo sguardo dal foglio.

La maestra sorrise e con ironia rispose: "Ma Dio nessuno sa come è fatto, nessuno l'ha mai visto".

La bambina rimase in silenzio per qualche secondo, poi, continuando a disegnare, disse: "Se aspetta un attimo, lo vedrà".

In questi tempi, in cui gli oggetti vengono prodotti dalle macchine, tendiamo a dare per scontato il processo di creazione, ci dimentichiamo che non solo nella loro presenza, ma anche e proprio nella pazienza, nella resistenza al tempo, nella storia delle cose sono celati il loro valore e la nostra possibilità di comprenderle (amarle e conoscerle insieme): un pittore non dipinge ciò che ha visto, ma ciò che vedrà alla fine, così come un uomo amerà la donna che avrà imparato ad amare. Si crea per scoprire perché lo si è fatto, e ogni difficoltà che si frappone tra noi e il fine concepito all'inizio è necessaria per dare consistenza all'invisibile, per crescere.

Il prodotto del lavoro non è più importante del lavoro stesso: questo lo sanno una madre incinta, un contadino che semina e un artista che cerca la strada per dare carne alla sua intuizione. Gli artisti conoscono, trovano e scoprono facendo. Così come i bambini, per i quali gioco e conoscenza del mondo sono la stessa cosa. Purtroppo poi la scuola li induce a dissociare quasi del tutto fare e conoscere, addestrandoli a una conoscenza esclusivamente intellettuale del mondo e dell'uomo, che li costringerà a recuperare, solo da grandi e solo se avranno coraggio, tempo e fortuna, un rapporto "naturale" con il mondo e l'uomo. Basti pensare a Einstein, che a scuola otteneva risultati scadenti in matematica, o a Picasso, che diceva di aver dovuto reimparare a dipingere, da adulto, come un bambino.

L'arte non imita la natura nel senso che cerca di copiarla, imita piuttosto il processo con cui la natura cresce, tentando di condensare, rendere visibile e abitabile ciò che in natura resta spesso disperso o nascosto dal flusso continuo del vivere, "tanto più che il poeta ha scelti gli oggetti, gli ha posti nel loro vero lume, e coll'arte sua ci ha preparati a riceverne quell'impressione, doveché in natura, e gli oggetti di qualunque specie sono confusi insieme, e in vederli spessissimo non ci si bada [...] e bisogna poi perché producano quei tali sentimenti andarli a prendere pel loro verso" (*Zibaldone*, 1818). L'architettura confina lo spazio aperto e lo rende a noi vivibile secondo il suo scopo, come quando entriamo in un tempio greco, in una chiesa romanica, in una cattedrale gotica, in un grattacielo moderno. Le tele di Van Gogh ci permettono di abbracciare in uno sguardo il mistero di una notte di stelle. Mozart ha strappato al silenzio il suo segreto e allo scorrere inarrestabile del tempo un senso. I poeti hanno inventato metafore necessarie a nominare eventi indicibili come un cuore che si scalda, dilata, rimpicciolisce, spezza, trema. Questa è una delle tue più grandi lezioni per me, Giacomo. Non hai mai smesso di immaginare, cioè di essere fedele alle cose per portarle alla loro pienezza, e quindi di creare, perché sapevi che creare era il modo di comprendere il mondo e l'uomo e farli crescere fino al compimento, cioè alla felicità.

O la immaginazione tornerà in vigore, e le illusioni riprenderanno corpo e sostanza in una vita energica e mobile, e la vita tornerà ad esser cosa viva e non morta, e la grandezza e la bellezza delle cose torneranno a parere una sostanza e la religione riacquisterà il suo credito; o questo mondo diverrà un serraglio di disperati, e forse anche un deserto.

("Frammento sul suicidio", Appendice alle Operette morali)

E se questo, Giacomo, imparassimo a farlo tutti, la nostra vita non sarebbe più felice?

Grazie per avermi ricordato che l'immaginazione non è cosa da poeti, ma da uomini che fanno di ogni azione poesia, cioè compimento: è poesia un amore fedele, è poesia un piatto gustoso, è poesia una spiegazione appassionante. Questa lezione mi serve tutti i giorni in classe, quando devo mettere la mia immaginazione al servizio dei volti acerbi dei miei alunni, per vedere l'invisibile che si cela dietro il loro ancora informe essere al mondo. Questa è la poesia del mio mestiere: immaginare il loro compimento, sapendo che solo alla fine scoprirò cos'era ciò che avevo intuito in quei capolavori di carne e spirito. Loro sono la mia biblioteca di inediti.

Ritratto del giovane da artista

Avendo cominciato a pensare e soffrire da fanciullo,
ho compito il corso delle disgrazie di una lunga vita.

Lettera a Pietro Brighenti, 21 aprile 1820

Caro Giacomo,
quando inizio una lezione su un nuovo autore ne mostro
il ritratto – una foto o un quadro – e racconto l'immagine ai
ragazzi, associando occhi, orecchie, bocca, naso, capelli, fronte, sguardo a eventi della sua vita, così da aiutarli a fissare
quei fatti sulla carne dell'artista, in una geografia del volto e
del corpo, una mappa dell'anima che si manifesta e si rivela.
Così ricordano meglio e si avvicinano agli autori come facciamo tutti noi con le persone: attraverso i sensi. La rappresentazione diventa una potentissima allegoria, la carta geografica di un mondo interiore.
Il tuo volto di ventenne, ritratto nel dipinto che ho voluto
mettere in apertura di questo epistolario, mi ha sempre provocato un effetto ambiguo, e solo dopo anni ho capito perché.
Qualcosa di duplice è presente nella figura che il pittore ha
fissato sulla tela. Il viso di un bambino meravigliato, con l'incarnato che ricorda la luna nelle notti di primavera o quelle
farfalle i cui colori leggerissimi restano sulla pelle delle dita
che osano toccarle. Un orecchio ampio, per raccogliere il canto del mondo, e collocato molto in basso, a causa della fronte alta. Un naso lungo e una bocca grande e sensuale, quasi
femminile. Gli occhi azzurri, verdi, grigi, così aperti alla luce
che poi dovettero fuggirla. Simili a una finestra spalancata
su un'anima pronta a guizzare fuori da un momento all'altro
come un gatto in agguato dietro un davanzale. La tua fronte

ampia, troppo ampia, a occupare quasi metà del volto, scrigno di una mente inesausta e disponibile a una curiosità infinita: un cervello freddo, freddissimo. Un cuore altrettanto ampio, anche se invisibile, ma manifesto nella chiarezza di quegli occhi incastonati in mezzo al viso, d'acqua di sorgente. Sì, perché le radici degli occhi sono nel cuore: un cuore caldo, caldissimo. Troppo pensiero e troppo cuore per un volto solo. I capelli come fiamme di uno spirito acceso. Tutto questo è quel che si vede. Si vedono il bambino sognante e malinconico che eri stato e l'adolescente curvo sui libri che eri diventato: farfalla crepuscolare che cerca luce nella notte, a ogni costo. Eri stato tu stesso a definire il tuo aspetto in questi termini:

La mia faccia aveva quando io era fanciulletto e anche più tardi un so che di sospiroso e serio che essendo senza nessuna affettazione di malinconia ec. le dava grazia (e dura presentemente cangiata in serio malinconico) come vedo in un mio ritratto fatto allora con verità. (Ricordi d'infanzia e di adolescenza)

La tua complessione fisica, in trasformazione come accade in ogni adolescente, aveva subìto un colpo mortale da quegli anni di studio "matto e disperatissimo". Ma in quel corpo rovinato dalla postura e in quegli occhi fiaccati dalle troppe ore sui libri guizza continuamente un cercatore di meraviglia.

Inoltre, ciò che mi attirava e respingeva allo stesso tempo, senza che io ne capissi la ragione, era l'asimmetria dei due lati del volto. Un'asimmetria visibile in modo più pronunciato in altre immagini, che però non catturano quanto questa ciò che c'è sotto la semplice superficie corporea e che tutti noi umani ci portiamo addosso. Nessuno ha il volto perfettamente simmetrico, persino Venere conservava nell'asimmetria dei suoi occhi il segreto della sua bellezza.

Allora ho fatto un esperimento. Ho coperto la parte destra del tuo viso, usando come linea di separazione il naso, e ho visto un volto, e un altro ne ho visto quando ho coperto la sinistra. La parte sinistra del tuo volto, quella con l'occhio più piccolo, è seria ("seriosa" avevi scritto nel tuo diario), l'altra metà nel frattempo sorride: un sorriso trattenuto un attimo prima di aprirsi. Avevi due volti, non uno, Giacomo. Da un lato il giovane che serio studia, fissa lo sguardo, accorda attenzione a tutto e brucia con l'acribia della mente, con tutta la malinconia che questo comporta, la solitudine del passero solitario, del pastore errante e dell'Islandese in viaggio verso il mistero ultimo del mondo. Dall'altro il bambino pieno di gioia, slanciato verso l'infinito, assetato di piaceri e della gioiosa brama della vita che hanno la donzelletta, il garzoncello, l'acerba Silvia.

Il mio mestiere di insegnante mi ha allenato ad "ascoltare i volti", perché rivelano la vita interiore delle persone. Le due metà del tuo viso mostrano due età: infanzia e adolescenza. Due zone, fronte e occhi, mostrano due vite: quella del cuore e quella della mente, il primo a caccia di bellezza con il suo telescopio, la seconda a caccia di verità con il suo microscopio. Compiti entrambi serissimi, per una vita intera. Tutto questo mi fa sentire a te vicino, poiché l'asimmetria della tua anima, dipinta sul volto, è anche mia. E forse di ogni uomo.

Per questo diventi presto amico di chi ti legge, per quella bellezza fragile e zoppicante, quel misto di meraviglia e malinconia, di incanto e disincanto che abita i nostri cuori e le nostre menti. La tua asimmetria è l'opposizione polare di chi la vita non vuole solo illuminarla con la ragione, ma sentirla tutta, con il cuore. Il tuo ritratto dice chiaro che oscilliamo continuamente tra i due poli di cervello e cuore, e in questo movimento sono racchiusi il pericolo, il mistero e la grandezza della nostra vita.

Tu cercavi di tenere insieme questi due poli che già da sempre slogano l'anima e il corpo dell'uomo. Ora seguivi il cuore e ti inoltravi nelle sue terre e scoprivi che aveva bisogno della ragione, altrimenti si disperdeva in una vita soltanto immaginaria; allora seguivi la ragione e trovavi deserti che avevano bisogno di essere bagnati da qualcosa che alla sola ragione sfugge sempre. Scoprivi che la vita vive della tensione tra i due poli, della continua e necessaria corrente tra essi. E in mezzo ci sono il nostro corpo e il nostro spirito che si stirano e si comprimono, che svaniscono nella fantasia o si sfracellano contro la dura realtà. Raccontami come hai fatto tu ad appartenere a entrambi i mondi e a crearne uno nuovo. Come si fa a non morire di realtà? Come si fa a non svanire nell'immaginazione? Come si fa a tenere insieme cuore e ragione, evitando le secche del cinismo e le sabbie mobili del sentimentalismo? Tu sapevi bene che l'epoca in cui vivevi correva il rischio della disarmonia tra ragione e cuore, con prevalenza ora dell'una ora dell'altro. Non disprezzavi il secolo dei Lumi, anzi ne eri convinto assertore, ma non riducevi la ragione a pensiero calcolante, votato all'utile e al pragmatismo cieco, un pensiero che si era separato dalla capacità di meravigliarsi e contemplare. Scrivevi, infatti, che bisognava liberare di nuovo il cuore, con le sue speranze (che tu chiami "illusioni" in un'accezione diversa dalla nostra, più simile a sogno, desiderio, slancio), altrimenti non ci aspettava altro che la ferocia e la barbarie:

Le illusioni sono in natura, inerenti al sistema del mondo, tolte via affatto o quasi affatto, l'uomo è snaturato; ogni popolo snaturato è barbaro, non potendo più correre le cose come vuole il sistema del mondo. La ragione è un lume; la natura vuol essere illuminata dalla ragione, non incendiata. [...] E la ragione facendo naturalmente amici dell'utile proprio, e togliendo le illusioni che ci legano gli uni agli altri, scioglie assolutamente la società, e inferocisce le persone.
(Zibaldone, *1818*)

In reazione all'Illuminismo, in Europa cresceva la ribellione romantica, sbilanciata verso il fantastico confinante con l'irrazionale. Tu invece volevi l'armonia di cui aveva parlato Dante coniando l'espressione "intelletto d'amore", un'intelligenza accorata o un cuore intelligente potremmo dire oggi. Combattevi contro l'esangue dualismo che qualche secolo prima, grazie al suo generale, Cartesio, aveva esiliato i sentimenti in una zona residuale del corpo umano, come se fossero la secrezione fastidiosa di una ghiandola, e aveva portato alla dittatura della ragione. Per te questa era una barbarie, perché aveva eliminato le illusioni, che sono proprio la ricerca di infinito a cui costringe l'osservazione appassionata della realtà.

La poesia era la cura sia per la freddezza che per il sentimentalismo, le due conseguenze immediate della guerra tra ragione e cuore. La freddezza di molti che, nascosti dietro una retorica vuota e paludata, avevano confinato la realtà in un angolino e l'avevano dimenticata. E il sentimentalismo di molti altri, irretiti da un soggettivismo emotivo che finiva con l'addormentare proprio ciò che si voleva risvegliare. Sia i primi che i secondi erano prigionieri della tirannia dell'ego, incapaci di accogliere la realtà.

Tu sapevi che bisognava ridare dignità al cuore, risvegliandolo dal letargo in cui era stato cacciato, costruendo un rapporto nuovo con le cose della natura. Sapevi che per salvare la ragione bisognava prima recuperare il cuore: se i poli non sono due non può esserci tensione, non può generarsi energia. Quello che il tuo volto aveva svelato doveva adesso essere confermato dalle parole.

Per avvicinare i miei studenti agli autori, e rendere le loro opere "trasparenti" a ragazzi abituati a conservare la propria musica e i propri ricordi tra le "nuvole", a volte mi diverto a prendere le loro parole e a infilarle in un marchingegno che ne traduce la frequenza in un'immagine a forma di nuvola. L'ho fatto anche con te, mi perdonerai, ed ecco qui quello che è venuto fuori da tutti i versi dei tuoi canti:

Vita, terra, tempo, giorno, cor/core/petto (che per te sono la stessa cosa quindi andrebbero sommati), *natura, morte, luna, mondo, occhi, cielo, sempre, te, fato*. Ci sono tutte le parole della tua anima e dell'anima degli uomini, le parole tutte che la tua epoca stava perdendo. La poesia intercetta per prima ciò che l'uomo rischia di perdere, perché ne sente per prima la nostalgia. Ripara sempre le parole in disarmo, in rovina, in oblio, e lo fa anzitempo, ecco perché è sempre fuori tempo. Ogni epoca concentra l'attenzione su alcune parole, ne è come ossessionata. Questo accade perché quell'epoca sta perdendo la cosa nominata e comincia ad avvertirne la mancanza.

La disarmonia tra cuore e ragione andava riequilibrata e riparata, altrimenti il prezzo sarebbe stata la follia: pazzo è un pensiero senza cuore, così come un cuore senza pensieri. I Lumi che accettavi non erano solo quelli della ragione illuministica, ma anche quelli delle stelle, la cui luce poteva intercettare il cuore nelle tue passeggiate notturne.

A questo punto, Giacomo, sarebbe bello che ciascuno distillasse la sua "nuvola". Se io dovessi disegnare la mia troverei parole simili alle tue, per questo ci scriviamo da così gran tempo, perché con le tue parole ho trovato il volto delle tante cose invisibili che vivevano dentro la mia anima: bellezza, cuore, malinconia, eroismo, dolore, amore, vita, occhi, destino, stelle, vento, notte... Grazie, Giacomo, per avermi dato le parole per guardare nei posti giusti, negli angoli nascosti, le parole per dirmi, per conoscermi, per essere. Le parole per accettare che sono, come te, un infinito ferito.

Non c'è *L'infinito* senza la siepe, non c'è la siepe senza l'infinito

All'uomo sensibile e immaginoso, che viva, come io sono vissuto gran tempo, sentendo di continuo ed immaginando, il mondo e gli oggetti sono in certo modo doppi. Trista quella vita che non vede, non ode, non sente se non che oggetti semplici, quelli soli di cui gli occhi, gli orecchi e gli altri sentimenti ricevono la sensazione.

Zibaldone, 30 novembre 1828

Caro Giacomo,
l'eccesso di speranza dell'adolescenza permette di prendere la rincorsa necessaria a saltare gli ostacoli che ci separano dall'infinito. Questo vedo quando osservo la tua grafia, in particolare nel manoscritto della tua poesia più famosa, che ho posto in chiusura di questo epistolario. Il tuo corsivo ampio e spaziato segnala la ricerca di senso e l'apertura alla realtà, mentre gli slanci verso l'alto delle aste inclinate mostrano la nostalgia dell'infinito. Il disegno accurato della calligrafia tenta di "incastonare" questi eccessi, come si fa con una pietra preziosa in un anello:

L'infinito (1819)

Sempre caro mi fu quest'ermo colle,
E questa siepe, che da tanta parte
Dell'ultimo orizzonte il guardo esclude.
Ma sedendo e mirando, interminati
Spazi di là da quella, e sovrumani　　　　　　　　5
Silenzi, e profondissima quiete
Io nel pensier mi fingo; ove per poco
Il cor non si spaura. E come il vento
Odo stormir tra queste piante, io quello
Infinito silenzio a questa voce　　　　　　　　10

60

Vo comparando: e mi sovvien l'eterno,
E le morte stagioni, e la presente
E viva, e il suon di lei. Così tra questa
Immensità s'annega il pensier mio:
E il naufragar m'è dolce in questo mare.   15

Solo tu, Giacomo, sei riuscito nel miracolo di confinare l'infinito in quattordici versi endecasillabi più uno. Hai usato la misura del sonetto, il recinto perfetto della poesia italiana – nato sei secoli prima per racchiudere in quattordici versi il segreto del cosmo –, come siepe, come soglia che lancia verso l'oltre. L'adolescente scorge il limite e vi si scaglia contro per distruggerlo o superarlo. Egli non sa ancora che proprio quella esclusione, quella privazione di infinito soltanto intuito, genera il desiderio dell'oltre: per poter essere raggiunto, l'infinito deve essere prima ferito, ostacolato, limitato. Abitare il limite, valicarlo con la forza dell'immaginazione, lottare per un nuovo compimento: ecco cosa mi hai insegnato. Infatti alla misura codificata dal sonetto tu aggiungi il verso che tutti conoscono a memoria, il verso del naufragio felice, dello sconfinamento, dell'infrazione adolescenziale o del desiderio che usa il limite come trampolino, il destino come destinazione. È tutto contenuto nel verso 15, naufragio nell'oltre, per forza di immaginazione.

Ma il tuo gioco ritmico (ritmo vuol dire numero) non finisce qui. Ti diverti a mettere ragione e cuore al centro del sonetto, il pensiero al verso 7 e il cuore al verso 8. Il pensiero alla metà esatta dell'antico sonetto, il cuore nel verso 8, eccedenza rispetto alla metà, così come eccedente è il verso del naufragio. Il di più del cuore non si può contenere nella forma sonetto, esce fuori, perché nell'uomo c'è un oltre che fa "spaurire" il cuore e costringe il pensiero a "fingere", cioè a immaginare l'oltre delle cose.

Spaurire, Giacomo, è il verbo dell'uomo a contatto con qualcosa che lo supera, l'esperienza del sacro genera contemporaneamente meraviglia e terrore, mistero che affascina e fa tremare, dicono gli esperti. Il cuore si spaura, cioè fa esperienza del mistero, sente a contatto con l'infinito di avere dentro l'infinito, si riconosce parente dell'infinito, proprio perché è lui stesso siepe da scavalcare, ma non è del tutto siepe, né del tutto infinito, bensì tensione tra due poli: carne e spirito.

E l'infinito, prima distante e indicato nel corso della poesia da deittici di lontananza ("quello"), poi si avvicina con deittici di vicinanza ("questo"), così "quell'infinito" diventa "questo infinito", è a portata di mano. Trovando l'infinito fuori, si scopre di averlo dentro. Il pensiero annega e il dolce naufragio dell'ultimo verso è quello di cuore e pensiero unificati dall'immaginazione, indicati con il "me". Il sogno romantico si sposa con quello giovanile, il cuore si apre ed è disposto a riprendersi lo spazio che la ragione gli ha sottratto, una ragione non più solo calcolatrice, ma accorata, ampliata da ciò che è mistero, da ciò che non riesce a dominare.

Ma perché, Giacomo, oggi vedo tanti ragazzi dell'età fatta per "immaginare" l'infinito in difficoltà a concepire un oltre? Il loro desiderio sembra atrofizzato, eppure possono entrare in contatto con molte più cose rispetto a un tempo: la biblioteca in cui ti perdevi, la natura in cui passeggiavi per loro ormai stanno in tasca, custodite in un cellulare. Forse però questo contatto, non conoscendo ostacoli, siepi, limiti, è solo contagio per prossimità. I sensi sono ridotti a uno soltanto, la vista, esaltata sino all'ipnosi, irretita (la rete è anche questo) da uno schermo, che ci porta ad abitare, come qualcuno ha detto, una gabbia di vetro, anziché il mondo. E senza sensi non c'è senso, perché non c'è intelligenza. Lo aveva già intuito Borges quando raccontava di un imperatore megalomane che pretendeva dai cartografi una mappa del suo immenso impero sempre più precisa, pena la loro stessa vita. La mania di "controllare" il suo regno virtuale lo portò a chiedere la mappa apparentemente perfetta, in scala uno a uno. I cartografi, pur di non essere condannati a morte, si impegnarono nell'impresa, finché però divennero inservibili sia la mappa sia il regno coperto dalla mappa. Così l'impero andò in rovina.

La nostra bulimia di informazione ha diminuito la sapienza, cioè la capacità di andare in profondità, di cui la connessione continua è un seducente surrogato che ci costringe in un eterno presente. Abbiamo la nostra mappa in scala uno a uno in versione smartphone (che scorgo anche nelle tasche di bambini delle elementari), e ci guardiamo intorno, spaesati, sperando che qualche forma umana ci indichi la direzione per tornare a casa, o semplicemente per sentirci a casa dovunque siamo.

Non voglio demonizzare nulla, amo questo mondo e questi strumenti, ma se non sappiamo come servircene per navigare nel mare dell'esistenza finiscono con il possederci, anziché esserci utili ad aver presa sulla realtà. Il mondo è un luogo abitabile solo per chi coltiva la propria vita interiore, sia che in tasca abbia uno smartphone sia che abbia solo le sue mani. La connessione immediata con tutto il mondo, senza sentirne il peso, la consistenza, l'odore, il sapore, il rumore e la fatica, indebolisce le possibilità di meraviglia e quindi di rapimento, e soprattutto mette a rischio la capacità di sentirsi parte di una storia, con la sua profondità di passato e apertura al futuro. Il sentimento potentissimo di novità e di inedito che comincia a farsi strada nell'adolescenza, ora si traduce in rinuncia, ora in spavalderia sconsiderata, i due esiti della fragilità rimossa, non accettata come trampolino.

Le tue parole, Giacomo, sono in scala esatta per tornare a leggere la realtà e la sua complessità, oggi più che mai: porsi di fronte al mondo con intensità maggiore, senza per questo esserne inghiottiti. La tua parola è la carta geografica che ho usato più volte per orientarmi, interpellare e interpretare la realtà.

Un altro poeta nel ventesimo secolo si chiedeva: "Dov'è la Vita che abbiamo perduto vivendo? Dov'è la saggezza che abbiamo perduto sapendo? Dov'è la conoscenza che abbiamo perduto nell'informazione?" (T.S. Eliot, *Cori da "La rocca"*). Egli sapeva che la poesia raggiunge quella regione interiore dell'uomo dove si collocano i suoi orientamenti esistenziali essenziali, dai quali dipende la vita.

L'ipervisibilità del mondo contenuto nei nostri schermi tascabili elimina ogni soglia e ogni confine; non crea, come la siepe, un momentaneo digiuno dell'oltre che genera desiderio, ma superfici emozionali che saziano senza nutrire, che fanno presa senza comprensione. Eliminata la negatività dell'ostacolo, l'immaginazione si spegne, si ritira, perché la speranza abita proprio nello spazio indefinito. Le notti illuminate a giorno dall'inquinamento luminoso nulla lasciano alle costellazioni e alle loro storie; le città in continua produzione e movimento, sovrastate dal rumore, dimenticano il silenzio che costringe il cuore a diventare intelligente. È il desiderio ad attivare l'immaginazione, che chiama a raccolta pensiero e cuore, ma nel contesto attuale il desiderio, subito soddisfatto, viene ridotto a bisogno sempre consumabile. L'abitudine ad aver tutto a portata di mano disabitua alla ricerca lunga e paziente dell'infinito, cosa o persona che ne sia lo scrigno.

Giacomo, tu oggi puoi riaccendere la spenta immaginazione, il cuore stanco, la gelida ragione. Come riesci a farlo? Spostando le cose, tutte le cose che vedi, di qualche centimetro in modo che non siano più certe come prima, non più nette e raggiungibili, a due dimensioni, ma tremanti, iridescenti, distanti e nuove. Hai aggiunto la dimensione del cuore, la terza dimensione, quella che dà la profondità, quella della vita interiore: "Così tra questa / Immensità s'annega il pensier mio". Le cose assumono contorni indefiniti (tanto ci sarebbe da dire sulla tua poetica dell'indefinito spesso ridotta a uno stratagemma estetico) e quindi vibrano, come accade con le stelle, per te sempre "vaghe", cioè belle perché distanti. In un attimo si potrebbe perderle, e in quello stesso attimo si comincia a desiderarle, a immaginarle, a progettare come raggiungerle, a sperare. Ogni cosa per te è contemporaneamente anche la sua possibile perdita.

Allora la parola poetica, casa del desiderio, protegge il mistero e cerca di salvare le cose dal continuo cadere, rovinarsi, precipitare, come accade a tutte, anche a quelle che vorremmo più durature, quelle che il cuore sa – ma chi glielo ha insegnato? – che non devono finire.

Che cos'è la poesia se non canto di ciò che non deve finire? Quasi un rito di resurrezione, quasi la speranza stessa che tutto si possa sempre rinnovare, mettendosi al servizio della bellezza fragile del mondo. Ecco il tuo segreto, non effimero, Giacomo: il limite è la casa dell'infinito. E così vai a caccia della parola che rilancia il desiderio e la speranza. Ci deve essere un paradiso perduto, dal momento che la parola della poesia cerca di recuperarlo, di ripararlo. È proprio la parola impossibile, quella che cerchi per mesi, (quante correzioni nei tuoi manoscritti!) a tradire il mistero, e il solo fatto che tu aneli a nominarlo è testimonianza che esso esiste. Anche io scrivo perché vorrei che il mondo fosse all'altezza dei desideri del mio cuore, che brama, a volte mio malgrado, un paradiso. A colpi di parole cerco di tirarlo giù, quel paradiso, di dargli la possibilità di esistere. E insisto e insisto, mentre la vita resiste e resiste. A volte vorrei non amare così tanto la bellezza e potermi accontentare di molto meno, ma so che non sarei più io. Non sopporterei una vita senza passione per la vita.

Solo recuperando il mistero infinito, restituiremo alla speranza la sua audacia, torneremo ad amare e sentire la vita, come fa ogni adolescente. Mi è capitato di percepirlo in modo molto chiaro in alcuni viaggi che ho fatto in Inghilterra con ragazzi di tutta Italia in questi ultimi anni. Ogni giorno, dopo pranzo, li raduno in cerchio su un verdissimo prato del college in cui alloggiamo e, sotto un albero centenario (abbiamo ribattezzato il momento "Under the tree"), a turno, in quindici minuti ognuno racconta la sua passione principale, nel silenzio della campagna e sotto gli occhi curiosi di tutti gli altri: come è nato quel rapimento, che cosa comporta, di quale parte di mondo si fa carico. È una bella sfida per ciascuno: che passione ho? Come raccontarla? Gli altri ascoltano, spesso incantati, e fanno domande, perché quando qualcuno racconta qualcosa che conosce e ama, tutto diventa immediatamente interessante. Così mi sono appassionato, o almeno ho imparato molto, di rap, droni, gruppi musicali, pesca subacquea, personaggi letterari, film... In quei momenti di pace nella campagna di Oxford ho visto quanta curiosità e speranza può abitare in un cuore e in una mente ancora in formazione. Ho notato che chi racconta raccoglie sempre un applauso spontaneo: si è messo in gioco e ha svelato il gioco dello stare al mondo con passione. Chi riceve quella gratitudine impara che una passione è anche un servizio agli altri, non una sterile autoaffermazione. Adesso, Giacomo, voglio farti sapere che questo è il periodo della tua vita che le scorciatoie scolastiche definiscono di "pessimismo storico", perché affermi che è la Storia a porre condizioni di infelicità all'uomo, che invece è per natura destinato alla felicità. Secondo te, superati i vincoli contingenti della tua epoca, recuperata la condizione idilliaca di rapporto con la natura, ogni cosa sarà di nuovo felice e grande. A me questo sembra tutto tranne che pessimismo (categoria psicologica completamente insufficiente a significare la nostalgia dell'oltre), è pessimismo solo se si guarda all'analisi del sintomo che vuoi guarire, ma chi vuole guarire non è certo un pessimista. Io lo definirei piuttosto realismo, tensione buona dell'uomo tutto intero, buon senso, ricerca di compimento. Come fa a essere pessimista uno che dice: per raggiungere la vetta devi liberarti delle cose inutili che porti nello zaino? Sulle prime mette in crisi la nostra ansia di sicurezza, ma una volta svuotato lo zaino e ripreso il cammino con slancio ci verrà da dire dentro di noi: "È un genio, io non ci avevo pensato". Mi piace la parola "genio" usata in questo modo, non nell'accezione tronfia e romantica, una specie di eletto depositario di verità per pochi. No, tu, Giacomo, sei un genio nel senso che "generi", fecondi la vita di altri e ne allarghi le prospettive. Ma andiamo con calma: come te la sei conquistata questa prospettiva così chiara? Da dove è saltato fuori il tuo genio? Come si fa a non rimanere schiacciati dal limite, ma anzi a vedervi l'infinito a cui rimanda?

Età erotica ed eroica

> Io ho grandissimo, forse smoderato e insolente
> desidero di gloria.
>
> *Lettera a Pietro Giordani*, 21 marzo 1817

Caro Giacomo,
non desidera qualcosa se non chi ne avverte la mancanza. Questo è essere seme. Questo è essere adolescenti. Ma questa è anche la definizione di Eros che dà Platone nel suo dialogo sull'amore, dove lo immagina come un dio, figlio di Pòros (Ricchezza) e Penìa (Povertà), e lo descrive come potrebbe essere descritto ogni adolescente: "È sempre povero, e tutt'altro che bello e delicato, come dicono i più; al contrario è rude, sempre a piedi nudi, vagabondo, [...] perché ha la natura della madre ed è legato al bisogno. D'altro canto, come suo padre, cerca sempre ciò che è bello e buono, forte, audace, risoluto, gran cacciatore".

Questa condizione di sospensione tra divino e umano, tra finito e infinito, è ciò che caratterizza l'adolescente e lo spinge, con fame e audacia eroiche, da cacciatore, a procurarsi ciò che gli serve per vivere, per essere felice.

Tu, Giacomo, mi hai ricordato che non c'è età più "erotica" e quindi "eroica" dell'adolescenza: il desiderio di aver presa sulla vita porta ad aprirsi al mondo, in cerca di ciò che possa soddisfare la sete. Se questa apertura, piena di speranza, trova un senso a cui votarsi, lo slancio erotico non si ripiega su se stesso, diventando narcisistico o ritirandosi, ma si fa eroico, coraggioso e pronto anche a patire.

Una volta, alla fine di una lezione su Ungaretti della quale ero particolarmente fiero (per inciso, un poeta che ha scritto su di te pagine tra le più belle mai lette), una mia alunna ha alzato la mano. Speranzoso in una bella domanda mi sono sentito dire: "Professore, lei dovrebbe leggere un po' meno poesia e guardare un po' più il 'Grande Fratello'" (non ho tempo di spiegarti cos'è, ti basti sapere che è il contrario della poesia: un posto in cui si vede tutto della vita di alcune persone e quindi si finisce per non vedere più niente, perché mancano il mistero e la profondità). Quella frase mi colpì, non per la sua insolenza, ma per la sua verità bruciante. Tradotta, suonava così: "Professore, per favore può tornare nel mondo piccolo della bruttezza e non farmi sentire che esiste la bellezza? Può non costringermi a scegliere tra il nulla e l'essere? Ora che so che ci sono cose in cui la vita si sente così forte, cose così belle, devo uscire dalla mia comoda indifferenza e prendere posizione: a che punto sono del mio compimento, che cosa voglio dalla vita? Professore, può per favore evitarmi minuti di rapimento, altrimenti devo mettermi in cammino verso un compimento?".

In base all'esperienza di questi anni di insegnamento, Giacomo, credo non sia un caso che i ragazzi si sentano messi in pericolo proprio dalla poesia. Questo accade perché l'unica "teoria del tutto" che l'uomo possiede è proprio la poesia. Non la poesia dei componimenti poetici, ma *la* poesia, cioè l'intuizione della "vita come tutto", il sentimento della fragilità e originalità dell'esistenza, che chiede di starle di fronte con cura e coraggio, anche se a prendere la parola sono il dolore, la sconfitta, la solitudine. Non rinunciare mai alla poesia, anche quando sembrava che la vita non mantenesse le sue promesse, è stato il tuo vero atto eroico, e l'atto d'amore più grande che tu abbia compiuto.

La poesia della vita non è un sentimentalismo dolciastro, ma un eros forte, appassionato e resistente, fatto per mostrarci che tutto è per noi, destinato a noi, come quando ci innamoriamo e il mondo non è altro che la scenografia in cui si muove l'altro, il tatto il luogo per riceverlo, gli occhi il mezzo per guardarlo, le orecchie per udirne la voce, il naso per sentirne l'odore, le labbra per conoscerne il sapore.

La poesia della vita, il suo sentimento forte, mi si mostra

quando comincio il laboratorio di poesia con i miei alunni. Prima ancora di provare a far scrivere loro delle poesie, devo educarli alla poesia, al singolare, come modo – erotico ed eroico – di stare al mondo. Devo far capire loro che non è un giochino sentimentale per perditempo e illusi, o un compito sterile imposto dalla scuola, ma un esercizio di meraviglia e quindi un modo per aver presa sulla vita o per consentire alla vita di aver presa su di noi, scoprendo cose che altrimenti rimarrebbero nascoste. Per questo il laboratorio inizia con degli esercizi ripetuti di uso dei cinque sensi, come quelli che si fanno in palestra per allenare, di volta in volta, muscoli diversi. Chiedo loro, per esempio, di osservare il volto di un compagno per tre minuti e di descriverlo su carta (è l'origine di nuove amicizie e addirittura di alcune storie d'amore...), di ascoltare una melodia e tentare di trasformarla in immagini e parole, di odorare fiori diversi cercando di determinare le componenti del loro profumo, di toccare la consistenza di oggetti ignoti dentro una scatola e descrivere ogni dettaglio, di gustare a occhi chiusi pezzetti di cibo; li invito a fare esercizi di silenzio a casa (dieci minuti zitti a occhi chiusi concentrando l'attenzione su qualcosa da cui sono stati colpiti durante la giornata), ad associare un'emozione all'evento che l'ha generata e ai pensieri a cui si è saldata... Sono tutti esercizi di "ulteriorità", per scoprire che la realtà è profonda più delle superfici e che, lasciandola entrare attraverso i sensi e interrogandola con mente e cuore, ci rivela il segreto dell'istante pieno e ricco, per evitare quelli che Montale ha definito "gli scorni di chi crede che la realtà sia quella che si vede".

Poi chiedo loro di scrivere poesie basate sull'assoluta attenzione prestata alla realtà: i dettagli di una passeggiata di ritorno a casa da scuola, con lettura successiva di *Città vecchia* di Saba; i dettagli nella figura di una persona amata, come la loro madre, con lettura di *Per lei* di Caproni; i particolari che apparentano la loro identità profonda a un animale, con lettura dell'*Albatros* di Baudelaire; le emozioni della domenica pomeriggio, verso il crepuscolo, con lettura della tua *Sera del dì di festa*... Il gioco funziona sempre.

Inoltre così i ragazzi capiscono quanto sia difficile strappare la vita alla vita, con l'attenzione e le parole, e il testo di un poeta letto dopo questa fatica li ispira e colpisce come un fulmine di bellezza, perché è riuscito a dire in modo "inevitabile" ciò che loro hanno semplicemente balbettato. Li vedo aprirsi e trasformarsi a questo metodo di stare al mondo, così corrispondente al loro adolescenziale venire alla luce, toccare per un attimo il cosmo delle cose attraverso quello delle parole. Allora cominciano ad aver sete di quelle parole perché dicono la verità, e non subiscono le figure retoriche come un elenco stilato dall'ufficio burocratico per la poesia, da imparare tristemente a memoria, ma le studiano come la logica di questo cosmo, il rito di questo corteggiamento del mondo, che sembra confidare il suo segreto solo a chi lo accoglie con coraggio.

Quando leggiamo in classe i frutti di questi esercizi di meraviglia, ci stupiamo degli esiti diversissimi, che tradiscono il modo che ciascuno ha di interpretare la realtà. Sono sempre molto significativi gli animali in cui i ragazzi si identificano nei loro versi incerti: dalla seducente tigre che si nasconde nella foresta al pinguino imbranato che non sa se appartenere al mare o alla terra. Mi colpiscono sempre i dettagli che ciascuno coglie in una passeggiata di ritorno a casa (devo confessarti, Giacomo, che questa idea l'ho rubata a te, perché tra le poesie che volevi scrivere avevi appuntato anche questo titolo: *Storia di una passeggiata*): "Non credevo ci fossero così tante cose nel tragitto da scuola a casa" ha esclamato una volta un mio studente. Ricordo la poesia in cui un ragazzo raccontava di allungare ogni giorno il percorso di ritorno per sentirsi finalmente libero sul suo motorino dopo una mattinata in classe: ripeteva ossessivamente all'inizio di ogni strofa "giro e rigiro", usando l'anafora in modo istintivo ma da quel momento consapevole, perché rispecchiava alla perfezione il sentimento della sua vita: giro e rigiro, libero come il vento che mi accarezza il viso, senza meta, senza costrizioni. Quante storie, quanta vita, quanto amore restano incastrati nell'indifferenza sensoriale, eppure proprio dalla capacità di cogliere le differenze dipende la nostra possibilità di essere "rapiti" dalla vita.

Quello che ognuno coglie è il prodotto del suo modo unico e irripetibile di rapportarsi al mondo, il segnale di un rapimento che è già sommessamente in atto e che le parole rivelano. Le poesie che i ragazzi compongono sono l'esito, cristallizzato, di piccole chiamate, e quando le hanno davanti agli occhi si stupiscono: "Ma tutto questo era dentro di n.e?" ha esclamato una volta una ragazza. Allora faccio leggere loro quello che direbbe Ungaretti: "Poesia / è il mondo l'umanità / la propria vita / fioriti dalla parola / la limpida meraviglia / di un delirante fermento". Sì, era già dentro di te, ma solo a contatto con ciò che era fuori di te è fiorito in parola e adesso un'oasi abitabile è stata strappata al deserto dell'indifferenza.

Non era forse quello che accadeva a te, Giacomo, quando scrivevi poesie, a partire da una frenesia, un'ispirazione, che poi richiedeva una paziente opera di trasformazione in parola?

Io non ho scritto in mia vita se non pochissime e brevi poesie. Nello scriverle non ho mai seguito altro che un'ispirazione (o frenesia), sopraggiungendo la quale, in due minuti io formava il disegno e la distribuzione di tutto il componimento. Fatto questo, soglio sempre aspettare che mi torni un altro momento di vena, e tornandomi (che ordinariamente non succede se non di là a qualche mese), mi pongo allora a comporre, ma con tanta lentezza, che non mi è possibile di terminare una poesia, benché brevissima, in meno di due o tre settimane. Questo è il mio metodo, e se l'ispirazione non mi nasce da sé, più facilmente uscirebbe acqua da un tronco, che un solo verso dal mio cervello.
(Lettera a Giuseppe Melchiorri, 5 marzo 1824)

O, come dice un altro poeta: "Nel processo compositivo il poeta impiega sia il modo razionale che quello intuitivo. Curiosando tra gli appunti di un poeta troviamo molte crocette e segni, molti ripensamenti: che cosa è successo? Semplicemente il poeta ha corretto i propri impulsi iniziali. Nel processo compositivo egli arriva a fondere il razionale con l'intuitivo, affermazione e negazione. Il poeta, in altre parole, è l'animale più sano: combina analisi e intuizione – analisi e sintesi – per giungere al risultato, alla rivelazione. Per questo la poesia è il più efficace acceleratore mentale. Leggerla e scriverla offrono lo strumento di conoscenza più rapido, il più economico che io conosca" (Iosif Brodskij, *Conversazioni*).

I miei studenti sperimentano così questa gioia di accelerare la mente, di abitare ogni particolare, di ricevere il mondo e di indirizzarlo al suo compimento. Tutto questo è *la* poesia, e solo dopo vengono *le* poesie. E me lo hai insegnato tu, Giacomo, che sei stato fedele al tuo rapimento di poeta, prima ancora che di scrittore di poesie, perché la poesia, l'orecchio del mistero e della meraviglia, non è solo dei poeti: poeti sono tutti quelli che "fanno" (*poiein* è il fare che traduce l'invisibile in qualcosa di visibile), che ricevono tutta la ricchezza che la vita può offrire, ne accolgono la fragilità e incompiutezza e si impegnano a proteggerla e portarla a termine proprio attraverso il loro "fare": dal giardiniere all'insegnante, dalla madre al medico. Erotismo ed eroismo sono le due tonalità della vita che vive, perché solo la passione spinge a superare la fatica che serve per portare al compimento di cose e persone.

Ma che cosa accade, Giacomo, quando la vita muore, perché questo eros eroico è minacciato o addirittura soffocato?

Lasciarsi ferire dalla vita

È cosa indubitata che i giovani soffrono più che i vecchi e
sentono molto più di questi il peso della vita in questa impossibilità di adoperare sufficientemente la forza vitale.

Zibaldone, 1° giugno 1823

Caro Giacomo,
qualche mese fa ho ricevuto la lettera di una ragazza che
mi confidava di non riuscire a smettere di tagliarsi le braccia.
In quei momenti finalmente sentiva pace, il dolore la portava alla concentrazione assoluta, all'esistenza, offuscando
tutto il resto, tutta la paura e il senso di soffocamento per la
vita dai limiti troppo angusti che le era capitata. Quella ragazza costringeva se stessa a "sentire" per essere al mondo,
per avere un mondo. Ferendosi, cercava di costruire un rapimento doloroso e artificiale. La sua vita ritrovava i sensi
e quindi un senso, almeno momentaneo.

Le ho risposto di smetterla, di pensare a me tutte le volte
che voleva tagliarsi e di scrivermi, di ricordare che quel dolore aveva generato la sua lettera e che questo sarebbe potuto accadere di nuovo. Le ho suggerito di conoscere il mondo e il suo dolore con le parole, un cosmo di parole, anziché
precipitare nel caos del sangue. Le ho detto che tenevo a lei
e al suo sangue, e non volevo che neppure una goccia an-
dasse sprecata, ma che venisse trasformata e impegnata per
un'altra causa. Da quel giorno ha cominciato a migliorare,
tramutando il sangue in parole, il dolore in lettere.

Anche le nostre lacrime sono la sostanza liquida e salata
del caos, prezzo da pagare alla nostra fragilità che si apre e
viene ferita. Tu conoscevi bene il sapore delle lacrime, perché lo avevi imparato sin da bambino. Mi hai raccontato che

una volta tua madre rise di te perché ti trovò che piangevi a dirotto. Solo tuo fratello minore, Pietruccio, cercò di consolarti accarezzandoti il viso. Quanti pianti di adolescenti vengono derisi come malattia passeggera, esagerazione ormonale, quando invece sono la profondissima constatazione del semplice fatto di "essere uomo", come tu spiegasti a tua madre, la consapevolezza di essere fragile e soggetto a tutta l'insufficienza della vita, paragonata alla sovrabbondanza del desiderio. Tu avevi chiaro sin da giovanissimo che ci vuole misericordia per la condizione dell'uomo. Solo chi conosce il pianto per il fatto di essere al mondo, può consolare gli altri, come hai fatto tu trasformando le tue lacrime in versi, in poesia la tua fragilità.

Il mondo che riusciamo a vedere dipende dalla cura che ci prendiamo dei nostri sensi. Chi sente poco vive poco, chi sente troppo vive troppo, chi sente male vive male... I sensi non sono organi inerti e autonomi, sono il grande dono che il corpo ci fa per accogliere la realtà. Ma se questi filtri sono inadeguati, per poco uso o per troppo uso di uno rispetto agli altri, che mondo entra nel nostro cuore e nella nostra testa?

Chi sente male può finire col farsi e fare male, pur di sapere d'esser vivo. Non tutti infieriscono su se stessi, come quella ragazza, molti scelgono il sangue degli altri.

Come si fa a uccidere, torturare, seviziare un bambino, una donna o un altro uomo se ne sentiamo la vita? Quando non si "sente" la vita, si dà spazio a quella che una donna dal cuore pensante ha chiamato "la banalità del male", riferendosi sorprendentemente a un carnefice nazista, Adolf Eichmann: "Non era uno stupido; era semplicemente senza idee (una cosa molto diversa dalla stupidità), e tale mancanza d'idee ne faceva un individuo predisposto a divenire uno dei più grandi criminali di quel periodo. E se questo è 'banale' e anche grottesco, se con tutta la nostra buona volontà non riusciamo a scoprire in lui una profondità diabolica o demoniaca, ciò non vuol dire che la sua situazione e il suo atteggiamento fossero comuni. [...] Quella lontananza dalla realtà e quella mancanza d'idee possono essere molto più pericolose di tutti gli istinti malvagi che forse sono innati nell'uomo" (Hannah Arendt, *La banalità del male*).

L'uomo che spezza la vita altrui non è semplicemente un pazzo, ma uno che sente pochissimo, disprezza la sua vita e finisce col disprezzare quella degli altri. Se non sento più il reale e le sue tonalità di valore cado nell'uniforme, nel luogo comune, nella chiacchiera vana, e l'ideologia inevitabilmente si sostituisce alla realtà. Tu sapevi, Giacomo, che la felicità è la capacità di accogliere tutto attraverso i sensi, costi quel che costi, limiti compresi, anzi a partire dai limiti, dalla siepe che è anticamera dell'infinito, sua necessaria premessa. Il tentativo, più o meno consapevole, di rimuovere i limiti è causa di infelicità, freddezza, noia.

Ma dove la vita si è persa? A quale bivio abbiamo sbagliato strada e abbiamo lasciato che i nostri sensi si addormentassero? Come risvegliarli? Tu diresti: con la poesia, cioè con l'eros della vita, con la sua stessa ferita.

Quella ragazza che si ferisce mi ha fatto capire che l'adolescenza è il primo passo consapevole, e per questo vertiginoso, verso l'acconsentire d'esser nati, l'accettare che la vita è data, con le sue gioie e i suoi drammi. L'adolescente si lascia a poco a poco alle spalle il pensiero magico e onnipotente del bambino, la fantasia non lo difende più, la vita entra dentro di lui in modo nuovo e più pieno, ferendolo. Può quindi scegliere di ritirarsi oppure di guardarla in faccia e chiedersi per cosa valga la pena "patire", cioè vivere, cioè sperare. Non sto parlando di masochismo sacrificale, ma del normale spaccarsi del seme per poter diventare rosa: se il seme non si lascia aprire da sole, terra, acqua, accogliendo il suo destino, rimane sterile. Se invece trova la ragione per rompere il guscio, si lascia ferire ed entra nel mondo con la sua fioritura e si sperimenta come dono di colori e sapori per gli altri. Il prezzo da pagare è un dolore, una morte "apparente", ma in realtà è "più vita". Non è forse questo che quel taglio inferto a se stessi vorrebbe imitare? Un dono che non riesce a farsi dono.

Che la vita sia tale quando si sa e si fa dono, cioè spazio

e tempo dedicati agli altri, l'ho capito meglio dai molti ragazzi che mi hanno raccontato, felici, di aver cominciato a donare il sangue dopo aver letto il mio primo libro, o a prestare servizio di volontariato dopo aver letto il terzo. Gli adolescenti non provocati dalla vita, non posti di fronte a delle ragioni per darsi ma solo a delle proposte per consumare, non riescono a percepire la grande sfida che riempie una vita di senso, come scrive Dante nel *Convivio*: "A l'adolescenza dato è quello per che a perfezione e a maturitade venire possa".

Ma come si fa, Giacomo, a dare corso a questo slancio del rapimento e a mettersi in viaggio verso un compimento? E qual è mai questo compimento?

Crescere è creare

Quando altro frutto non ci venga da questa navigazione, a me
pare che ella ci sia profittevolissima in quanto che per un tempo essa ci tiene liberi dalla noia, ci fa cara la vita, ci fa pregevoli molte cose che altrimenti non avremmo in considerazione.
"Dialogo di Cristoforo Colombo e di Pietro Gutierrez", Operette morali

Caro Giacomo,
tu mi hai insegnato che l'energia di un adolescente è chiamata a creare, e che è il processo creativo che conta, non il
successo, come spesso siamo indotti a credere. Il senso della vita è il compimento e il compimento è un processo che
conosce lotte, cadute, battute d'arresto, come sa ogni scul-
tore che nella materia trova la resistenza necessaria a dare
vita alla sua intuizione. L'adolescente riesce a rialzarsi proprio perché ha la forza della sua linfa giovane, l'eccesso di
speranza. La smania del successo, invece, cancella la condizione storica dell'uomo, la sua fragilità, la sua temporali-
tà, e lo vuole subito perfetto, pronto, già fatto. Solo il tempo
mostra la grandezza di un amore, di un'opera, di un uomo.
Non possiamo eliminare le stagioni che servono al seme:
le piogge, le nevicate, i rigori dell'inverno, il vento e le bu-
fere, il caldo e la siccità sono tutti elementi che fanno parte
del processo, tutti elementi della vita, di cui il seme ha bisogno, così come ne ha bisogno un adolescente.
Anche tu, Giacomo, hai dovuto affrontare queste intemperie negli anni della tua adolescenza, e strappare le risposte alle pagine dei libri e della natura, precipitando spesso
in una solitudine dolorosa e in un silenzio che agli occhi di
chi ti circondava era spesso incomprensibile. Anche tu avevi cominciato a pensare che la gloria nelle lettere ti avrebbe
guadagnato l'amore che cercavi disperatamente, prima di

tutto quello di tuo padre e tua madre. E così iniziasti a impegnare ogni tua risorsa nello studio "matto e disperatissimo", per dare frutto, per compiere il tuo rapimento poetico. Solo a poco a poco capisti che la meta era creare bellezza, non usarla per affermarti. Creare è il segreto del compimento, e creare è un processo, non un improvviso accadere.

Mi ricordo di una ragazza che aveva capito che il suo rapimento era la moda, ma sapeva che quel sogno era di molti altri. Decise di mettersi alla prova, sottoponendosi alle "intemperie". Conobbe una sarta, dalla quale passava due pomeriggi a settimana per imparare come si cuce un vestito. Quando finì gli studi liceali, a differenza di tutti gli altri che volevano diventare stilisti, lei già sapeva realizzare un abito, conosceva la fatica e gli errori che ci vogliono, i fallimenti e le frustrazioni, e li aveva accettati tutti come materia del suo rapimento, che si era così confermato: per questo poté scegliere ciò da cui era stata scelta e non improvvisare un sogno preso in prestito da altri.

Mi ricordo di un ragazzo che aveva bisogno di soldi per comprare un computer nuovo e un motorino, ma i suoi non potevano aiutarlo, perciò, nonostante a scuola raggiungesse a malapena la sufficienza in matematica, decise di studiare dei libri sul calcolo probabilistico e imparò le regole del poker online, che gli consentì di procurarsi il denaro che gli serviva. Forse non è un esempio edificante, ma quello che mi ha colpito è l'energia che ci vuole per accettare una sfida del genere, creando la soluzione.

Mi ricordo di una ragazza che al quarto anno delle superiori era già convinta di voler fare la giornalista e, dopo aver scritto a lungo per il giornale scolastico, tese un agguato al direttore del quotidiano principale della sua città, per chiedergli qualche consiglio. Così cominciò a scrivere sin dall'ultimo anno di liceo pezzi di cronaca locale, soprattutto su partite di calcio di infimo livello, in cui da raccontare c'erano più che altro gli improperi all'arbitro. Quelle prove le confermarono la sua strada e durante l'università scriveva già regolarmente per quel giornale.

Potrei raccontartene ancora tanti, Giacomo, di ragazzi capaci di assecondare il loro eccesso di speranza e mettere alla prova il loro rapimento, per scoprire se è frutto di un'illusione della conoscenza di sé o una vera e propria chiamata. Nessuno di loro ha avuto successo, perché nessuno di loro lo ha cercato. Si sono concentrati sul processo, sul paziente lavoro quotidiano, il fratello maggiore dell'ispirazione, come diceva Baudelaire. Tutte le persone che hanno realizzato il loro sogno hanno capito che il primo passo per custodirlo era andare a bottega come facevano gli artisti di un tempo, mettersi alla prova, imparare l'arte di creare e quindi di crescere. Quando, a dodici anni, Michelangelo Merisi disse a sua madre che voleva fare il pittore, lei gli rispose di sì e lo mandò a bottega dal miglior pittore del tempo. Quel ragazzo divenne Caravaggio.

Come ti ho già scritto, non c'è rapimento senza maestri, senza qualcuno che sappia vedere nel seme la rosa, come accadde a un certo Charles Darwin, uno studente di ventidue anni non particolarmente brillante, nel quale però un professore di botanica aveva intuito uno slancio non comune, scegliendolo come naturalista in una spedizione scientifica.

Moltissimi esempi come questo, anche meno illustri, dimostrano che ciò che conta non è un talento visibile ed eclatante, se c'è tanto meglio; ciò che conta è la fioritura di quella persona e del suo sguardo appassionato sulla realtà, dell'inedito che può realizzare, con l'aiuto dei maestri. Il "talento" anticamente era un'unità di misura molto grande, e l'uso che spesso facciamo della parola è frutto di un'errata interpretazione. In un passo del Vangelo di Matteo (*Mt* 25,14-15) è usata per indicare ciò che un ricco padrone, in partenza per un viaggio, affidò ai suoi servi: diede un certo numero di talenti "a ciascuno secondo la sua capacità". Qui il talento non è un'abilità naturale, innata, come nella nostra interpretazione individualistica, ma tutto ciò che ci dona la vita in base alle nostre capacità: un bicchiere riceve tanto liquido quanto ne può contenere. Il talento non è una sorta di ingiusta distribuzione del destino, è la parte di mondo che possiamo accogliere e di cui possiamo prenderci cura al meglio, non al di sotto e non al di sopra delle nostre capacità.

I talenti sono le cose e le persone che ci vengono affidate in base alla nostra abilità di portarle a compimento. A questo sono chiamati tutti.

Anche tu, Giacomo, cercasti dei maestri, persone che ti guidassero nella tua aspirazione, e li trovasti scrivendo loro lettere. Oggi più di allora è facile "andare a bottega" da qualcuno che possa metterci alla prova e farci crescere. Ricordo ancora ciò che mi disse una scrittrice dopo aver letto qualche mio inedito: "Ci sai fare, ma devi imparare la tecnica", e mi diede alcuni consigli che mi portarono a investire un anno intero nel progetto di scrivere il mio primo romanzo. Succede così, è come se una luce si posasse sulla testa di una persona e ne rivelasse le possibilità di sviluppo. Solo chi sa vedere quella luce, per mezzo dell'immaginazione, può far fiorire i destini, permetterci di ricevere in dono la vita. C'è un vedere che è credere, perché è sperare, Giacomo, ma sperare richiede di essere disposti a servire la vita che si è intuita nell'altro. Si è poeti quando si ha fede nei talenti, cioè non nelle nostre abilità ma nelle cose che ci sono affidate. Ed esse fioriranno e faranno fiorire noi.

Se la scuola facesse un vero e proprio orientamento basato sull'originalità di ogni ragazzo, se fosse il luogo in cui dispiegare la capacità di ricevere il mondo e andare a bottega, sarebbe quello che deve essere: una fucina di rapimenti, un eros incanalato verso la costruzione di un mondo di speranza.

Crescere non è aver successo, ma è discendere, andare in profondità, dove il rapimento può mettere radici. Creare senza lasciarsi paralizzare dalla paura di fallire è il modo per far sì che il rapimento diventi realtà feconda. Non fa forse così ogni seme? Cerca profondità perché cerca la luce, cerca di morire nella terra perché cerca di vivere nella luce. Ma cosa accade quando l'invisibile resta tale, quando l'originalità di una persona rimane nascosta per assenza di sguardo?

L'infinito ferito

Ne' giovani è più vita o più vitalità che nei vecchi, cioè
maggior sentimento dell'esistenza e di se stesso e dove è
più vita quivi è maggior desiderio e bisogno di felicità quivi è maggior senso di privazione e di mancanza e di vuoto.

Zibaldone, 1° giugno 1823

Caro Giacomo,
di recente ho ricevuto una lettera che diceva così: "Un
anno fa ho iniziato a controllare in modo sempre più osses-
sivo il cibo, fino a perdere troppo peso e anche il ciclo. Questo controllo mi tranquillizzava, mi distraeva, mi impegna-
va, ma poi non avevo le forze, avevo tantissime paure, mi
chiudevo sia psicologicamente sia fisicamente. Adesso ho
l'ansia per qualsiasi cosa, soprattutto se è diversa da ciò che
avevo stabilito. Sento l'ansia contorcermi lo stomaco: mi sento impotente di fronte alla consapevolezza di non riuscire a
tornare come prima, libera. Nessuno crea le condizioni che
possano davvero aiutarmi, nessuno mi aspetta, a parte la
psicologa nessuno mi ascolta. È triste pensare che l'uomo
non sia in grado di creare alcun amore gratuito".
La fame di vita di questa ragazza si ribalta in controllo
della fame, il corpo si ritorce contro se stesso prosciugando-
si, per paura di una fragilità vissuta solo come limite e non
come slancio. Una delle cose più consolanti che ho imparato da te, Giacomo, quando avevo diciassette anni, è proprio
che alla maggior fame di un giovane corrisponde maggior
dolore, perché c'è un eccesso di domanda senza una risposta
adeguata, proprio come succede negli amori non ricambiati:

È cosa indubitata che i giovani, almeno nel presente stato degli uo-
mini, dello spirito umano e delle nazioni, non solamente soffrono più
che i vecchi (dico quanto all'animo), ma eziandio (contro quello che

può parere, e che si è sempre detto e si crede comunemente), s'an-
noiano più che i vecchi, e sentono molto più di questi il peso della
vita, e la fatica e la pena e la difficoltà di portarlo e di strascinarlo.
(Zibaldone, 1° *giugno 1823*)

I giovani si annoiano più dei vecchi, perché sentono di più
"il peso della vita". Che cos'è questo peso? E questa noia
che ne dipende? Che cos'è se non lo slancio verso il voler
tutto abbracciare senza trovare il modo di farlo, una sete
che non si disseta?
Le tue parole mi hanno fatto pensare a una ragazza che
qualche anno fa, prima di suicidarsi, lasciò un biglietto in cui
scriveva ai suoi: "Mi avete voluto bene, ma non siete stati
capaci di farmi del bene; mi avete dato tutto, anche il super-
fluo, ma non mi avete dato l'indispensabile: non mi avete
dato un ideale per cui valesse la pena di vivere la vita! Per
questo me la tolgo!".
"Valere la pena". È un'espressione che ho sempre trovato paradossale e per questo interessante. Per vivere bisogna
trovare la pena per cui farlo. Di che pena si tratta? Non certo
di segno negativo, se riempie la vita. È quella di chi ha trovato per cosa sia accettabile dare il proprio tempo e il proprio spazio, ovvero "morire".

I giovani disprezzano e prodigano la vita loro, ch'è pur dolce, e di
cui molto avanza loro; e non temono la morte [...] così il giovane
scialacqua [...] come s'egli avesse a morire fra pochi dì.
(Zibaldone, 24 *ottobre 1822*)

Se il giovane non trova la ragione del suo darsi ed essere
generoso, se non sente la sua "ciascunità" come dono per il
mondo, il suo cuore diventa duro fino a cadere nella noia.
Lo hai raccontato in modo perfetto nelle *Operette morali*, in
quel dialogo tra Cristoforo Colombo e un suo amico in cui i
due esploratori si interrogano sul Nuovo Mondo e sul senso
della loro ricerca. Il compagno è dubbioso sull'opportunità
di attraversare il mare con mezzi così inadeguati rischian-
do la vita. E Colombo gli risponde:

Ma, lasciando da parte che gli uomini tutto giorno si mettono a pericolo della vita con fondamenti più deboli di gran lunga, e per cose di piccolissimo conto [...] Se al presente tu, ed io, e tutti i nostri compagni, non fossimo in su queste navi, in mezzo di questo mare, in questa solitudine incognita, in istato incerto e rischioso quanto si voglia; in quale altra condizione di vita ci troveremmo essere? in che saremmo occupati? in che modo passeremmo questi giorni? Forse più lietamente? o non saremmo anzi in qualche maggior travaglio o sollecitudine, ovvero pieni di noia? [...] Quando altro frutto non ci venga da questa navigazione, a me pare che ella ci sia profittevolissima in quanto che per un tempo essa ci tiene liberi dalla noia, ci fa cara la vita, ci fa pregevoli molte cose che altrimenti non avremmo in considerazione.

("Dialogo di Cristoforo Colombo e di Pietro Gutierrez", Operette morali)

Per aver "cara la vita" bisogna navigare (non solo in rete), affrontare i pericoli e la solitudine del mare, anche quello infinito del naufragio del cuore. Altrimenti si precipita nella noia. Ecco cos'è la noia per te, Giacomo: la distanza tra il desiderio e la realtà, tra la ricerca della felicità e i limiti del mondo, tra la ricerca dell'infinito di là dalla siepe e la finitezza di ciò che c'è al di qua. La noia porta al "ristagnare della vita" stessa, soprattutto in chi questa vita la desidera nella sua interezza.

Volevi ridare l'infinito all'uomo perché il desiderio del cuore ne testimoniava la presenza, ma dove potevi andarlo a cercare questo infinito? Tutto questo desiderio è un inganno, se le cose non possono soddisfarlo? E come ci è finito un simile desiderio nel cuore, se il cuore è soltanto un fascio di fibre muscolari involontarie?

La lettera di quella ragazza con problemi di anoressia si chiudeva così: "Non voglio essere ingrata verso ciò che ho. Non voglio sprecare il tempo. Non voglio questa gabbia, ma non so come prendermi cura della mia vita".

Più sete si ha più l'assenza d'acqua è dolorosa. E la giovinezza è questa arsura, perché è questo ardore. Che cosa possiamo rispondere, Giacomo? Come si fa a prendersi cura di questa vita ferita?

Accostarsi *Alla luna*
per ascoltarne il segreto

Dai dieci ai ventun anni io mi sono ristretto meco stesso
a meditare e scrivere e studiare i libri e le cose.

Lettera a Pietro Brighenti, 21 aprile 1820

Caro Giacomo,
prendersi cura della vita significa prendersi cura di qualcosa che è appunto vivo, in oscillazione tra un nucleo che rimane stabile e ciò che invece sempre muta. Come la luna. Tra gli oggetti che hai osservato con più attenzione, trovandovi la sintesi del viaggio esistenziale, c'era proprio la luna, studiata e continuamente cercata, perché restia a svelare il suo segreto, lei che, per un curioso accordo di rotazioni e rivoluzioni, offre sempre la stessa parte di superficie ai nostri sguardi.

A fissarla – come facevi tu – abbiamo sempre un sussulto, soprattutto quando è piena. Quando non lo è, guardarla provoca una sorta di nostalgia. Di settimana in settimana quella bellezza si perfeziona e si compie, poi si ricomincia da capo e torna la nostalgia. La bellezza della luna sta nel suo poter essere piena, la sua raggiunta compiutezza rinnova il desiderio.

Un filosofo greco scrisse che la parola "bello" (*kalós*) deriva dal verbo "chiamare" (*kaléo*). Si tratta, a rigore, di una falsa etimologia, ma l'intuizione di fondo resta vera. La bellezza è una chiamata, le cose belle ci invitano al compimento. Se avessero la parola la userebbero in forma di domanda: e tu a che punto sei della tua pienezza? Che ne fai, tu, dei doni della vita?

La luna piena è una bellezza che è stata preparata a lungo

e con pazienza, e proprio quando la guardi già svanisce, riaffermando che la bellezza è sempre un passo oltre il possesso. La luna chiama, convoca, indica, rimanda ad altro. Per questo nella poesia che le dedichi, *Alla luna*, che sembra un dialogo con un'amata, la canti come simbolo del continuo cominciare e ricominciare:

O graziosa luna, io mi rammento
Che, or volge l'anno, sovra questo colle
Io venia pien d'angoscia a rimirarti:
E tu pendevi allor su quella selva
Siccome or fai, che tutta la rischiari.

Ma proprio il dialogo silenzioso con quella pienezza rischiarante risvegliava in te il senso di una dolorosa incompiutezza:

Ma nebuloso e tremulo dal pianto
Che mi sorgea sul ciglio, alle mie luci
Il tuo volto apparia, che travagliosa
Era mia vita: ed è, né cangia stile,
O mia diletta luna. E pur mi giova
La ricordanza, e il noverar l'etate
Del mio dolore. Oh come grato occorre
Nel tempo giovanil, quando ancor lungo
La speme e breve ha la memoria il corso,
Il rimembrar delle passate cose,
Ancor che triste, e che l'affanno duri!

L'hai cantata come i lirici greci, la luna, perché ne andava del senso della tua vita. Se un giorno tu avessi dimenticato la luna, ti saresti dimenticato di te stesso. L'hai cantata nella tua adolescenza, periodo della vita in cui lunga è la speranza e corto il corso della memoria, perché sull'esperienza prevale lo slancio verso il futuro. L'hai idealizzata come simbolo dell'arte di sperare, quando la vita si era fatta ormai troppo pesante.

Si dice che persino gli ultimi versi che hai dettato prima di morire fossero dedicati al tramonto della luna: ti ha accompagnato fino alla fine come simbolo di chi accoglie il proprio destino e gli resta fedele, nonostante il suo continuo mutare. Di lei, specchio della tua anima, ti mancava però qualcosa che le invidiavi: l'inconsapevolezza. Essere consapevoli della sproporzione tra il nostro desiderio infinito e i nostri limiti ci rende spaesati e confusi, a differenza della luna che, pur mutevole, resta fedele a se stessa, nel suo corso preciso e inconsapevole.

La fedeltà al proprio destino, che non a caso i Greci chiamavano *moira*, cioè parte assegnata, è l'unico modo di essere felici su questa terra e di essere felicemente infelici quando non ci si riesce, perché il principio di ispirazione che ci guida ha l'ardore per poter bruciare l'ostacolo e il fallimento, anzi trova in esso materiale per rinnovare il fuoco.

Anche questo ti devo, Giacomo, di avermi fatto vedere, in corpo e versi, cosa significa rimanere fedeli al proprio destino, a prescindere dalle condizioni in cui si compirà, anzi accettando quelle condizioni come occasione, come materia per realizzare la propria opera d'arte.

Una donna a cui un giorno ho chiesto che cosa ricordasse di te, mi ha risposto: "Due aspetti. La malinconia e la forza di non arrendersi mai, fino alla fine". La tua vita, Giacomo, è l'indomita lotta di un rapito dalla bellezza che combatte per realizzarla nei suoi versi e se non ci riesce si concede la malinconia buona, cioè il dolore di non essere stato all'altezza e il desiderio di riprovare, ma senza fuggire, anzi rimanendo in quel dolore, come il seme che durante il gelo invernale aspetta tempi migliori, attende di essere all'altezza del prossimo raggio di sole.

Quando la vita sembrava privarti di quello che ogni ragazzo vorrebbe (riconoscimento, un corpo amabile, amore), tu attingevi al deposito ricchissimo e inesauribile del tuo rapimento, per tirarne fuori cose nuove, che gli altri le apprezzassero o meno. Così ti liberavi dalla gabbia del consenso altrui e impiegavi le tue energie nell'ispirata pazienza che questa chiamata richiedeva.

Il segreto che mi hai svelato è che questo destino non è mai raggiunto del tutto, perché la vita non è equilibrio, ma tensione. Ciò che in natura si ferma ha raggiunto la morte. Questa forse è la parte più scomoda del tuo messaggio, Giacomo, che la pienezza non si conquista mai fino in fondo, ma è "movimento fedele" o "fedeltà dinamica", perché siamo esseri che vivono nel tempo, chiamati a dare consenso alla vita con i suoi cambiamenti: il rapimento, come accade in un amore, è il centro che tutto illumina e che ci dà energia, ma che viene messo costantemente alla prova, come una struttura antisismica, il cui segreto non è la rigidezza rassicurante del "fatto una volta per tutte", bensì la sua elasticità, la capacità di fare proprie le sollecitazioni e assecondarle: resilienza e resistenza. Solo così la vita non diventa mai noiosa e sclerotizzata su certezze rigide, e rimane erotica ed eroica, sempre in tensione di compimento.

Ma se è la vita stessa che a volte sembra impedirci tutto questo? Non è di lei che ci dobbiamo fidare, Giacomo? E se lei, proprio lei, invece ci tradisse, dopo averci sedotto, rapito, chiamato?

Abitare la notte con il
Canto notturno di un pastore errante dell'Asia

> Ho cominciato a conoscere un poco il bello, facendomi quasi ingigantire l'anima in tutte le sue parti, e dire fra me: questa è poesia, e per esprimere quello che io sento ci voglion versi e non prosa.
>
> *Lettera a Pietro Giordani*, 30 aprile 1817

Caro Giacomo,

vent'anni fa, quando ricevetti la tua prima lettera, ero in cerca di parole e non lo sapevo. Non sapevo che trovare le parole per le cose significa dare loro una forma e quindi poterle fare proprie, soprattutto quelle invisibili. Tu quelle parole le avevi e me le hai prestate, perché arte buona è quella capace di "fare il massaggio cardiaco agli elementi di umanità e di magia che ancora resistono e luccicano malgrado l'oscurità dei tempi" (David Foster Wallace). Per questo non facile è il compito dello scrittore, anzi è quasi paradossale: "Vivrà secondo una legge che non è stata tagliata su di lui, ma è lo stesso la sua legge. Eccola: Nessuno sia respinto nel nulla, neanche chi ci starebbe volentieri. Si indaghi sul nulla con l'unico intento di trovare la strada per uscirne, e questa strada la si mostri ad ognuno. Si perseveri nel lutto e nella disperazione per imparare la maniera di farne uscire gli altri, ma non per disprezzo della felicità, che compete alle umane creature, benché esse la deturpino e se la strappino a vicenda" (Elias Canetti).

Ero impantanato in un angolo oscuro. Era un periodo in cui il dolore stava distruggendo il gusto di vivere. Accanto a me soffriva, fino alle lacrime, una persona che amavo ma non riuscivo a raggiungere nella sua pena, che avrei voluto prendere su di me purché cessasse. In quei giorni compresi quanto il dolore sia capace di confinarci nella solitudine, in stanze buie della nostra casa interiore, vi trascina sia chi lo subisce, sia chi vorrebbe accompagnarlo. Facevo esperienza della separazione profondissima tra gli uomini, della difficoltà nell'amare le persone più vicine, della loro quasi invalicabile solitudine nel dolore, dell'impossibilità di raggiungerle e salvarle. Tutto mi sembrava insensato e crudele, la vita un nonsenso e una tortura, come nelle tragedie greche, dove giovani eroi rimangono paralizzati sulla scena a chiedersi quale scegliere tra due possibilità ugualmente distruttive: "Che cosa potrò mai fare?" si chiede Oreste di fronte al dilemma tra uccidere la madre per vendicare il padre o risparmiarla ma essere perseguitato dalle dee della vendetta che gli comandano l'assassinio.

Non trovavo soluzioni perché non ce n'erano, ma tu, Giacomo, mi hai fatto capire che la soluzione è dentro la vita stessa e non fuori di essa: aprirsi al dolore e abitarlo, come una delle stanze del nostro cuore.

È stato allora – era l'anno della maturità e lo cominciammo proprio con te – che ti sei introdotto in camera mia, dopo che il professore ci aveva recitato, fino alla commozione, tutto il *Canto notturno di un pastore errante dell'Asia*. Io, entusiasta, sulla via del ritorno avevo comprato un'edizione dei tuoi canti: il primo libro di poesie acquistato con i miei soldi, e mi ero messo a leggerlo nella mia stanza, ripetendo quelle parole – le capivo tutte, le parole di una poesia! – sino a costruirmi una cantilena interiore, in cui il dolore senza senso, la separazione, il dramma della vita non erano più solo miei, ma anche tuoi, e di tutti gli uomini. Non mi sentivo più sbagliato, ma a casa; il dramma restava, ma io non ero più solo, e abbracciai tra le lacrime tutti i punti interrogativi del protagonista di quella poesia.

C'è un giovane che cammina nella notte, guarda la natura e non le lascia scampo con le sue domande, mentre il gregge, ignaro del suo tormento, placidamente pascola. Quel pellegrino prese vita, incarnando la tua interiorità, quando leggesti un articolo in cui si parlava dei pastori che in Medio Oriente, accompagnando le greggi, elevano canti malinconici che riempiono la campagna muta e desolata.

Quel ragazzo rappresentava tutto ciò che io non riuscivo a formulare in modo sensato, e quando l'ho incontrato non mi sono sentito più solo. Di fronte all'apparente assurdità di venire al mondo per andare incontro al dolore, lui si chiede:

Ma perché dare al sole,
Perché reggere in vita
Chi poi di quella consolar convenga?
Se la vita è sventura,
Perché da noi si dura?

A lui, come a me, non era rimasto nessuno con cui dialogare di quella solitudine profonda. Attorno a lui solo creature mute, il gregge e la luna, con la loro inconsapevole costanza, in una notte in cui nessuna compagnia umana sembra poterlo raggiungere. Allora è alla luna che si rivolge:

Pur tu, solinga, eterna peregrina,
Che sì pensosa sei, tu forse intendi,
Questo viver terreno,
Il patir nostro, il sospirar, che sia.

In quelle parole raccontavi la stessa separazione che sperimentavo io, la stessa solitudine, ma non la fuggivi, rimanevi e conferivi a quel dolore una direzione, gli davi forma e una casa di parole, perché è il dolore informe che schiaccia l'uomo:

Dimmi, o luna: a che vale
Al pastor la sua vita,
La vostra vita a voi? dimmi: ove tende
Questo vagar mio breve,
Il tuo corso immortale?

Rispondevi alle mie domande con una poesia che ne pone ben dodici (tanti sono i punti interrogativi): rispondevi domandando, perché la risposta vera non è quasi mai la soluzione che fa sparire il problema, la risposta è l'apertura alla vita, di cui il domandare è segno (mi piace immaginare il punto interrogativo come un uomo che si piega per chiedersi su quale mondo sta camminando).

Mi viene in mente una mia studentessa che, di fronte all'affermazione che la letteratura tiene vive le domande, alzò la mano e chiese, impaurita, con un tono di voce tanto fragile quanto autentico: "Ma poi... arrivano le risposte?". Vidi nei suoi occhi tutta la verità di una giovane ragazza che si affaccia al proprio destino piena di trepidazione e turbamento. La tua poesia, per me, non solo è un modo di tenere vive le inquietudini che la cultura della prestazione bolla come adolescenziali, ma è anche la risposta che quella ragazza in fiore anelava. Ponendo le domande giuste, vivendole giorno per giorno e condividendole con gli altri uomini, troveremo compagni di viaggio nelle notti più oscure. E scopriremo che si può, mentre si erra nella notte, persino cantare.

Io quel pastore, Giacomo, non posso che immaginarmelo giovane. Un giovane offeso e tradito dai suoi stessi sogni, che conosce l'amarezza dell'infinito non corrisposto sotto forma di noia che assale:

Dimmi: perché giacendo
A bell'agio, ozioso,
S'appaga ogni animale;
Me, s'io giaccio in riposo, il tedio assale?

Dopo queste domande arrivano i tre "forse" degli ultimi versi. Tutte le volte che li rileggo torna quel misto di dolore e di risoluzione, commozione degli occhi e del cuore, perché so quanta vita ferita ci voglia a scrivere certe parole, perché so di non essere solo nella mia fragilità. Anche io, come te, oscillavo incerto tra il desiderio del cuore di avere ali per fuggire, ipotizzando felicità infinite e immaginarie...

Forse s'avess'io l'ale
Da volar su le nubi,
E noverar le stelle ad una ad una,
O come il tuono errar di giogo in giogo,

Più felice sarei, dolce mia greggia,
Più felice sarei, candida luna.

... e l'accettazione razionale che il dolore non si può eliminare, perché è parte integrante e vitale della vita stessa:

O forse erra dal vero,
Mirando all'altrui sorte, il mio pensiero:
Forse in qual forma, in quale
Stato che sia, dentro covile o cuna,
È funesto a chi nasce il dì natale.

Le ali che quel giovane vorrebbe avere sono le ali di una creatura naturale, che gli permetterebbero di non aver nessuna consapevolezza dell'esilio dall'infinito, del dolore.

Tu non abbandoni del tutto le ali dell'immaginazione, Giacomo, il fingere del pensiero che scavalca la siepe. Quel cuore aperto all'infinito è ancora lì, ridotto al "forse" di un sogno appena svegli. Ma subito, quel "forse", frutto di eccesso di speranza, entra in dialogo con l'altro "forse", guarito dal fantasticare adolescenziale: è un forse razionale che riconosce la fatalità della vita, la condanna a desiderare invano. Il "dì natale", il giorno del nostro compleanno, non è una festa, "forse" è soltanto un funerale.

Quei tre "forse" rintoccano come una campana: di festa o di lutto? Un dubbio che lascia aperto lo spazio tra il cuore sognante, alato, e una ragione ancorata a una verità senza scampo. Nella tua poesia cuore e ragione sono ancora in dialogo, sofferto sì, ma vivi e in relazione, perché tutte le relazioni vere si nutrono della loro fatica.

Il consiglio che mi hai dato quando avevo diciassette anni era proprio di abitare la terra del forse, tra ali e forza di gravità. Il mio dolore non si risolse, ma io a poco a poco imparai a viverlo con il coraggio delle tue parole, che mi avevano raggiunto dove nessun altro era riuscito; non mi avevi fornito una soluzione rapida e facile, ma mi accompagnavi sulla strada impervia del "forse" e mi dicevi di vivere le due condizioni, di tenere insieme quella tensione così umana, con la fragilità che comportava. Da allora non sei più andato via dalla mia stanza, dalle stanze del mio cuore, anzi, ti sei trovato un posto in una delle più interne, quella in cui gioia e dolore, insieme, piangono con le stesse lacrime, l'essenza dell'essere uomini.

Per questo, Giacomo, mentre Silvia è la figura femminile che amo di più nella tua poesia, con il suo slancio vitale, il pastore errante, con la sua malinconia cantata, è quella maschile. Silvia e il pastore sono versioni complementari, in cuore e mente, carne e ossa, gambe e braccia, della tua vita interiore. Il pastore diede un volto alla tua malinconia. Il canto, seppur notturno, canto resta. Malinconico come quasi tutti i notturni dei musicisti, come tutte le notti dei sensi e dello spirito dei mistici, notturno come tutte le irraggiungibili solitudini dell'uomo, che teme la notte perché è il lasso di tempo in cui si misura la sua capacità di accettare e affrontare la fragilità di questo vivere breve.

Ricordo ancora quella notte d'agosto, sulla spiaggia, in cui mostravo le costellazioni a mio nipote Giulio, che allora aveva sei anni, e gli raccontavo le loro leggende. Lui, che si chiedeva se si possono trovare colori nuovi o se sono già stati tutti trovati, che mi diceva che il tempo è infinito e che i numeri ce li siamo inventati noi per misurarlo, a un tratto mi chiese perché quando c'è il giorno il cielo diventa azzurro e le stelle non si vedono più. Provai a rispondere con la motivazione scientifica, ma mi rendevo conto che non gli bastava, ai bambini bisogna spiegare il fine delle cose, non solo la causa. Se ti chiedono perché piove, non puoi rispondere con la percentuale del vapore acqueo, ma devi dire: per permettere alle piante di fiorire.

Allora gli dissi che il buio della notte serviva per vedere le cose che la luce nasconde, perché a volte sono tanto belle da doverle proteggerle come si fa con i tesori. Si accontentò e dentro di me io, grazie a te, pensai che sempre con la luce si perde qualcosa e sempre con le tenebre qualcosa si guadagna. E magari è l'essenziale.

In quella notte della tua vita avevi compreso che per salvarti non restava che mettere alla prova le due ipotesi: le ali o il funerale? Volare via per non tradire il tuo destino e scoprire se la speranza è un'ipotesi tanto faticosa quanto feconda, oppure accettare il grande inganno ordito dalla vita ai danni dell'uomo, che è l'unica fibra consapevole di questo universo, bello sì, ma disperatamente votato alla morte. Il tuo pastore errante ci dice senza mezzi termini che l'uomo è chiamato a esistere senza essersi dato da solo il respiro. Possiamo dire ciò che siamo, ma non come e perché esistiamo, sappiamo solo che a ciò che siamo è dato di esistere e questa è una chiamata a cui non ci possiamo sottrarre.

Bisogna quindi abitare la terra del forse, la terra del possibile, delle sfide, degli eroi, che lottano per compiere ciò che sono nel breve spazio che è dato loro.

Per questo, Giacomo, era ora di volare via o di soccombere.

L'arte della fuga
o ribellarsi a ciò che impedisce la fedeltà a noi stessi

Ella esigeva da noi il sacrifizio, non di roba né di cure, ma delle nostre inclinazioni, della gioventù, e di tutta la nostra vita. Non ho voluto più tardare a incaricarmi della mia sorte. Voglio piuttosto essere infelice che piccolo, e soffrire piuttosto che annoiarmi.

Lettera a Monaldo Leopardi, fine luglio 1819

Caro Giacomo,
non sempre, anzi forse raramente, la strada del fuggire è la stessa del cercare. Anche per questo la maturità è trovare il coraggio di cercare, più che di fuggire. Quando un ragazzo scopre il suo rapimento si sente chiamato a sperimentare se la sua originalità può veramente arricchire il mondo.

Qualche tempo fa un adolescente mi confidava che, pur di far capire ai genitori che la sua esistenza aveva bisogno del loro sguardo per fiorire, che la loro assenza era intollerabile, come i loro silenzi, aveva passato una notte fuori casa. Li aveva costretti così ad aver paura di perderlo, a riconsiderare le fondamenta su cui stavano costruendo il rapporto con lui. Da quel giorno qualcosa era cambiato.

Anche tu, Giacomo, decidesti che l'unico modo di vivere integralmente la tua vita e mettere alla prova il tuo fuoco era ribellarti ai limiti che ti imponevano la famiglia e il paesello in cui eri nato e fuggire. L'ho capito quando ho letto la lettera che scrivesti a tuo padre il giorno in cui decidesti di partire di nascosto, e che affidasti a tuo fratello Carlo perché gliela consegnasse a cose fatte. È la lettera di un ragazzo che scappa di casa raggiunta la maggiore età, e credo contenga tutto quello che c'è da sapere su di te. Ecco che cosa gli scrivesti, in righe che spero mi perdonerai se ho reso più vicine, in aspetti superficiali, alla lingua del nostro tempo:

Papà,

   sebbene dopo aver saputo quello che ho fatto questa lettera ti potrà sembrare indegna di esser letta, a ogni modo spero che avrai la bontà di non rifiutare di sentir le prime e ultime parole di un figlio che t'ha sempre voluto bene e soffre infinitamente di darti un dispiacere. Tu conosci me, e conosci la mia condotta, e forse quando vorrai aprire gli occhi, vedrai che in tutta l'Italia, e sto per dire in tutta l'Europa, non si trova altro giovane, che nella mia condizione, in età anche molto minore, forse anche con doni intellettuali inferiori ai miei, abbia avuto la metà di quella prudenza, privazione da ogni piacer giovanile, ubbidienza e sottomissione ai suoi genitori che ho avuto io. Per quanto tu possa disprezzare quei pochi talenti che il cielo mi ha concesso, tu non potrai non ascoltare quanti uomini stimabili e famosi mi hanno conosciuto e hanno riportato di me il giudizio che sai e non devo ripetere. Tu non ignori che quanti mi hanno conosciuto, persino quelli che sono perfettamente concordi con i tuoi principi, hanno giudicato che io dovessi riuscire in qualche cosa di straordinario, se mi fossero dati quei mezzi che, oggi come ieri, sono indispensabili per fare riuscire un giovane che dia anche mediocri speranze di sé. È sorprendente come chiunque abbia avuto anche superficiale conoscenza di me, immancabilmente si sia meravigliato che io viva ancora in questa città, e come tu solo fra tutti, sia di parere contrario e irremovibile.

Scrivi le cose che ogni figlio che scappa di casa scriverebbe a un padre (o a chiunque si prenda cura della sua educazione) incapace di vedere la sua originalità e di incoraggiarne il fiorire in un contesto diverso da quello ristretto in cui è cresciuto. A onor del vero, proprio quella casa, quella campagna, quei notturni e quei libri, nella quieta stagione dei sedici e diciassette anni, avevano dato la possibilità al tuo genio di aprirsi e andare in profondità, in altezza e in ampiezza, tanto che adesso quel genio si sentiva imprigionato e non gli bastava più "fingere" l'infinito oltre la siepe. Doveva liberarsi. Ma tuo padre non voleva, Giacomo. Non ti restava che fuggire e, parlando proprio della libertà che ti è necessaria per dare pieno compimento alla tua vita, continui così:

Certamente sai che non solo in una città un po' viva, ma persino in questa, non c'è quasi giovane di diciassette anni che dai suoi genitori non sia seguito, al fine di sistemarlo in quel modo che più gli conviene: e taccio poi della libertà che tutti hanno alla mia età, e io di quella libertà ne ho ricevuto appena un terzo a ventun anni.

Cos'è, Giacomo, la vita, se non provvedere al proprio destino? Che cosa l'amore se non trovare un custode valido e affidabile di quel destino? Come si fa a vivere senza annoiarsi se non si dà pieno corso a quel destino, trasformandolo in destinazione?

Ma lasciando stare questo, benché io avessi dato prova di me, se non m'inganno, abbastanza rara e precoce, tuttavia solamente molto dopo l'età consueta, ho cominciato a manifestare il mio desiderio che tu provvedessi al mio destino, e al bene della mia vita futura nel modo segnalato dal parere di tutti. Io vedevo parecchie famiglie di questa medesima città, molto meno agiate della nostra, e sapevo poi di moltissime altre di altre città, che scorto anche solo un leggero barlume d'ingegno in un figlio, non esitavano a far grandissimi sacrifici per sistemarlo in maniera adeguata a far fiorire i suoi talenti. Sebbene molti credano che il mio intelletto mandi più che un barlume, tu tuttavia mi giudichi indegno dei sacrifici di un padre, né ti pare che il bene della mia vita presente e futura valga qualche cambiamento ai tuoi piani familiari. [...] Quando domandai che mi concedessi qualche mezzo per trovarmi da vivere in maniera adatta alle mie circostanze, senza essere a carico della mia famiglia, fui accolto con risate, e tu non hai creduto che le tue amicizie o cure si dovessero impiegare per questo tuo figlio. Io sapevo bene i progetti che tu avevi su di noi, e sapevo anche che per assicurare la felicità di una cosa che io non conosco, ma sento chiamar casa e famiglia, tu esigevi da noi due il sacrificio, non di beni né di cure, ma delle nostre inclinazioni, della gioventù e di tutta la nostra vita. Dal momento che questo sacrificio da me e da Carlo non avresti mai potuto ottenerlo, non mi restava nessuna considerazione di questi progetti, e non potevo accettarli in nessun modo.

Tuo padre non volle provvedere a una tua sistemazione altrove. Forse non comprendeva fino in fondo quei tuoi talenti e quelle tue aspirazioni, forse non ti riteneva capace di autonomia fuori dal borgo, forse non aveva i soldi o tua madre non gli consentiva accesso a quelle finanze che aveva pazientemente dovuto mettere in ordine. Tu, Giacomo, lo vivevi come il sacrificio di te stesso sull'altare di genitori ciechi o semplicemente con progetti "più sicuri". Ma la tua chiamata alla poesia e all'amore (sì, perché cercavi anche una donna da amare e che ti amasse) sfidava la sicurezza, preferendole la verità e il rischio.

Forse tuo padre pensava di proteggerti, forse ti amava più di quanto tu percepivi dalle sue scelte. Vedi, Giacomo, ci sono padri che generano biologicamente e poi si dimenticano di generare anche spiritualmente i propri figli, li lasciano orfani di senso, ma non è il tuo caso. Monaldo ne aveva fin troppo di senso da darti, tanto da dettarti il copione della tua vita – dovevi, in quanto primogenito, ereditare casa Leopardi, le tenute e la biblioteca, le rendite per poterti dedicare ai tuoi scritti come un intellettuale libero da altre incombenze –, ma non riusciva a vedere il copione scritto di tuo pugno, e così inaridiva il tuo genio, che si ribellava.

La noia per te era divenuta insopportabile. Non la noia superficiale, quella del "non so cosa fare", dell'assenza di emozioni forti, ma la privazione del destino e della destinazione, quello stato di angoscia di chi sa di essere fuori posto, di chi sa che non sta vivendo abbastanza, che non sta dando pieno corso alla sua vocazione. Avevi cominciato a scrivere, perché la scrittura è il luogo in cui si supera il limite e si combatte la propria incompiutezza, riparando ogni possibile inadempienza e raccontando come sarebbe dovuta o potuta andare. Cos'era per te scrivere, se non vivere? Non è forse "vita" il termine più frequente nei tuoi canti? In essi vivevi a tal punto che il corpo non sopportava più quell'esilio, e il genio gli chiedeva di seguirlo oltre la siepe delle facili sicurezze.

*Eppure tu hai lasciato per tanti anni un uomo del mio carattere,
o a consumarsi in studi micidiali o a seppellirsi nella più terribile noia, e per conseguenza, malinconia, derivata dalla solitudine
e da una vita mai spensierata, sopratutto negli ultimi mesi. Non
tardai molto a rendermi conto che nessuna possibile e immagi-
nabile ragione potesse farti cambiare proposito, e che la fermezza
straordinaria del tuo carattere, coperta da una continua dissimu-
lazione, e apparenza di cedere, era tale da non lasciar la minima
ombra di speranza.*

Ora volevi prendere la tua vita in mano da solo: farti carico della tua sorte. La tua è la libertà del seme, che decide di
marcire abbandonando le vecchie abitudini e sicure convin-
zioni per dare pienezza alla sua natura e al suo rapimento.
Più sicuro è stare sottoterra e dentro la scorza del proprio
io, ma senza libertà. Libero è l'uomo che assume la propria
sorte come dono e compito, e rimane fedele a se stesso, perché ne va della possibilità di offrire agli altri la sua essenza,
contrastando la vile prudenza che ci rende simili ad animali
che hanno come unico obiettivo la conservazione della specie: allora sì che saremmo fatti solo per la morte. Tu, Giacomo, riflettendo sulla natura umana, avevi capito che è sì
animale, ma è anche altro, è capace di sollevarsi su quell'a-
nimale e superarlo: è un embrione di infinito, un "qui" in
cerca di un "oltre".

*Tutto questo e le riflessioni fatte sulla natura degli uomini, mi han-
no persuaso che io benché sprovvisto di tutto, non dovevo confidare se non in me stesso. E ora che la legge mi ha reso responsabi-
le di me stesso, non ho voluto più tardare a farmi carico della mia
sorte. Io so che la felicità dell'uomo consiste nell'esser contento, e
perciò più facilmente potrò esser felice chiedendo l'elemosina, che
in mezzo agli agi che posso godere in questo luogo. Odio la vile
prudenza che ci raffredda e lega e rende incapaci di ogni grande
azione, riducendoci come animali che attendono tranquillamente
alla conservazione di questa vita infelice senz'altro pensiero. So
che mi riterrai pazzo, come so che tutti gli uomini grandi hanno avuto questo nome. E poiché la carriera di quasi ogni uomo di*

gran genio è cominciata dalla disperazione, non mi preoccupa che la mia cominci così. Preferisco essere infelice che piccolo, e soffrire piuttosto che annoiarmi, tanto più che la noia, fonte per me di depressione mortale, mi nuoce assai più che ogni disagio del corpo.

Queste righe per me, Giacomo, sono un capolavoro: rendono abitabile persino la disperazione. Il genio comincia con una disperazione che in realtà è speranza, è lasciare il porto sicuro per entrare in mare aperto e navigare verso un nuovo continente dell'anima tutto da scoprire e abitare. Hai scritto i tuoi versi migliori lasciandoli scappare dalle tue notti oscure. Caro Giacomo, è qui che ti sento mio amico fraterno, quando scrivi "preferisco essere infelice che piccolo", "soffrire piuttosto che annoiarmi". Libera dal mito della sicurezza, dell'equilibrio, della comodità, la vita è nelle tue mani e pulsa e fa paura e torce le viscere e genera lacrime e insonnie. Ma questa è la vita, e il suo contrario non sono l'infelicità e la sofferenza, ma la pusillanimità e la noia che ne consegue. La ristrettezza di chi rimane seme e non dà frutto, di chi non si impegna per amore. In costui prevale la paura di soffrire sulla voglia di vivere, il cuore si indurisce, come un uccello che tenga le ali chiuse per timore del loro peso, per l'assurda paura di essere fatto per volare. Grazie, Giacomo. Ti prometto che non sarò mai piccolo e annoiato, piuttosto infelice e sofferente, ma fedele alla vita.

Nel tuo caso, questo significava abbandonare le sicurezze della casa paterna, dove la grandezza veniva misurata con calcoli e metro, sulla base dell'utile:

I padri sono soliti giudicare i loro figli più favorevolmente di quanto li giudichino gli estranei, ma tu al contrario mi giudichi più sfavorevolmente di ogni altra persona, e quindi non hai mai creduto che io fossi nato a niente di grande: forse non riconosci altra grandezza che quella che si misura coi calcoli e con il metro. Ma riguardo ciò molti sono d'altra opinione; quanto a me, siccome il disperare di me stesso non può altro che nuocere, così non mi rassegno all'idea di vivere e morire come i miei antenati.

Poi chiedevi scusa per il denaro che avevi sottratto per poter sopravvivere, almeno nei primi tempi. Non era così facile fuggire da Recanati e arrivare fino a destinazione, per questo avevi dovuto chiedere un passaporto di nascosto, ma eri disposto a tutto pur di non morire di disperazione, nel momento della vita fatto per la speranza:

Avendoti spiegato le ragioni della mia scelta, resta che io ti domandi perdono del disturbo che ti reco con questa lettera e con quello che porto con me. Se la mia salute fosse stata meno incerta avrei voluto piuttosto andar mendicando di casa in casa che toccare un centesimo tuo. Ma essendo così debole, e non potendo sperar più nulla da te, per le frasi che ti sei lasciato uscire a bella posta più volte disinvoltamente di bocca a questo proposito, mi vedo obbligato, per non espormi alla certezza di morire in mezzo alla strada il secondo giorno, di comportarmi nel modo che ho fatto. Me ne duole moltissimo, e questa è la sola cosa che mi turba nella mia scelta, pensando di far un dispiacere a te, di cui conosco la somma bontà di cuore, e le premure per farmi viver soddisfatto nella mia condizione. Io te ne sono grato con tutta l'anima, e mi pesa infinitamente di sembrare affetto da quel vizio che detesto più di tutti, cioè l'ingratitudine. Soltanto la differenza di opinioni, che non era in alcun modo conciliabile, e che doveva necessariamente condurmi o a morir qui di disperazione, o portarmi a questo passo che io faccio, è stata la causa della mia disavventura. È piaciuto al cielo per mio castigo che il solo giovane di questa città che avesse pensieri un po' più che locali, toccasse a te, e che il solo padre che giudicasse questo figlio come una disgrazia, toccasse a me. Quello che mi consola è il pensare che questo è l'ultimo dispiacere che ti do, e che serve a liberarti dal continuo fastidio della mia presenza, e dai tanti altri disturbi che la mia persona ti ha recato, e molto più ti causerebbe in avvenire.

Ma promettevi che avresti restituito quei soldi, Giacomo, e supplicavi che lui ti ricordasse non come un malfattore, ma pur sempre come un figlio, che non rinnegava del tutto l'amore per chi gli aveva dato le origini:

Mio caro papà, se mi permetti di chiamarti con questo nome, io m'inginocchio per pregarti di perdonare questo infelice per natura e per circostanze. Vorrei che la mia infelicità fosse stata tutta mia, e nessuno avesse dovuto risentirsene, e così spero che sarà d'ora innanzi. Se la fortuna mi farà mai padrone di nulla, il mio primo pensiero sarà di rendere quello di cui ora la necessità mi costringe a servirmi.

L'ultimo favore che ti domando è che se mai avrai un ricordo di questo figlio che ti ha sempre amato, non lo scacci come odioso, né lo maledica; e se la sorte non ha voluto che tu potessi lodarlo, non rinunci almeno a concedergli quella compassione che non si nega neanche ai malfattori.

Con l'uscita di casa finisce l'adolescenza, si abbraccia la vita senza rete, si affronta il destino. Dopo aver dato corso all'eccesso di speranza è venuto il momento dell'esperienza, e del suo eccesso.

È tempo di inaugurare un'altra tappa: la maturità.

MATURITÀ
o l'arte di morire

Il sentimento e l'entusiasmo, ch'era il compagno e l'alimento della mia vita, è dileguato per me in un modo che mi raccapriccia. È tempo di morire. È tempo di cedere alla fortuna.

Lettera a Pietro Brighenti, 21 aprile 1820

Caro Giacomo,
la tua fuga fallì. Ti accadde ciò che accade a molti ragazzi che trasgrediscono, cioè vanno (-egredi) oltre (trans): la paura di essere scoperti si muta in una specie di profezia che si realizza. Chi non ricorda una propria trasgressione puntualmente smascherata dai genitori?

Colui che doveva fornirti il passaporto si congratulò con Monaldo – erano amici – per l'imminente partenza del figlio verso il mondo di fuori, svelandogli così i tuoi progetti di fuga, che sfumarono e di cui tuo padre non seppe mai i motivi profondi. La lettera rimase un segreto fra te, tuo fratello e tua sorella Paolina, i soli grandi amici di questa fase della tua vita. Ma mentre a te restò un cuore pieno di morte, a me rimane la tua lettera: l'incontro fra te e il tuo destino.

Quando si è scoperto per cosa morire bisogna poi veramente morire, e la giovinezza è il momento giusto per farlo, perché si hanno le forze per rinascere. Con "morte" tu intendi lo scontro con gli inevitabili ostacoli, i fallimenti, le conseguenti tristezze e ferite che la vita oppone al nostro rapimento, al nostro eccesso di speranza. Andare incontro alla fortuna è accettare tutta l'incertezza di chi si fa carico del proprio destino e lo rende un compito.

Se l'adolescenza è l'età fatta per scoprire per cosa valga la pena vivere, la maturità è il momento in cui ci si scontra con ciò che, nella vita di tutti i giorni, ci fa sperimentare la morte mentre cerchiamo di realizzare ciò per cui vale la pena vivere: un progetto, una relazione, un lavoro... Tu, Giacomo, mi hai insegnato che il segreto della maturità non è contrastare la morte, volendola eliminare dall'orizzonte della vita, ma farcela con la morte provvisoria e apparente di sogni, progetti, destini.

Perché questo accada, però, bisogna inoltrarsi nella terra di nessuno in cui l'eccesso di speranza, che ci ha condotto fin lì, si mescola con l'eccesso di esperienza di un cammino faticoso. Da che ci si sentiva insostituibili e unici, ci si sorprende sostituibili e forse non necessari alla grande orchestra della Storia. La fragilità, prima vissuta come fame di infinito che riscatta il limite, adesso diventa tentazione di accettare di essere *soltanto* limite. Erotismo ed eroismo sono minacciati da tante piccole morti, e maturità è attraversare questo deserto di speranze disattese, rimanendo fiduciosi che esista una terra promessa e scoprendo che questa terra, più che fuori di noi, va trovata e coltivata dentro di noi.

Ma il deserto che ce ne separa è una condizione provvisoria? Che cosa serve, Giacomo, per abitare questa sconfitta senza rifugiarsi in un mondo infantile e al riparo dalla vita? Si può proseguire senza rinunciare all'altezza, all'infinito? Come fare a sperare ancora e ancora quando restano solo le macerie di tutto ciò che avevamo immaginato? Come non scivolare, dopo l'incanto giovanile, nel disincanto adulto?

Cala il silenzio

Ora sono stecchito e inaridito come una canna secca, e nessuna passione trova più l'entrata di questa povera anima, e la stessa onnipotenza eterna e sovrana dell'amore è annullata a rispetto mio nell'età in cui mi trovo.

Lettera a Pietro Giordani, 6 marzo 1820

Caro Giacomo,
giunge un momento nella vita di un adolescente in cui la parola svanisce. Ogni risposta si riduce a suoni indispettiti, mugugni, o al proverbiale "Niente...", che risuona tutte le volte che una madre chiede al figlio tornato da scuola: "Che cosa hai fatto oggi?".

Quel "niente" è il segno più promettente della paura che il seme ha di morire, quel silenzio e quella solitudine sono necessari perché si crei uno spazio, noto come intimità o interiorità, nel quale il seme potrà spezzarsi, quando ne troverà il coraggio. La maggior parte dei semi porta con sé il primo nutrimento per aprirsi, quella polpa che gustiamo spesso come frutto, protezione e cibo per un seme svariate volte più piccolo.

Dopo la fuga fallita il tuo rapimento, Giacomo, sembra spegnersi, le parole azzittirsi, la speranza di futuro ridursi a un ricordo del passato. Inizia un silenzio poetico quasi totale che durerà sei anni, dal 1822 al 1828, riempito quasi soltanto da righe in prosa, tra le più fredde e ironiche dei tuoi scritti. L'esperienza ha spazzato via ogni illusione, ogni seme di futuro. Non c'è alcun destino capace di diventare destinazione, il rapimento si riduce a un sussurro lontano a cui è sempre più difficile prestar fede. Quante volte accade nella vita degli uomini che il grande bagliore del rapimento venga ridimensionato e riposto nell'angolo più oscuro del cassetto dei sogni, come un'illusione, spazzata via dalla realtà. Del grande amore, del grande sogno, del grande futuro... rimane solo un'eco lontana, come un rimorso. Il rimorso del destino perduto.

Eppure, anche se nel corso di una vita nessuna delle nostre cellule rimane la stessa, sappiamo che in noi c'è un nucleo stabile che dura nel tempo, un luogo intatto, originario e originale, da cui sembrano sgorgare il dire e il fare che più sono nostri, da quando siamo bambini a quando siamo vecchi. È un luogo sempre nuovo e rinnovabile, da cui si libera una specie di spensierata sicurezza, il luogo interiore in cui possiamo contenere la vita e sentirci dalla vita contenuti. La scrittura porta gradualmente lì, nel posto da cui sgorga la sorgente. Anche per questo non trovo strano che l'adolescenza sia età di diari, di scritture ossessive, di sogni da scrittore o da scrittrice, perché scrivere è scendere nel cuore del cuore per imparare ad abitare se stessi e quindi la vita. La penna diventa un piccone, la pagina una luce.

Lo sapevano i tuoi amati "antichi", Giacomo, per i quali la parola *fato* e la parola *fabula* (da cui il nostro "favola") hanno la stessa origine. Vengono da una radice che indicava il "dire" sacro, il dire degli dèi, il dire autorevole, il dire che si compie. Quando Zeus "dice", le cose accadono e sono: determina il fato, il destino. Dalla stessa radice veniva la parola del racconto: *fabula*. Il suffisso -*bul* si unisce alle radici verbali per indicare lo spazio in cui si realizza quello che la radice indica. Infatti la fabula, il racconto, è proprio il luogo e il mezzo grazie al quale il fato ci raggiunge e si compie. *Lupus in fabula* per un antico romano significava non che la persona citata arrivasse per una mera coincidenza, ma proprio perché evocata dal discorso. I racconti preparano le cose e le fanno accadere. Senza parola che racconta, in noi non c'è modo di scoprire la nostra storia: è dimostrato che i momenti che passiamo a "sognare a occhi aperti" sono dedicati a ipotesi narrative di cui siamo protagonisti e con le quali modifichiamo il passato o prepariamo il futuro. Il bambino privato delle favole è privato del copione che servirà a costruire la sua storia, per questo vuole ascoltarle a ripetizione, perché quella fabula dice come stanno le cose, costruisce una "metafisica fantasticata", come la chiamava Vico.

Quando regalai a mio nipote una versione dell'*Odissea* per bambini, ogni sera, sotto stelle estive, tutta la famiglia si riuniva per ascoltarne qualche pagina. Giulio riempiva la lettura di domande, a volte difficilissime. Sentiva che quella storia lo riguardava, pur essendo così lontana, e per questo ogni sera si presentava puntuale con il libro in mano: "Oggi quanti capitoli leggiamo?".

Spesso chi non legge *fabulae*, storie di destini altrui, non sa niente del proprio, e si accontenta del surrogato della fabula: la *fama*. Anche questo termine ha la stessa radice: è il dire che viaggia di bocca in bocca senza una fonte autorevole; qui la fonte è l'accumularsi di voci orizzontali, non la voce verticale, cioè quella che ha l'autorità dell'altezza (del dio) o della profondità (dell'io). Senza fabula il fato non ha luogo e mezzo con cui venire alla luce e compiersi, e cede il passo al "così dicono tutti", al "così fan tutti". Gli ebrei hanno un proverbio che amo: "Dio ha creato l'uomo per sentirgli raccontare storie". L'uomo, fiato impastato di tempo e carne, è l'unico capace di raccontare la sua fabula, il suo destino e le sue destinazioni. Gli animali fanno versi, le piante foglie, le rocce tacciono. L'uomo racconta. Il linguaggio è la casa del nostro vivere, dove cresce prima di essere messo in pratica.

Un grande regista diceva che la trama strappa un senso al flusso della vita. Quando racconto la mia storia a un nuovo amico o alla persona di cui mi sono innamorato io scelgo certi momenti, nel *fare* la fabula di me mi posseggo, ho presa su di me. Così la mia essenza si mostra attraverso il racconto. E cosa scelgo se non ciò che mi rende, nel passato, nel presente e nel futuro, me stesso? Se non sono protagonista di almeno un racconto, il mio, svanisco, anzi, sono già svanito.

Tu, Giacomo, dopo la fuga fallita, hai passato molti anni senza "poesie", ma non senza scrittura. Hai dovuto aspettare quasi altri due anni per lasciare Recanati con il benestare dei tuoi genitori, per iniziare un continuo viaggio di an-data e ritorno (Roma, Recanati, Milano, Bologna, Recanati, Pisa, Firenze, Recanati) causato dalla delusione dei luoghi tanto agognati, in cui, a parte qualche rara eccezione, non hai trovato ciò che speravi: né il consenso alla tua arte, né lavori che ti permettessero di mantenerti a lungo.

Il seme del rapimento doveva mettere radici più profonde, la sua crescita sembrava momentaneamente sospesa a contatto col mondo e con le sue intemperie, ci voleva più forza, più radicamento. La prosa diventa strumento di questa ricerca di profondità. Il rapimento viene custodito dalla corazza della freddezza filosofica e razionale, ma pur sempre immaginifica, delle *Operette morali*, quasi come una coltre di neve sotto la quale la terra sembra morta, ma in realtà riposa per diventare ancora più fertile. Il canto, purificato dalle illusioni adolescenziali, dovrà tenersi equidistante dall'incanto e dal disincanto. Questo è il tempo del silenzio, della notte oscura. Assomiglia a quella fase di un amore in cui sembra finire l'incantesimo che faceva apparire tutto perfetto, eppure è solo l'amore che chiede di crescere e di mettere radici più profonde e pazienti, per una fioritura ulteriore.

È un tempo fecondo, anche se sembra proprio il contrario. L'arte del silenzio è la più dura da imparare, a causa della sua apparente assenza di frutti e di gioia. Pochi sono quelli che perseverano e ne gustano la polpa.

Si sta preparando una primavera migliore dopo un inverno di quasi sei anni, un raccolto ricco, un destino più pieno di destinazione, proprio perché messo alla prova.

La vita è una promessa non mantenuta.
Chiedetelo *A Silvia*

> Rivedendo a caso le mie carte e i miei studi, e ricordando-
> mi la mia fanciullezza e i pensieri e i desideri e le belle vi-
> ste e le occupazioni dell'adolescenza, mi si serrava il cuo-
> re in maniera ch'io non sapea più rinunziare alla speranza,
> e la morte mi spaventava? non già come morte, ma come
> annullatrice di tutta la bella aspettativa passata.
>
> *Zibaldone*, 26 giugno 1820

Caro Giacomo,
    nei tuoi primi idilli poetici avevi cercato, attraverso un
cuore riconciliato con la ragione, l'armonia tra l'uomo e la
realtà in un matrimonio pieno di promesse. Ma, alla prova
dei fatti, non vissero felici e contenti.
    La fuga è fallita e ogni sogno, illusione, progetto, è distrut-
to. Ora ti aggiri tra le macerie di un futuro ardentemente
sognato, grandiose come le macerie di un edificio che svet-
tava verso il cielo.
    L'esperienza della vita non risponde a questa tensione di
infinito, nulla dà alimento soddisfacente al cuore, la felicità non è preclusa solo a te, ma a tutti i tuoi contemporanei:
non è sufficiente ricostruire il rapporto con la natura per ria-
verla indietro, il passo è sbarrato. Il sogno di autoinoltrarsi
nell'infinito non basta, il ritrovato idillio con la natura si dimostra solo un sogno romantico. La giovinezza, età del cuore, resta il periodo più crudele, proprio perché la sete è più
profonda. *A Silvia*, una delle tue poesie più malinconiche,
scritta proprio dopo il lungo silenzio poetico, ne è l'emblema. Silvia, freschissimo ricordo dei tuoi anni felici, diventa
il simbolo della fragilità di ogni speranza, di ogni illusione,
di ogni felicità possibile e compiuta. Eppure proprio Silvia
è la via d'uscita dal silenzio.
    Me lo ha ricordato una bellissima lettera di una diciotten-
ne che ho ricevuto in questi giorni: "La mia storia è un po'

triste, e io sono viva per miracolo. Sono nata prematura, al sesto mese di gravidanza, e ciò mi ha causato non pochi problemi. Ho una malformazione congenita al cuore che ha tentato di strapparmi da questa vita. Non si può dire che io abbia combattuto e vinto, perché, parliamoci chiaro, la natura va come vuole e noi non possiamo farci nulla, possiamo limitarla attraverso le cure, ma la natura fa comunque il suo corso. Da qualche anno la mia situazione è peggiorata, sono stata ricoverata e operata più volte. Sono stata per mesi in coma, nonostante volessi vivere la mia vita appieno. Per questo motivo ho perso tutto, amicizie, passioni, abitudini. La mia vita si è svuotata e io non ho potuto farci niente. Mi sono rifugiata perciò nella lettura, e i libri che ho amato di più sono appunto i suoi. Lei mi è stato d'aiuto indirettamente. Leggendo le sue parole ho trovato una forza che non sapevo di avere, ma ciò che mi ha aiutata maggiormente sono stati i suoi incoraggiamenti narrati nelle ultime pagine di *Cose che nessuno sa*. In ogni caso so che questa lettera non verrà mai letta, e che quello che ho scritto sono semplicemente parole buttate al vento, ma sentivo il dovere di ringraziarla per avermi salvata, e per tutto ciò che è riuscito a fare anche da lontano. La mia malattia purtroppo non è finita qui, e non so ancora per quanto sarò in questo mondo, ma finché c'è un briciolo di speranza io voglio continuare a vivere al meglio, non per gli altri, perché anche loro passano, ma per tutto ciò che ho sopportato e sopporterò, e per riuscire a dire alla fine che ne è valsa la pena di soffrire, perché la vita è davvero il dono più prezioso che abbiamo ricevuto".

Caro Giacomo, sento in queste righe il paradosso della giovinezza. Lo stesso che tu sentisti nella vita di Silvia, che cerca di superare il limite, lieta e accorata, come ogni giovane:

E tu, lieta e pensosa, il limitare
Di gioventù salivi.

A Silvia tutto appare pieno di promesse, dolce, come a te, Giacomo, quando cantavi l'infinito:

Sedevi, assai contenta
Di quel vago avvenir che in mente avevi.

La giovinezza è l'infinito fatto carne, limite riempito di speranza. Ma tanto c'è di speranza quanto di dolore, come in un amore non corrisposto; che il destino sia anche destinazione è solo un abbaglio:

Che pensieri soavi,
Che speranze, che cori, o Silvia mia!
Quale allor ci apparia
La vita umana e il fato!
Quando sovviemmi di cotanta speme,
Un affetto mi preme
Acerbo e sconsolato,
E tornami a doler di mia sventura.
O natura, o natura,
Perché non rendi poi
Quel che prometti allor? perché di tanto
Inganni i figli tuoi?

Ogni eccedenza, ogni illusione di futuro, è tradita, Silvia muore. La vita si rivela un paradosso da dover abitare, un infinito mortalmente ferito, tradimento di ciò che avrebbe dovuto salvarla e salvarti, la vostra stessa giovinezza:

Anche peria fra poco
La speranza mia dolce: agli anni miei
Anche negaro i fati
La giovanezza. Ahi come,
Come passata sei,
Cara compagna dell'età mia nova,
Mia lacrimata speme!
Questo è quel mondo? questi
I diletti, l'amor, l'opre, gli eventi
Onde cotanto ragionammo insieme?
Questa la sorte dell'umane genti?

Ecco uno dei tuoi elenchi di implacabili domande. Nessuno come te usa i dubbi nelle poesie, Giacomo, cuore intelligente. Indugi sulla soglia dell'esistenza con domande che lasciano te e chi ti legge in sospeso.

Piaceri, amore, lavoro, avvenimenti, scrivi, sono solo coriandoli ingannevoli di un carnevale che dura un giorno, battito d'ali di farfalla, bellezza fragile ed effimera. E la verità della morte, limite per eccellenza, sia fisico che spirituale, rivela cos'è quella tensione giovanile all'infinito: nient'altro che un dito che indica avidamente la morte. Il dito di Silvia vorrebbe toccare l'eterno, come quello di Adamo nella Cappella Sistina vorrebbe toccare il Creatore. Dall'altro lato, però, non c'è nessun eterno, nessun Creatore, ma solo il nulla della morte, e il dito rimane sospeso verso questo limite assoluto:

All'apparir del vero
Tu, misera, cadesti: e con la mano
La fredda morte ed una tomba ignuda
Mostravi di lontano.

La mano di Silvia, prima intenta a tessere la tela reale ("Ed alla man veloce / Che percorrea la faticosa tela") e metaforica del vivere, mentre lei cantava interrompendo il tuo studio, ora indica solo la freddezza della morte e della pietra tombale, già da lontano.

Esserci è essere per la morte. Non c'è nessun infinito, se segui la linea tracciata dal dito scorgi solo la lapide, in anticipo. Quel segnalare il futuro non è una speranza, ma un atto di accusa.

Eppure c'è qualcosa di nuovo, dopo anni di silenzio. Qualcosa che non sta in nessun nulla. Con Silvia tu riprendi a cantare, trasformando la tragedia in elegia, dopo aver abitato un silenzio poetico riempito solo di prosa raziocinante e ironica. E proietti in Silvia tutta la tua malinconia, tutta la tua fragilità di sopravvissuto al naufragio.

Si trattava della figlia del vostro cocchiere: Teresa Fattorini. Una malattia le aveva fiaccato il respiro, dolore che conoscevi bene anche tu e da cui trovasti sollievo solo nel periodo pisano, quando componesti questi versi. La riporti in vita per farne una martire, una testimone, col suo dito alzato verso la tomba, che sigilla il nulla. Il tuo dolore, non il tuo pessimismo (i pessimisti non cantano mai), si fa cosmico, sente il dolore del cosmo intero e se ne fa carico, trasformandosi in canti costruiti come canzoni a schema libero, che un tempo chiamavamo "grandi idilli", ma che di idilliaco hanno poco. Sono canti di dolore spalancato, che testimoniano il dramma della vita mentre ne mostrano la nostalgia della tensione verso la pienezza. La natura ha spento Silvia, nome di malinconica memoria poetica che anagrammi nel doloroso "salivi" dell'età giovanile, una salita verso il baratro, non verso il panorama agognato quando l'incedere è tutto speranza. La natura cerca di fare lo stesso con te, ma tu, andando oltre Silvia, infuri contro il nulla, sbarrandogli il passo con i tuoi nuovi canti estratti dal silenzio.

C'è qualcosa di affermativo in questo ritorno del canto, proprio quando la tenebra sembra essersi fatta più fitta: lo stesso paradosso della ragazza nata prematura che mi ha scritto quella lettera, ancorata alla vita con molta più forza di chi è uscito dal grembo materno all'ora esatta. Ora però il naufragio nell'infinito è tutt'altro che dolce. "Amaro" è l'aggettivo giusto, e lo userai sempre più spesso nel tuo cantare futuro, non più ricerca di infinito oltre il limite, ma pianto di fallimento. Il limite è invalicabile. La fragilità è condanna a morte, prima nascosta, poi sempre più evidente.

Serve cantare ancora la vita, Giacomo, anche se è segnaletica della morte? Se siamo esseri che indicano la morte, soprattutto quando la vita è più piena in noi, perché aver ancora fede in lei?

Precipitare nella notte

Io era spaventato nel trovarmi in mezzo al nulla, un nulla io medesimo. Io mi sentiva come soffocare considerando e sentendo che tutto è nulla, solido nulla.

Zibaldone, 1819-1820

Caro Giacomo,
la vita spesso sa essere crudele in modo chirurgico, preciso sino al sadismo. Sembra volersi riprendere i doni più preziosi che ci ha concesso. A te, lentamente ma inesorabilmente, chiese indietro gli occhi, a causa di un'oftalmia che, per periodi sempre più lunghi, ti impediva di fare l'unica cosa che leniva le tue sofferenze fisiche e morali e che ti consentiva di guadagnarti da vivere per poter stare lontano da Recanati senza dipendere dai tuoi genitori: leggere e scrivere. Come Beethoven fu gradualmente privato dell'udito, a te fu chiesto il dono degli occhi, fino a portarti a odiare la luce, per il dolore che poteva procurarti: "Taccio poi degli occhi, i quali m'avevano ridotto alla natura de' gufi, odiando e fuggendo il giorno" (*Lettera a Pietro Giordani*, 13 luglio 1821).

La prima grave crisi della vista, tanto acuta che temesti di rimanere cieco, è contemporanea al fallimento della fuga e origina la crisi spirituale che ti precipita in una notte interiore a cui ti riferirai come alla tua "conversione filosofica". Abbandoni ogni speranza per darti alla ricerca del vero dei dati di fatto: non fuggi più di là dalla siepe, ma studi la siepe e il suo essere lì come ostacolo invalicabile. Eliminato il cuore, la ragione precipita nel razionalismo.

Hai smesso di credere in Dio, perché gli attribuisci tutto il tuo dolore, come una condanna beffarda: prima il Creatore chiama l'uomo alla vita e poi non gliene dà il gusto. Magari c'è bellezza nelle cose, ma non nella vita umana.

Sono così stordito del niente che mi circonda, che non so come abbia forza di prender la penna [...] non vedo più divario tra la morte e questa mia vita, dove non viene più a consolarmi neppure il dolore. Questa è la prima volta che la noia non solamente mi opprime e stanca, ma mi affanna e lacera come un dolor gravissimo; e sono così spaventato della vanità di tutte le cose, e della condizione degli uomini, morte tutte le passioni, come sono spente nell'animo mio, che ne vo fuori di me, considerando ch'è un niente anche la mia disperazione.
(Lettera a Pietro Giordani, *19 novembre 1819*)

La notte prende il sopravvento anche interiormente. Non si "esce fuori di sé" per trovare se stessi, ma per perdersi del tutto. Eppure questo fuori di sé è diretta conseguenza del rapimento, che non ha trovato terreno in cui farsi realtà, o almeno così appare. Ma proprio questa caduta è necessaria, proprio questo è maturità.

Non resta che abbandonarsi alla disperazione, Giacomo, non resta che abbracciare la notte, degli occhi e dello spirito. Violentissime emicranie ti costringevano a coricarti all'alba e alzarti al crepuscolo per evitare la luce del sole. Si infittiscono ancora di più le pagine dello *Zibaldone* e cresce la prosa razionalista delle *Operette morali*. Delle speranze rimangono solo i ricordi del passato, a sottolineare che furono inganno. Silvia, ritorno del canto dopo il silenzio, è stata in realtà un ritorno al passato per smascherarlo delle sue illusioni. Adesso la noia pervade l'anima.

Questa noia, che può colpirci quando lavoriamo e anche quando siamo in vacanza, non è il contrario del divertimento, ma il vuoto di senso. Tu diresti il vuoto dei sensi, che non trovano piacere sufficiente ad appagarli. Non è la noia che possiamo provare leggendo un libro, guardando un film o intrattenendoci in qualche occupazione ripetitiva, è un tedio che riguarda l'essere e che precipita tutto in un buio senza differenze: diventiamo indifferenti a tutto.

In queste situazioni ci si illude che il divertimento possa curare il vuoto, collocato però a profondità che il divertimento, capace solo di nutrire la periferia del nostro io, non riesce a raggiungere. Il divertimento di-verte, de-centra, allontana, quando invece ci sarebbe bisogno di con-vertirsi, con-centrarsi, portare al centro e partire dal centro. Cogliere la vita si può solo a partire dal raccoglimento. Il divertimento, inteso come fuga, si può alimentare e ripetere a oltranza, ma il vuoto resta lì, anzi la distrazione diventa proprio il modo di non sentirlo, come nel caso di chi tiene la radio o la tv accesa in sottofondo, anche se non la segue, per la troppa paura del silenzio e della verità che comporterebbe. Qualcosa del silenzio, quello esteriore, l'ho imparato dai tuoi luoghi. Ricordo la prima volta che sono stato a Recanati e in una mite sera estiva, al chiarore della luna, mi sono seduto in mezzo alla campagna, guardando verso il mare, e nel silenzio sentivo i campi ondeggiare al vento calmo. Sembrava tutto così semplice e chiaro, tutto così evidente, che bisognava dirlo a tutti che al mondo c'è bellezza. Solo qualche rumore di auto in lontananza interrompeva l'idillio. Tu intercettavi tutti quei suoni, anche i più minuti: il fischiettare del contadino che tornava a casa, il fruscio delle fronde di una stagione viva, il verso ripetuto di una gallina nell'aia. Quel giorno ho capito che solo il silenzio permette all'uomo di superare il tempo in cui vive. Tu, cantando, mi hai insegnato a considerare il silenzio come esplorazione delle possibilità. Anche per questo non smetto mai di leggerti, per sentirti amico: quando c'è troppo rumore nella mia vita torno a quella sera recanatese e alla dimensione serale di ogni vita, quella che si dispone al silenzio, al riposo, alla lettura, alla preghiera, all'amore. Nessuno conosce la propria profondità se non scende uno a uno i gradini del silenzio, per trovarsi faccia a faccia con se stesso, senza maschere, finzioni, menzogne, dove si annida la verità più nuda.

Ma il divertimento, Giacomo, non è da buttare via, se ci appare come soluzione o come cura. Cos'ha da insegnarci? Quale via ci indica?

Divertirsi significa riferirsi a qualcosa di *diverso*, intrattenersi con qualcosa di differente da ciò che ha occupato la nostra attenzione sino a ora. Abbandonare il sempre uguale per riferirsi al "nuovo". Ma cosa è il nuovo? Oggi il nuovo non è altro che il più recente: il nuovo modello, il nuovo negozio, il nuovo locale, il nuovo gioco, il nuovo disco... Ma chi cerca il nuovo nel più recente spesso si inganna. La noia è la mancanza del nuovo. Il nuovo non si oppone al "vecchio", tu lo sapevi, Giacomo, bensì al "sempre uguale", ed è veramente nuovo non perché capita *dopo*, ma perché è *più* e *meglio*, in ragione della sua profondità. Il "più recente" è già vecchio quando lo possiedo, mentre nuovo è ciò che si rinnova di continuo per una sua intrinseca forza: come gli anelli di un albero, che si formano a ogni ciclo di stagioni attorno al suo centro vitale. Vecchio invece è ciò che non può più dare nulla di sé, perché esaurito. Una sonata di Beethoven, un quadro di Cézanne, un canto di Dante sono più nuovi di una canzone "tormentone" (che dura fino al rapido esaurirsi di una stagione), perché danno sempre di più di se stessi. Il nuovo non deve essere quindi per forza diverso, ma può essere lo stesso senza diventare per questo "uguale". Quando un cuore dice a un altro "ti amerò per sempre", che pretesa avanza se non quella che riuscirà a trovare sempre il nuovo nella stessa persona, l'infinito nel finito? Dipenderà dalla capacità di sostare, di pazientare, di giungere a uno strato ulteriore di profondità propria e altrui. Il nuovo è capace di ricordarci la nostra novità, quando ci sentiamo vecchi e da buttar via.

Per esempio oggi si dice che la scuola è noiosa, ed è vero, ma si sbaglia pensando che debba per questo diventare divertente, nel senso superficiale di cui sopra. Deve invece diventare interessante, cioè realmente nuova: capace di destare meraviglia e quindi di innescare ricercatori di infinito, di mantenere acceso il fuoco delle possibilità.

Ma esiste nel mondo qualcosa che sia perennemente nuovo? Neanche tu ci credi più, Giacomo. Allora la vita è una triste condanna. Questo è il momento del disincanto, è quella che a scuola, in maniera troppo sbrigativa, chiamiamo la tua svolta verso il pessimismo cosmico. Tu comprendi che non sono la Storia e le sue condizioni precarie a impedire la felicità, non si tratta di recuperare qualcosa di perduto per strada. L'infelicità è lo stato costitutivo delle cose. La natura costringe l'uomo alle illusioni, ma poi non gli dà i mezzi per raggiungere questa felicità. Gli dà la sete, ma non gli dà la bocca per dissetarsi, la sorgente a cui attingere o il secchio per arrivare all'acqua del pozzo. Che farsene di questo ardore che genera sete se è solo una più crudele condanna? Perché credersi superiori al pesce rosso che nella sua boccia di vetro vede il mare? A cosa serve avere consapevolezza del futuro e non solo di un eterno presente? Perché tutto questo futuro nel cuore se poi si rivolterà contro noi stessi, per una caduta più rovinosa?

Il giovane che al suo ingresso nella vita, si trova, per qualunque causa e circostanza ed in qual che sia modo, ributtato dal mondo, [...] il giovane, dico, che o da' parenti, come spesso accade, o da que' di fuori, si trova ributtato ed escluso dalla vita [...] tanto che tali ostacoli vengano ad essere straordinari e ad avere maggior forza che non sogliono, a causa di una sua non ordinaria sensibilità, immaginazione, suscettibilità, delicatezza di spirito e d'indole, vita interna, e quindi straordinaria tenerezza verso se stesso, maggiore amor proprio, maggiore smania e bisogno di felicità e di godimento, [...] un tal giovane trasporta e rivolge bene spesso tutto l'ardore e la morale e fisica forza o generale della sua età, o particolare della sua indole, o l'uno e l'altro insieme, tutta, dico, questa forza e questo ardore che lo spingevano verso la felicità, l'azione, la vita, ei la rivolge a proccurarsi l'infelicità, l'inattività, la morte morale.
(Zibaldone, 5 *novembre* 1823)

Parlavi di te, lo so, Giacomo, ma così parlavi di molti che ritengono una colpa la loro originalità. Il mondo li vuole normali, cioè mediocri, fino a far credere loro che quella unicità sia sbagliata. E, per troppa paura che il loro rapimento non si realizzi e per non soffrire ancor di più, fuggono questa resistenza della vita che provoca il loro continuo morire, precludendosi la possibilità di trasformarla in feconda chiamata della realtà. Ma un seme germoglia proprio grazie all'*humus*, abbiamo imparato alle elementari, cioè grazie all'ammasso di cose morte che rende la terra fertile. Se non si accetta questa mortalità feconda si paralizza la vivacità del rapimento. L'ardore si muta in ghiaccio:

Egli diviene misantropo di se stesso e il suo maggior nemico, [...] egl'impiega tutta la sua vita morale in abbracciare, sopportare e mantenere costantemente la sua morte morale, tutto il suo ardore in agghiacciarsi, tutta la sua inquietezza in sostenere la monotonia e l'uniformità della vita, tutta la sua costanza in scegliere di soffrire, voler soffrire, continuare a soffrire, tutta la sua gioventù in invecchiarsi l'animo [...] Come tutto ciò è un effetto del suo ardore e della sua forza naturale, egli va molto al di là del necessario: se il mondo a causa di suoi difetti o morali o fisici, o di sue circostanze, gli nega tanto di godimento, egli se ne toglie il decuplo.

L'ardore non viene distrutto, perché non può essere distrutto ciò che è più proprio della vita, ma viene impegnato per la distruzione. Le due vie che si aprono nella maturità sono: creare e distruggere. Distruggere è l'atto creativo di chi ha perso speranza nella propria originalità, nel bello che è venuto a portare nel mondo, nella novità che è per sé e per gli altri. A distruggere ci si può dedicare con lo stesso slancio e trasporto del creare.

Ricordo ancora quella pagina di diario a me dedicata che una ragazza aveva scritto prima di spegnersi a causa dell'anoressia, in cui si augurava, commentando una frase di *Bianca come il latte, rossa come il sangue*, che un giorno qualcuno le avrebbe fatto indossare il vestito più bello per cui il suo corpo era fatto, e che lei in vita non era stata capace di riconoscere e provare. Quando ho letto quelle righe, che la madre aveva ricopiato per me ora che lei era morta, ho pianto l'inganno della vita che, come quel vestito, non si adatta mai ai nostri desideri di felicità.

Aiutami, Giacomo, ad affacciarmi con un po' meno paura su questa vertigine, che il cuore stesso causa e non sa come soddisfare, precipitando così nella noia. Quella di cui parli è divenuta il male del nostro tempo, la fragilità senza maschere, la mancanza di sentimento della vita, che chiamiamo depressione: assenza di senso, la morte che si sconta vivendo. Tu cercasti rifugio nel cambiare casa e città, ma i viaggi degli anni successivi al tuo tentativo di fuga spesso peggiorarono il tuo sconforto, anziché lenirlo. Non bastava viaggiare. Sono momenti oscuri, in cui il canto si interrompe, perché per scrivere poesie bisogna credere nella poesia della vita, e per tornare a farlo bisogna prima integrare quel silenzio e appropriarsene: maturare, cioè morire. E prepararsi a cantare ancora una volta, da regioni ancora più profonde, quelle oltre la notte, con nuove forme, per dare luce e ordine al caos della notte, al terrore della notte del cuore.

La morte è sempre alla moda

Laddove ai miei disegni si richiederebbero molte vite, non ne avrò quasi neppur una.

Lettera a Pietro Giordani, 5 gennaio 1821

Caro Giacomo,
quando uno dei miei alunni si fora per un piercing o si lascia disegnare con un ago un tatuaggio sulla pelle, così da essere alla moda, io gli dico che cosa pensavi tu di questa gioiosa accettazione della foratura del corpo, al fine di rendersi "più evidenti" o di "raccontarsi" meglio.

Anche se ti presento come il più grande poeta moderno, in realtà tu sei un classico. Moda e moderno hanno la stessa radice, e tu non eri alla moda. *Modernus* (dall'avverbio latino *modo*, "poco fa", e *-ernus*, che indica appartenenza) vuol dire appartenente al recente, e tu avevi capito che il grande disagio in cui si era ficcata la modernità, tagliando i ponti con il passato, dipendeva dall'essere soggetta al culto del recente e quindi del caduco.

Chi è solo recente non ha storia, e quindi destino: come un seme che si è aperto in un terreno troppo poco profondo per mettere radici. Il giovane deve essere antico, perché per poter essere originale deve essere originario. Ma il recente fa di tutto per farlo suo, con un volto ben più seducente della Nera Signora, la Morte, quello della sorella minore, una signora multicolore, leggera ed elegante, la Moda.

Tu avevi intuito questa nascosta parentela e sei stato il primo a dire che Moda e Morte erano sorelle. Lo hai svelato persino alla Morte, che non lo sapeva:

MODA   *Io sono la Moda, tua sorella.*
MORTE   *Mia sorella?*
MODA   *Sì: non ti ricordi che tutte e due siamo nate dalla Caducità?*

("Dialogo della Moda e della Morte", Operette morali)

La Morte è restia a crederci, ma la Moda le dimostra che il suo comportamento è tutto teso a far vivere gli uomini morendo, a confondere il "nuovo" con il "meno vecchio", che ha tutta l'aria di essere immortale, ma in realtà è solo recente:

MODA   *Siamo sorelle, e tra noi possiamo fare senza troppi rispetti, parlerò come tu vuoi. Dico che la nostra natura e usanza comune è di rinnovare continuamente il mondo, ma tu fino da principio ti gittasti alle persone e al sangue; io mi contento per lo più delle barbe, dei capelli, degli abiti, delle masserizie, dei palazzi e di cose tali. Ben è vero che io non sono però mancata e non manco di fare parecchi giuochi da paragonare ai tuoi, come verbigrazia sforacchiare quando orecchi, quando labbra e nasi, e stracciarli colle bazzecole che io v'appicco per li fori; abbruciacchiare le carni degli uomini con istampe roventi che io fo che essi v'improntino per bellezza; sformare le teste dei bambini con fasciature e altri ingegni, mettendo per costume che tutti gli uomini del paese abbiano a portare il capo di una figura, come ho fatto in America e in Asia; storpiare la gente colle calzature snelle; chiuderle il fiato e fare che gli occhi le scoppino dalla strettura dei bustini; e cento altre cose di questo andare. Anzi generalmente parlando, io persuado e costringo tutti gli uomini gentili a sopportare ogni giorno mille fatiche e mille disagi, e spesso dolori e strazi, e qualcuno a morire gloriosamente, per l'amore che mi portano.*

Nonostante le motivazioni addotte, la Morte rimane scettica e la Moda le dà il colpo di grazia, dimostrandole che per merito suo è stato eliminato quello stupido residuo di resistenza alla Morte che c'era negli uomini, la ricerca dell'immortalità, consegnandoli così del tutto alla Nera Signora già in vita. Grazie alla Moda adesso l'uomo è totalmente votato, senza saperlo, alle fauci della Morte:

MODA   *[...] Oltre di questo ho messo nel mondo tali ordini e tali costumi, che la vita stessa, così per rispetto del corpo come dell'animo, è più morta che viva; tanto che questo secolo si può dire con verità che sia proprio il secolo della morte. [...] Ho levata via quest'usanza di cercare l'immortalità, ed anche di concederla in caso che pure alcuno la meritasse. Di modo che al presente, chiunque si muoia, sta sicura che non ne resta un briciolo che non sia morto, e che gli conviene andare subito sotterra tutto quanto, come un pesciolino che sia trangugiato in un boccone con tutta la testa e le lische.*

La Morte accetta le argomentazioni della Moda e si rende conto che la loro alleanza è già un dato di fatto: tutte quelle cose che fanno sentire l'uomo originale non sono altro che abboccamenti con la Morte. Quando leggo le tue parole sullo sforacchiarsi le orecchie e tatuarsi, alcuni dei miei studenti mi guardano male (anche oggi verresti preso per menagramo e misantropo), perché non sembra che sia una gran novità quello che hanno fatto. Ma il punto è proprio questo: spegnere la ricerca dell'immortalità che si annida nel cuore dell'uomo, facendo sì che si accontenti di surrogati di originalità e che il suo desiderio di altezza si estingua.

Questo è il rischio del fallimento dei rapimenti, delle speranze disattese degli adolescenti: regredire a un limite puramente mortale, a essere fatti solo per la morte, accontentandosi delle piccolezze della moda per curare le ferite della propria mortalità.

Una volta un ragazzo mi ha scritto queste righe: "Voglio complimentarmi con te per i tuoi libri, che fanno veramente riferimento all'adolescenza senza nascondere né pregi né difetti. Voglio farti una domanda banale e stupida da quindicenne: SEI FELICE?

Infine voglio parlarti di un problema che agli occhi degli altri non risulta tale ma per me lo è. Vengo da una famiglia che non subisce affatto le conseguenze della crisi e ho due genitori (separati) che fanno lavori che impegnano quasi la totalità del loro tempo, ma il problema non è questo. Ho tantissimi oggetti come l'iPhone ultimo modello, il motorino, vestiti firmati a volontà, tutto quello che voglio me lo comprano. So che starai pensando che sono un folle ingrato, ma non mi basta tutto quello che ho. Molte volte capita che i miei compagni di classe, all'uscita di scuola, vadano in ufficio dal padre per prendersi un panino per pranzo al volo o che le ragazze passino la domenica con le madri per centri commerciali a fare shopping, allora mi chiedo a cosa serva lavorare tanto se poi alla fine non ti rimane niente di concreto.

Preferirei usare anche io la metro o avere un cellulare scassato ma poter andare ogni tanto a prendere un gelato con mio padre e parlare di politica, calcio, scuola e lavoro. Oppure mi piacerebbe che mia madre ogni tanto venisse la domenica alla partita di calcio proprio come fanno tutte le altre mamme. Loro però sono talmente presi dagli affari e dai soldi che nemmeno se ne accorgono, che io vivo la situazione come un disagio.

So cosa starai pensando, quello che pensano tutti i miei compagni e amici, che chi c'ha il pane non c'ha i denti e che sono fortunato, ma fidati che non c'è niente di peggio che affrontare l'adolescenza senza la presenza dei genitori.

P.S. So che riceverai miliardi di mail ma sarei felice se mi rispondessi alla domanda che ti ho fatto sopra".

Gli risposi che ero felice, perché nel corso degli anni, malgrado cadute e fallimenti, ero rimasto fedele alla mia vocazione e percepivo la mia vita come sensata, piena, ricca, nonostante i miei limiti e le mie fragilità. Poi gli suggerii di dire ai suoi quello che aveva detto a me, magari scrivendo loro una lettera. Il risultato fu il seguente: "Grazie per avermi risposto! Ho provato a parlare con loro e a spiegare quali fossero i valori importanti della vita, ma sono stato giudicato come il ragazzino viziato. Sai, a volte sembra assurdo anche a me, ma sono arrivato a combinare guai apposta anche solo per farmi mettere in punizione (cosa che non è mai successa) e impegnare una parte dei loro pensieri. Sono deluso perché tutto ciò che avrei voluto mi fosse insegnato da loro è ciò che vorrei insegnare io un giorno, non riconosco più in loro il ruolo di genitori! Sono orfano sebbene fisicamente esistano i miei genitori! L'unica cosa che ho imparato è che uno sguardo o un abbraccio sono in grado di annientare tutti gli oggetti che ci sono al mondo e sarà la prima cosa che insegnerò ai miei figli! Grazie ancora!".

Questo ragazzo si sentiva privato della sua altezza, pur essendo rimpinzato di oggetti all'ultimo grido su cui poteva tranquillamente accomodarsi senza doversi occupare di quel dolore al centro del petto che fa di ciascun uomo un'immortalità ferita. Avrebbe potuto accontentarsi di un infinito tascabile, ripetibile e riproducibile, come tendiamo a fare tutti il più delle volte, anziché cercare l'infinito stesso. Ci accontentiamo della continua ripetizione di esperienze ed emozioni, che alla lunga annoiano o spingono alla ricerca di sensazioni sempre più forti, fino a quella più forte di tutte, l'autodistruzione. Eppure questo ragazzo, proprio dall'ennesimo fallimento, ha tratto la lezione che insegnerà ai suoi figli: la sua ferita si è trasformata in futuro, in vita.

Tu, Giacomo, lo avevi previsto (il poeta vero è sempre anche profeta: apre gli occhi ai suoi contemporanei, cioè a tutti quelli che lo leggono): spento il cuore ancora vivo e aperto del giovane, è distrutta la società e vengono creati individui separati e sospettosi l'uno dell'altro. Ecco il connubio che volevi spezzare sin dal suo nascere: l'alleanza più che fraterna tra Moda e Morte.

Giacomo, oggi io credo che la morte alla moda possa nascondersi nella tecnologia, che ci porta a rimuovere la pazienza delle stagioni: tutto deve essere sempre e subito vivo, presente, immediatamente disponibile premendo un interruttore. Non c'è più tempo per il tempo: la crisalide, l'embrione, il seme, sono tutte realtà che ci mettono troppo tempo e troppa fatica a farsi frutto. Noi vogliamo tutto e subito, e all'infinito. Copriamo la nostra fragilità di una corazza tecnologica che ci consenta di non sentirla.

Piuttosto che imparare l'arte di essere fragili, meglio essere alla moda, cioè meglio essere alla morte.

Infedeltà a se stessi o l'infelicità

L'arte di essere infelice. Quella di essere felice, è cosa rancida; insegnata da mille, conosciuta da tutti, praticata da pochissimi, e da nessuno poi con effetto.

Titolo di un'opera da scrivere contenuto nei *Disegni letterari*

Caro Giacomo,
la mancanza di conoscenza di se stessi porta all'infedeltà a se stessi. Questa infedeltà può imboccare due strade, una meno rumorosa dell'altra, ma ugualmente disperata.

La prima, di cui ti ho già parlato in altre lettere, è fuggire da se stessi, scegliere vie illusorie ma protettive, viaggiare senza sosta, cercare fuori ciò che non si ha il coraggio di trovare dentro. Per mancanza di destinazione, ci si sottomette ai copioni inadeguati, alle maschere, alla moda, alla fama. Si indossano abiti non nostri e quando si vorrebbe cambiare è troppo tardi per imprimere alla vita un nuovo inizio, cosa che ai tuoi tempi accadeva spesso:

Spettano a questo discorso [...] gran parte delle monacazioni ec. di giovani, e lo sceglier di vivere in casa o in campagna, e i ritiri dalla società ec. fatti nel principio della gioventù, massime da persone vive e sensibili ec. e resi poi necessarii a continuarsi, per l'abitudine, per li rispetti umani, per l'imperizia, che ne segue, del conversare, per il timor panico dell'opinione, del ridicolo ec. che suole accompagnare lo straordinario, la novità, il cominciare, il mutar proposito e vita in tempo, in età non conveniente, non ordinaria al cominciare, o al nuovo proposito e vita per se medesima ec. ec.
(Zibaldone, *5 novembre 1823*)

La seconda strada è indirizzare quell'ardore a distruggere, anziché a costruire, come il bambino che per comprendere il movimento misterioso del suo giocattolo lo rompe e lo rende inservibile:

I giovani massimamente, sono ben più odiosi e dannosi de' vecchi, perché in essi alla disposizione intera e alla decisa volontà di mal fare si aggiunge il potere e la facoltà; e l'ardor giovanile, e la forza e l'impeto e il fiore delle passioni, che un dì conduceva gli uomini al bene, ora conducendogli dirittamente e pienam. e decisamente al male, rende gl'individui tanto più cattivi, perniciosi ed odiabili, quanto esso ardore è più grande.
(Zibaldone, 25 settembre 1823)

Durante una visita al carcere di San Vittore ho conosciuto un giovane che volle raccontarmi a tu per tu perché era finito lì: era stato abbandonato, ancora bambino, dal padre, e a quindici anni, in seguito alla morte della madre, pieno di rabbia nei confronti della vita, aveva cominciato a fare rapine, arrivando in poco tempo a derubare le banche. La sua forza e il suo ardore erano implacabili ed efficaci: si sentiva finalmente capace di avere il controllo della vita ed era ammirato da tutti i suoi coetanei, ma nel frattempo distruggeva quella di altri. Poi, quando lo arrestarono, tutti i suoi "ammiratori" e "amici" lo abbandonarono e si ritrovò solo col suo nulla.

A questi due possibili percorsi dell'infedeltà a se stessi, inautenticità o distruzione, si oppone solo una terza strada, l'unica da imboccare al trivio in cui l'esistenza è inevitabilmente posta: la fedeltà al cuore, che si ribella alle prime due vie perché sente la noia profonda di un destino inadeguato e carente.

Ricordo a questo proposito un ragazzo di quattordici anni che si era iscritto a un istituto tecnico perché così avevano fatto i suoi familiari e questo era l'unico orizzonte di futuro che riusciva a vedere. Ma alla fine di un incontro tenuto nella sua scuola, venne da me e mi chiese – ancora sorrido – se potevo diventare il suo mentore (avevo raccontato le pagine dell'*Odissea* in cui Mentore assiste Telemaco nel suo viaggio di ricerca del padre). Aveva da sempre voluto fare il classico e l'attore, ma non aveva il coraggio di dirlo ai suoi amici e familiari, e così si era adeguato a una scelta rassicurante. Tuttavia, sentiva che stava perdendo qualcosa di troppo importante, una resistenza interiore che non lo lasciava in pace. Così prese coraggio e nell'estate successiva cominciò a studiare le materie in cui si sarebbe trovato in difficoltà, imparò da solo greco e latino. Mi scrisse di essere stato preso al secondo anno: si sentiva felice e forte di aver dimostrato a sé e al mondo di cosa era capace. Niente ferma l'ardore di gioventù quando è "fuori di sé" per un rapimento autentico e quando una guida mette alla prova, senza fare sconti, quella vocazione e incoraggia a non aver paura di mettersi in gioco.

Parlami, Giacomo, di come ascoltare l'inquietudine del cuore senza comprimerlo nel petto per troppa paura della vera chiamata alla vita. Scrivimi, come si fa a non mettere una corazza attorno al cuore per paura che la vita ci inganni o dopo che la vita ci ha disingannato? Meglio un quieto sopravvivere o un inquieto vivere? Meglio morire per vivere o vivere per morire?

Solo l'amore ci perdona di essere come siamo, e forse non è una buona notizia

Il conoscimento e il possesso di se medesimi suol venire o da bisogni e infortuni, o da qualche passione grande, cioè forte; e per lo più dall'amore.

Pensieri, LXXXII

Caro Giacomo,
qualche giorno fa mi recavo in treno a un incontro con dei ragazzi sul mio ultimo romanzo. Pensavo a quanto avrei detto. A una stazione il treno si è fermato più a lungo e quella sosta mi ha consentito di scuotermi per un istante dai miei pensieri e dai miei appunti. Ho sollevato lo sguardo e avevo di fronte un muro di cinta, sul quale a caratteri cubitali, in blu, una mano probabilmente notturna aveva scritto: "E poi ho visto i suoi occhi". In quel momento ho capito di cosa avrei parlato. Quelle virgolette che aprono un dialogo nella pagina bianca della vita: la necessità di parlare con la persona a cui appartenevano quegli occhi. E poi la congiunzione "e" a indicare che il flusso della vita precedente si svolgeva anonimo e senza sussulti, e a un tratto erano apparsi occhi a guardare proprio lui, proprio lei. Finalmente la vita acquistava senso ed era necessario quel "poi", prima del quale tutto era informe o uniforme, cioè non aveva forma o ne aveva una sola, sempre uguale. Quegli occhi che fra milioni si posano su di noi e solo su di noi, come a dirci "scelgo di guardare te, tra tutti", ci tirano fuori dall'anonimato, dalla terra degli sbagliati e degli invisibili, aggiungendo la dimensione della profondità alla nostra vita, perché ci raggiungono dove originiamo. Quello sguardo ci perdona di essere come siamo, ci permette di abbassare le difese per lasciarci amare,

131

ci rivela che andiamo bene così, con le nostre insufficienze e fragilità. E la prima cosa che racconteremo a quegli occhi a tu per tu non sarà certo quanto siamo bravi e belli, i nostri risultati, ma proprio quanto siamo piccoli e fragili, perché finalmente abbiamo trovato qualcuno capace di guardare la nostra nudità senza farci sentire nudi, bensì vestiti proprio di noi stessi. Quello sguardo ci aiuta a indossare la vita, la nostra vita, come il più bello degli abiti, a superarci e a raggiungere la nostra altezza e bellezza, come lo sguardo del giardiniere permette al seme di rosa di diventare fiore. Chi lo trova, scopre cosa sono la misericordia, il perdono, la maturazione. Il bambino si ri-conosce negli occhi della madre e del padre, l'amata negli occhi dell'amato e viceversa. Senza questi occhi non si può crescere sin dalle radici, non si può essere sin dal sottosuolo freddo e sporco. E non si può essere poi stelo, foglie, fiore, frutto. Per questo l'amore è vera e propria esperienza di salvezza: "Io non ho bisogno di stima, né di gloria, né d'altre cose simili. Ma ho bisogno d'amore" (*Lettera ad Antonietta Tommasini*, 5 luglio 1828).

Ho sempre sognato e voluto occhi così per me, Giacomo, e, grazie a Dio, li ho trovati. E quando li trovi e non ti possono essere più tolti, allora la felicità possibile nei limiti di questa vita diventa reale. Chi ama ed è amato accende tutto il suo essere; "è innamorato, è innamorata!" mi accade di pensare quando noto un'improvvisa e nuova leggerezza nei gesti dei miei alunni. Solo quegli occhi rendono abitabile il destino e lo trasformano in destinazione, conferiscono un senso di forza alla vita, che non è forse tutta la felicità che vorrebbe il cuore umano, ma è nutrimento sufficiente a sopportare ciò che sempre manca:

In fine la vita a' suoi occhi ha un aspetto nuovo, già mutata per lui di cosa udita in veduta, e d'immaginata in reale; ed egli si sente in mezzo ad essa, forse non più felice, ma per dir così, più potente di prima.
(Pensieri, LXXXII)

Anche tu hai cercato questi occhi nella tua vita. Per due volte, e due volte non sei stato corrisposto. E ora più che mai, ora che la vita sembrava averti tolto ogni illusione, si rinnovò l'ultimo e il più importante dei desideri: l'amore. Proprio quando il tuo cuore si stava spegnendo e inaridendo, il terzo paio di occhi che si posò su di te ti diede speranza di trovare casa per la tua fragilità. Era il 1830, lo stesso anno in cui stringesti amicizia fraterna con Antonio Ranieri, che avevi conosciuto tre anni prima.

Sono gli occhi di Fanny Targioni Tozzetti, nobildonna fiorentina sensibile e brillante, attratta da quel che facevi e dalle conoscenze illustri che questo comportava più che da chi eri. Uno sguardo vivace e un sorriso dolce fecero il resto. In lei avevi visto qualcuno capace di trionfare sulla malinconia. Ma quell'amore fu solo un tuo desiderio, per lei non era altro che piacevole conversazione, amicizia tra ingegni, con una punta o forse più di civetteria. Non ti fu facile, Giacomo, accettare questa ulteriore speranza distrutta, e il malinconico risveglio dal miraggio della felicità:

Ma io ho torto di scrivere queste cose a voi, che siete bella, e privilegiata dalla natura a risplendere nella vita, e trionfare del destino umano. So che ancor voi siete inclinata alla malinconia, come sono state sempre e come saranno in eterno tutte le anime gentili e d'ingegno. Ma con tutta sincerità, e non ostante la mia filosofia nera e disperata, io credo che a voi la malinconia non convenga, cioè che quantunque naturale, non sia del tutto ragionevole. Almeno così vorrei che fosse [...] Addio, cara Fanny.
(Lettera a Fanny Targioni Tozzetti, *5 dicembre 1831*)

Avevi già scritto in *Storia di un'anima*, con la tua consueta precisione in fatti di cuore, di un'amicizia di circa un lustro prima, vissuta da te quasi come l'alba di un amore. Nella contessa Teresa Carniani Malvezzi avevi trovato per la prima volta una donna con cui potevi parlare dal fondo del tuo rapimento ed essere capito:

Nei primi giorni che la conobbi, vissi in una specie di delirio e di febbre. Non abbiamo mai parlato di amore, se non per ischerzo, ma viviamo insieme in un'amicizia tenera e sensibile, con un interesse scambievole, e un abbandono, che è come un amore senza inquietudine. Ha per me una stima altissima; se le leggo qualche mia cosa, spesso piange di cuore, senz'affettazione; le lodi degli altri non hanno per me nessuna sostanza, le sue mi si convertono tutte in sangue, e mi restano tutte nell'anima. Ama ed intende molto le lettere e la filosofia; non ci manca mai materia di discorso, e quasi ogni sera io sono con lei dall'avemaria alla mezzanotte passata, e mi pare un momento. Ci confidiamo tutti i nostri secreti, ci riprendiamo, ci avvisiamo dei nostri difetti. In somma questa conoscenza forma e formerà un'epoca ben marcata della mia vita, perché mi ha disingannato del disinganno, mi ha convinto che ci sono veramente al mondo dei piaceri che io credeva impossibili, e che io sono ancora capace d'illusioni stabili, malgrado la cognizione e l'assuefazione contraria così radicata; ed ha risuscitato il mio cuore, dopo un sonno anzi una morte completa, durata per tanti anni.

(Lettera a Carlo Leopardi, *30 maggio 1826*)

Questa forma di amore, che risveglia tutto l'essere e gli permette di guardarsi e di abbracciarsi come destino necessario, si ripresenta alla tua anima morta, qualche anno dopo, con Fanny, come una nuova chiamata, come un nuovo rapimento, e per questo come la più terribile delle delusioni. Niente ci fa morire in vita, Giacomo, come un amore non corrisposto, perché ci conferma che quegli occhi, che abbiamo cercato per abitare la nostra fragilità, non esistono. La nostra nudità non merita alcuna misericordia, veniamo ricacciati nell'anonimato della terra degli invisibili, degli sbagliati, dei soli. Con la caduta definitiva della speranza d'amore, in te cade ogni altra ambizione umana, ogni altra illusione e speranza che possa lenire il cuore e il suo esilio. L'esistenza, senza amore, non è altro che una ridicolaggine, una beffarda tragedia:

Delle nuove da me non credo che vi aspettiate. Sapete ch'io abbomino la politica, perché credo, anzi vedo che gli individui sono infelici sotto ogni forma di governo; colpa della natura che ha fat-

ti gli uomini all'infelicità; e rido della felicità delle masse, *perché il mio piccolo cervello non concepisce una massa felice, composta d'individui non felici. Molto meno potrei parlarvi di notizie letterarie, perché vi confesso, che sto in gran sospetto di perdere la cognizione delle lettere dell'abbiccì, mediante il disuso del leggere e dello scrivere. I miei amici si scandalizzano; ed essi hanno ragione di cercar gloria e di beneficare gli uomini; ma io che non presumo di beneficare, e che non aspiro alla gloria, non ho torto di passare la mia giornata disteso su un sofà, senza battere una palpebra. E trovo molto ragionevole l'usanza dei Turchi e degli altri Orientali che si contentano di sedere sulle loro gambe tutto il giorno, e guardare stupidamente in viso questa ridicola esistenza.* (Lettera a Fanny Targioni Tozzetti, 5 dicembre 1831)

Desiderio di gloria e amore, le più potenti aspirazioni a cui hai dedicato il tuo cuore, caddero miseramente. Non hai avuto gloria, né amore, solo un corpo storto da cui però continuavi a levare l'estremo canto di dolore dalla tua notte più fonda, anche perché intanto la tua oftalmia peggiorava: la debolezza dei nervi oculari si faceva più prolungata e dolorosa, tanto da costringerti a vivere come una falena notturna. Trasformavi in volo l'oscura notte della disperazione in cui eri precipitato. Così nasce il più disperato e moderno dei tuoi canti.

Giacomo, come vorrei tu non avessi mai provato la tragedia di non essere corrisposto in amore, ma proprio grazie a quell'esperienza hai permesso a molti di abitare anche questa notte oscura dei sensi.

A se stesso:
il cuore è il nostro più grande nemico

Perché, dio del male, hai tu posto nella vita qualche apparenza di piacere? l'amore?... per travagliarci col desiderio,
col confronto degli altri, e del tempo nostro passato ec.?
Concedimi ch'io non passi il 7° lustro. Non ti chiedo nessuno di quelli che il mondo chiama beni: ti chiedo quello
che è creduto il massimo de' mali, la morte. Non posso, non
posso più della vita.

Ad Arimane

Caro Giacomo,
il cuore si era lasciato ingannare dal più seducente degli
inganni, dalla più raffinata delle torture: l'amore. Non ti restava che essergli nemico. Il cuore è l'origine delle illusioni, dei desideri, dei progetti, dell'infinito oltre la siepe, ma
la vita si incarica di frantumarli a uno a uno. Hai trovato la
causa di ogni male e con essa il possibile vaccino. Il triste
segreto da comunicare a tutti è: la felicità è solo il parto di
un cuore inadeguato, come una reliquia dimenticata dall'infinito in noi, un infinito non presente da nessun'altra parte, desiderabile quindi, ma non raggiungibile. Per questo il
cuore è solo una metafora che gli uomini hanno inventato
per dire la loro sete dell'impossibile.
Ma per te il cuore non soltanto è ciò che si intende oggi: il
sentimento contrapposto alla ragione, l'emozione contrapposta alla freddezza, l'istinto contrapposto al calcolo. Per
te il cuore è fonte di conoscenza, è il solo che riesce a "comprendere" certe cose, che altrimenti rimarrebbero inaccessibili all'uomo. Intercetta un valore prima di qualsiasi ra-
gionamento, ne intuisce immediatamente la profondità ed
entra in risonanza; tu questo fenomeno lo identifichi con
"i moti del cuore", una tensione verso ciò che ci fa sentire a
casa, una sorta di forza di gravità spirituale che esercita su
di noi un'attrazione silenziosa, ma efficace.
Il cuore ci fa sperimentare la familiarità con una cosa o

una persona come se avessero sempre abitato sotto il nostro stesso tetto. Il bambino non comprende il valore di una banconota, lo farà solo quando gli spiegheranno che cosa rappresenta quel pezzo di carta. Eppure quello stesso bambino coglie senza bisogno di spiegazioni e ragionamenti il valore di qualcosa che lo meraviglia, come un regalo, un castello di sabbia, una stella. Il cuore riconosce la vita e desidera amare ed essere amato di più, non a caso è un organo cavo, che deve tutto ricevere e tutto dare. Ciò non significa che sia irrazionale, ma che non ha bisogno di percorrere tutti i passaggi della logica: riconosce la bellezza di un panorama, di un viso, di un quadro senza dimostrazioni, e quella bellezza lo desta e lo invita al movimento di tutto l'essere perché si impegni ad accogliere, difendere e far esistere ancora di più quel valore, come accade a un insegnante che si impegna per i suoi alunni, a uno scrittore per i suoi personaggi. In questo senso l'amore non si riduce a un moto di reazione; è azione: risponde a un appello e prende l'iniziativa, liberamente, lotta per rendere quel valore ancora più reale. Al cuore, Giacomo, tu riconosci questa capacità attiva, non certo una facile emozione passeggera, ma una questione di vita o di morte. Perciò ora proprio il cuore, in cui avevi riposto le tue speranze giovanili, si rivela il nemico da abbattere. Da qui nasce il tuo gruppo di canti più drammatico, il cosiddetto *Ciclo di Aspasia*, la donna (e la realtà tutta) che non ti corrispose, un vero e proprio poema del cuore distrutto. E sul palcoscenico dell'umano frantumato restano questi versi:

A se stesso (1833-1835)

Or poserai per sempre,
Stanco mio cor. Perì l'inganno estremo,
Ch'eterno io mi credei. Perì. Ben sento,
In noi di cari inganni,
Non che la speme, il desiderio è spento.   5
Posa per sempre. Assai
Palpitasti. Non val cosa nessuna

137

I moti tuoi, né di sospiri è degna
La terra. Amaro e noia
La vita, altro mai nulla; e fango è il mondo.   10
T'acqueta omai. Dispera
L'ultima volta. Al gener nostro il fato
Non donò che il morire. Omai disprezza
Te, la natura, il brutto
Poter che, ascoso, a comun danno impera,   15
E l'infinita vanità del tutto.

Hai intitolato il canto *A se stesso*, e non è altro che un dialogo fra te e te, lo sdoppiamento si fa teatro in cui ragione e cuore si contendono la scena, la prima pretende dal secondo che smetta di battere. Un cuore resuscitato per morire ancora è soltanto un gioco crudele, che ricaccia l'infinito ferito che siamo nell'assoluta solitudine e chiusura. Proprio quando si è riaperto, subisce il colpo di grazia. Cos'è, Giacomo, l'amore se non un confidare a qualcuno il punto più scoperto dove colpirci, nel caso smettesse di amarci? E se la più grande delle speranze si trasforma nella più dolorosa delle morti, per cosa mai vivere? "Se l'amore fa l'uomo infelice, che faranno le altre cose che non sono né belle né degne dell'uomo"? (*Lettera a Fanny Targioni Tozzetti*, 16 agosto 1832).

Meglio far morire il cuore che sottoporsi ad altre torture. Ed è quello che gli intimi di fare, in questo canto in cui la parola diventa "epica": spinge all'azione. Fai ciò che si può fare solo nell'immaginazione dei poeti che non rinunciano alla verità, impossibile da dire altrimenti: imporre al cuore un infarto, ordinargli di smettere di battere, di ricevere e dare. Riesci in questo atto poetico estremo, in sedici versi.

L'infinito ne aveva quindici. *A se stesso* sedici. Non può essere un caso, perché il sedicesimo che eccede di un verso il già eccessivo verso 15 dell'*Infinito* rende vano, dopo aspra verifica, proprio quel naufragio salvifico sognato, perché di infinito c'è solo l'infinita vanità di ogni cosa. Il verso 16 nega e chiude, come una lapide, la possibilità di andare oltre la siepe. Nulla è dolce: al verso 9, infatti, il sentimento della vita è definito "amaro" ed è accostato a quella tragica noia che è, Giacomo, la condanna di un cuore mai pago e mai appagabile. Ora non deve fare altro che posare: riposare in pace, morire. È l'ultimo capitolo di questo romanzo del cuore. Maturare è morire. Il "fingo" del pensiero, che immaginando raggiungeva l'infinito fino a spaurire il cuore, qui si trasforma in "fango" al verso 10: dal fango viene l'uomo e al fango ritorna, e il respiro che lo abita è solo una condanna. Non ci sono più gli endecasillabi sinuosi e musicali dell'*Infinito*, che sconfinano l'uno nell'altro in un continuo slancio, testimoniando la libertà dai limiti imposti dalla metrica del singolo verso. Qui ci sono endecasillabi spezzati da settenari e enjambement usati come divieti, a sottolineare il contrario dell'infinito: il limite invalicabile, di là dal quale non c'è nulla. "Assai / Palpitasti. Amaro e noia / La vita. Omai disprezza / Te." E ci sono gli ordini perentori che la ragione detta al cuore, sottoponendogli l'evidenza del fallimento dell'intero esistere: "posa", "acqueta", "dispera", "disprezza". Non resta che sopprimere l'istinto dell'uomo a superarsi, quello che, negli ultimi versi del suo poema, Dante chiama "disio", desiderio, la *dilectio naturalis*, la tensione naturale dell'uomo verso l'infinito. Nel finale del suo pellegrinaggio celeste egli scopre che quell'infinito è Dio e coincide con il "velle", la *dilectio electiva*, ciò che l'uomo sceglie come oggetto di quell'infinito. Il nostro radicale desiderio d'amore e ciò che vogliamo per realizzarlo finalmente coincidono. Dante trova la risposta alla sua sete di infinito, esiste qualcuno capace di dissetare l'insaziabilità del desiderio umano, la sua vita fragile e finita è eternamente voluta e amata, così com'è, e torna sulla terra a raccontarlo agli uomini.

Giacomo, tu invece chiedi al tuo "disio" di cessare, perché il tuo volere non ha trovato nulla capace di soddisfare quel radicale desiderio d'amore incastonato nel cuore. Per eliminare una sete inestinguibile non resta che strappare la sete stessa. L'istinto di infinito deve essere eliminato alla radice: se solo si potesse essere realmente "senza cuore", come diciamo delle persone più amare e indurite... E qui sta il punto, Giacomo, in cui la tua arte ti supera. Tu, questa drammatica intuizione, la stai cantando. La bellezza stilla, come sangue che accorre alla ferita, proprio a partire da questo dolore.

Tu non rinunci a cantare. Non ti chiudi nel silenzio e non ti fai banditore del nulla, perché il nulla non è la realtà: la parola può ancora vivere. Questo significa che oltre il tuo sedicesimo verso, naufragio del naufragio infinito, tu poni la bellezza stessa. Unica realtà non vana, nell'infinita vanità del tutto cosmico, resta la poesia: il *cosmos* di parole, l'ordine nel caos, il mondo nell'immondo. Ecco il tuo vero destino: emergere come una fenice dalle ceneri della tua ragione. La tua maturità è qui raggiunta proprio nell'apparente sconfitta. La parola si leva, salva e lucente, dalla notte oscura, come un fuoco sopravvissuto al diluvio. Non smetti di creare anche quando creare è inveire contro il nulla, perché la bellezza possa abitare questa terra desolata: l'ultima parola non ce l'hanno il nulla, il dolore, lo smarrimento, ma la creazione, la bellezza, certo drammatica, ma forse per questo più vera.

La bellezza vince il nulla, la poesia vince la morte, perché trasforma persino la morte, massimo limite, in arte di morire.

Trasformare in canto il disincanto

Dopo due anni, ho fatto dei versi quest'aprile; ma versi veramente all'antica, e con quel mio cuore d'una volta.

Lettera a Paolina Leopardi, 2 maggio 1828

Caro Giacomo,
possedevi un vestito blu, elegante ma ormai logoro, che avevi fatto rivoltare e rifoderare quando ti innamorasti di Fanny, per sembrare più amabile. Conoscevi bene l'arte di riparare le cose, di renderle nuove, anche quando erano molto rovinate. Le riparavi per amore, ma l'amore ti tradì. Eppure non rinunciasti a riparare ciò che si era definitivamente logorato: la speranza spazzata via dall'esperienza, la vita spezzata dalla morte. Dopo la ferita mortale al cuore, porti avanti la tua opera di riparazione di un ulteriore gradino. Non ti fermi al dolore cosmico, come vogliono credere quelli che si limitano al contenuto, dimenticando che in poesia la forma è il contenuto, che la parola è il corpo della bellezza, anche quando è sfigurata. Il tuo genio non si dà per vinto e intuisce che quello che è crollato forse era solo un mondo fittizio, creato dall'immaginazione, e che il cammino deve continuare. C'è ancora qualcosa da scoprire, una luce in mezzo alle tenebre, non fosse altro che la luce dei versi. I tuoi canti sono il grido di riscatto dell'infinito ferito, fiaccato, frantumato: ci sono anziché non esserci, c'è speranza proprio perché c'è creazione, perché "creare" è sinonimo di "amare". Per questo io posso sperare, Giacomo, perché non hai trasformato il nulla in nulla, ma in bellezza. Per questo, grazie a te, posso abitare anche il nulla e ho capito il segreto di una vita

matura: riparare le ferite degli uomini e del mondo, farsi balsamo per quelle ferite, anche quando sembra che non possano guarire: "Il poeta non canta più per divertire, per fugare la noia, per dimostrare che è bravo. Canta perché soffre per tutti, per chi non sa ancora nulla del suo destino, per gli astri che dovranno, anch'essi, morire, canta per decifrare il segreto dell'universale male che colpisce ogni cosa creata, canta per desiderio di bene, anche se il bene non gli sembri che un'illusione" (Giuseppe Ungaretti, *Idee del Leopardi sulla crisi del linguaggio e sulla lingua*).

In uno dei capitoli della Bibbia che amo di più ho trovato il tuo stesso malinconico realismo, fatto di oggetti e personaggi quotidiani, che mai si trasforma in disperazione. Il dodicesimo capitolo di Qoèlet è il culmine dell'amara constatazione che percorre l'intero libro: tutto è vanità, eppure il senso del limite non è sconfitta, ma apertura:

Ricordati del tuo creatore
nei giorni della tua giovinezza,
prima che vengano i giorni tristi
e giungano gli anni di cui dovrai dire:
"Non ci provo alcun gusto";
prima che si oscuri il sole,
la luce, la luna e le stelle
e tornino ancora le nubi dopo la pioggia;
quando tremeranno i custodi della casa
e si curveranno i gagliardi
e cesseranno di lavorare le donne che macinano,
perché rimaste in poche,
e si offuscheranno quelle che guardano dalle finestre
e si chiuderanno i battenti sulla strada;
quando si abbasserà il rumore della mola
e si attenuerà il cinguettio degli uccelli
e si affievoliranno tutti i toni del canto;
quando si avrà paura delle alture
e terrore si proverà nel cammino;
quando fiorirà il mandorlo .
e la locusta si trascinerà a stento

e il cappero non avrà più effetto,
poiché l'uomo se ne va nella dimora eterna
e i piagnoni si aggirano per la strada;
prima che si spezzi il filo d'argento
e la lucerna d'oro s'infranga
e si rompa l'anfora alla fonte
e la carrucola cada nel pozzo,
e ritorni la polvere alla terra, com'era prima,
e il soffio vitale torni a Dio che lo ha dato.
Vanità delle vanità, dice Qoèlet,
e tutto è vanità.

Tutto è destinato a finire, questa è l'essenziale fragilità del mondo. Qualche gioia si coglie nell'età giovanile, poi inesorabilmente tutto torna alla polvere. Per Qoèlet solo Dio è garante dell'infinito, egli ha tratto dal nulla le cose, conferendo loro l'infinita nostalgia di lui e non del nulla: ricordandosi del Creatore, la festa della giovinezza non finisce. A te manca la fiducia dei primi quattro versi di questo capitolo, il padre benevolo è nascosto dietro l'ingombrante presenza di una natura che come un meccanismo tragico tutto travolge nel suo ritmo di vita e morte. Più che un padre, sembra un orologiaio che, data la carica al mondo, si è ritirato nel silenzio. Eppure, anche senza questa fiducia, e forse per questo con più audacia, come l'autore biblico tu trasformi la tenebra in speranza, per lui trascendente, per te immanente. La Bellezza e la bellezza.

Il destino, il limite a noi imposto, si può non solo subire, morendo. Si può anche abitare, e magari amare?

La risposta è contenuta in un'altra fase della vita.

RIPARAZIONE
o l'arte di essere fragili

La mia filosofia, non solo non è conducente alla misantropia, come può parere a chi la guarda superficialmente, e come molti l'accusano; ma di sua natura esclude la misantropia, di sua natura tende a sanare.

Zibaldone, 2 gennaio 1829

Caro Giacomo,

un giorno assolato, all'ombra di un albero immenso che ci riparava con la sua ombra buona, una studentessa mi chiese per cosa spendo la mia vita. Io le risposi porgendole un fiore di campo, una margherita piccolissima: "Per difendere la bellezza delle cose fragili". Viviamo in un'epoca in cui si è titolati a vivere solo se perfetti. Ogni insufficienza, ogni debolezza, ogni fragilità sembra bandita. Dalla terra degli sbagliati scampano temporaneamente quelli che mentono a se stessi costruendo corazze di perfezione, ma c'è un altro modo per mettersi in salvo, ed è costruire, come te, un'altra terra, fecondissima, la terra di coloro che sanno essere fragili. La leggerezza degli uccelli dipende proprio dal peso delle loro ali: è una leggerezza forte, non frutto di superficialità, ma di aspra lotta. Tu hai vissuto in un corpo dalle ali pesantissime, e ti sei librato più leggero di tutti, per tutti farci volare.

Quella ragazza, sotto quell'albero, rimase perplessa. Alla sua tacita domanda "che cosa significa difendere la bellezza delle cose fragili, e perché?", formulata nell'alfabeto del silenzio con cui si pongono gli interrogativi più difficili, risposi: "Perché ciò che è sacro al principio è sempre fragile, come il seme che nascondeva i rami forti e ampi all'ombra dei quali parliamo".

La vidi illuminarsi, perché intuì che il suo essere fragile non era una colpa, ma un viaggio in compagnia di tutti gli altri, anche me. Uno dei segreti per riparare e ripararsi, Giacomo, è l'amicizia, e nulla come gli amici tu hai cercato. E nel percorrere il deserto della tua solitudine hai trovato come amici tutti gli uomini, compreso me. Senza amici l'arte di essere fragili è impossibile.

Mesi dopo, quella ragazza mi mostrò la margherita, ormai secca ma intatta, conservata nella teca dei fiori della memoria: le pagine di un libro amato. L'aveva tenuta per ricordarsi della nostra amicizia e del segreto della nostra arte di vivere: difendere le cose fragili.

Senza amici nulla può essere riparato

Ricordati, Ranieri mio, che tu, sola, unica, non compensabile cosa al mondo, rendi possibile a' miei occhi il vivere che naturalmente mi rimane.

Lettera ad Antonio Ranieri, 27 dicembre 1832

Caro Giacomo,
c'è un amore che ti salvò, e non fu quello di una donna, ma quello di due amici che ti accolsero nella loro casa di Napoli e nella loro villa a Torre del Greco; erano fratelli: Antonio e Paolina Ranieri. Dopo la rottura dei rapporti con Fanny ti separavano dalla morte solo quattro anni, durante i quali non aggiungesti più alcuna riga allo *Zibaldone*, come se il laboratorio che doveva nutrire i tuoi versi avesse raggiunto il suo scopo. Ora era tempo di poesia, solo poesia, ultimo baluardo posto contro il nulla, assieme all'amicizia.

Ti aggrappasti a entrambe con la stessa forza con cui il naufrago si aggrappa ai resti di una nave per non annegare. Il tuo cuore esiliato dall'amore aveva trovato alloggio in quello dell'amico, tanto che ti riferivi ad Antonio come "cuore mio, anima mia". Lo supplicavi, scrivendogli anche tre lettere a settimana, di non abbandonarti mai. Era l'unico appiglio per non precipitare nell'abisso della disperazione. Un giorno ti presentasti da lui armato di bastone urlando: "Io esco fuori a bastonare qualcuno". Riuscì a calmarti, come fanno gli amici, con una passeggiata, per mostrarti che il mondo non aveva perso la sua bellezza.

Non avevi soldi e dovevi elemosinarli ai tuoi. I calzini erano stati rammendati troppe volte. La tua vista scemava ed eri costretto a dettare ad Antonio le tue lettere e i tuoi versi. Ora aprivi le finestre lasciando entrare la luce esagerata del mattino, ora le chiudevi anche durante il giorno. Soffrivi di insonnia e di difficoltà respiratorie, e a turno Paolina e Antonio rimanevano svegli a parlarti o a leggerti le pagine che amavi, come si fa con i bambini impauriti. Asma, bronchite cronica, sbocchi di sangue, allergie, il gonfiore delle gambe... Tutto in te era fragile, invecchiato anzitempo. E quei due amici ti salvarono: fu un'amicizia difficile, come tutte le relazioni vere, che richiedono continua messa a punto e proprio per questo diventano profonde e non vengono mai meno. Ti ricordavano due dei tuoi fratelli, Carlo e Paolina, gli altri due grandi amici della tua vita; non a tutti è dato il dono di avere i fratelli come amici e in questo sono stato fortunato come te.

Chi ti visitava, in quegli anni, non si capacitava che tu fossi l'autore di quelle poesie piene di bellezza, racchiuso come eri in un corpo ormai fiaccato. Persino il giovanissimo De Sanctis, che sarebbe poi diventato il più importante critico letterario del suo tempo, quando ti vide entrare nella sua classe alla scuola letteraria del marchese Puoti, rimase turbato dal tuo aspetto emaciato, ma ipnotizzato dalla dolcezza del tuo sorriso, quel sorriso di bambino che avevi mantenuto per tutta la tua vita fragile come ciò che avevi di più forte. Quel sorriso gli rimase così impresso che fu il primo (e per molto tempo l'unico) a fare dei tuoi canti l'oggetto dei suoi corsi di letteratura: eri il più grande poeta moderno, lui che l'aveva capito subito cercò di mostrarlo anche ai suoi allievi, che portava in processione alla tua tomba, come adepti di un culto religioso.

Fu uno dei pochi a distaccarsi dalla schiera di intellettuali che avevano nei beni materiali e nelle "magnifiche sorti e progressive" la loro religione, nei giornali il loro vangelo, e che per questo tu chiamavi "i nuovi credenti". Ti consideravano un menagramo, un infelice incapace di accettare la vita come progresso illimitato nelle mani dell'uomo, un misantropo che proiettava sul cosmo le sue deformità, tanto da affibbiarti il soprannome di "ranavuottolo" (ranocchio). Leggevano la tua poesia come il lamento di un ranocchio che non nasconde alcun principe. Ci volevano versi di ben altra fattura per un tempo così "forte" e "sicuro di sé", non certo la malinconica e inquieta fragilità del tuo canto... Mentre gli intellettuali sparlavano di te, tu, a Napoli, ti immergevi nel ventre della città e ascoltavi le storie della gente di strada, come quella di un vecchio che ti raccontò di aver perso tutto poco meno di vent'anni prima, quando la lava del Vesuvio gli aveva divorato campi e famiglia. Tu sapevi ascoltare le esistenze comuni, anche le più fragili, perché sentivi risuonare in ogni vita il dramma dell'intero cosmo, mentre gli altri intellettuali erano troppo impegnati a dimostrare le loro costruzioni mentali per accorgersi del dolore, dei bisogni, e avvicinarsi. A quel vecchio non restava che aggrapparsi al racconto di quei ricordi tristi. Come tu ti aggrappavi all'"umana compagnia" degli altri uomini, tanto da far esclamare a una delle tue ultime maschere letterarie: "Viviamo, Porfirio mio, e confortiamoci insieme [...] per compiere nel miglior modo questa fatica della vita" (*"Dialogo di Plotino e di Porfirio"*, *Operette morali*). Attraverso la poesia hai sempre dato vita all'amico a cui volevi comunicare il tuo mistero, vicino o lontano che fosse.

Per nutrirsi della fatica dell'esistenza, per trasformare in vita la morte, occorre l'amicizia. Non si può rimanere fedeli a se stessi se i veri amici non si sostituiscono a noi proprio nei momenti in cui abbiamo smesso di credere nella nostra più profonda essenza. Sono loro che ci restituiscono la nostra immagine più vera, perché devono persino difenderci da noi stessi e dalle nostre smanie di distruzione, quando ci sembra che creare sia impossibile, che il compimento sia perduto per sempre, che il nulla ci meriti.

Anche io conosco il valore di questa amicizia che ti salva dall'abisso, che ti sta vicina nel pianto, che legge i piccoli segni del volto, che, anche se non può raggiungere il nucleo del buio, può far sentire accompagnati in quel viaggio attraverso la notte interiore.

Questa amicizia salva perché ripara la nostra immagine più vera, restituendoci la fedeltà che ci rende felici nella nostra insopportabile fragilità. All'illusione dell'amore per te sopravvive, Giacomo, la solida certezza dell'amicizia. Ne ho trovata la definizione più bella in un libro che di vita e destino ha fatto il proprio titolo: "L'amicizia è uno specchio in cui l'uomo si riflette. A volte, chiacchierando con un amico impari a conoscerti e comunichi con te stesso [...] Capita che l'amico sia una figura silente, che per suo tramite si riesca a parlare con se stessi, a ritrovare la gioia dentro di sé, in pensieri che divengono chiari e visibili grazie alla cassa di risonanza del cuore altrui [...] L'amico è colui che ti perdona debolezze, difetti e vizi, che conosce e conferma la tua forza, il tuo talento, i tuoi meriti. E l'amico è colui che, pur volendoti bene, non ti nasconde le tue debolezze, i tuoi difetti, i tuoi vizi. L'amicizia si fonda dunque sulla somiglianza, ma si manifesta nella diversità, nelle contraddizioni, nelle differenze. Nell'amicizia l'uomo cerca egoisticamente ciò che gli manca. E nell'amicizia tende a donare munificamente ciò che possiede." (Vasilij Grossman, *Vita e destino*)

Il giorno in cui precipitasti nel silenzio della morte, Giacomo, Paolina ti aveva portato un sacchetto di mandorle caramellate. Stavi bene e le mangiasti in poche ore, con gran soddisfazione. Gli amici ci riparano con le nostre passioni, e così facendo riparano le nostre passioni.

L'amicizia è la strada principale perché un destino diventi destinazione, ma sono pochissimi gli amici che sanno salvare il nostro rapimento, confermarci nella nostra vocazione, perché a volte devono amarci più di quanto noi amiamo noi stessi. E questo richiede coraggio e pazienza. Essere fragili costringe ad affidarsi a qualcuno e ci libera dall'illusione di poter fare da soli, perché la felicità si raggiunge sempre almeno in due.

Riparare l'infinito

> Tutto ciò che è finito, tutto ciò che è ultimo, desta sempre *naturalmente* nell'uomo un sentimento di dolore, e di malinconia. E ciò a causa dell'infinità dell'idea che si contiene in queste parole *finito, ultimo.*
>
> *Zibaldone*, 13 dicembre 1821

Caro Giacomo,
si dice che la differenza tra un ottimista e un pessimista consista nel fatto che il secondo è meglio informato del primo: nel tuo caso è così, proprio per la tua ricerca inesausta del vero, ma il pessimismo non si attaglia a uno che continua a lottare benché tutto, attorno a lui, consigli la ritirata. Mai ho percepito nelle tue lettere pessimismo; dolore sì, sdegno, persino ira, ma pessimismo mai.

Quel creare che ha accompagnato la tua intera vita, quel tuo fare, quel tuo *poetare*, per dirla in un'unica parola, non è compatibile con il pessimismo. E già ti eri ribellato quando ti davamo del misantropo, ma non ti abbiamo prestato ascolto.

Il pessimismo è una categoria psicologica, relativa al temperamento e all'atteggiamento, senz'altro valida ma restrittiva. Tu vedevi sì il bicchiere mezzo vuoto, ma non smettevi mai di immaginare a partire da quel vuoto, che coglievi come occasione per creare. Questo non è un tratto psicologico, ma una scelta, che coinvolge l'io molto più in profondità; a un livello più superficiale si può manifestare anche come pessimismo, ma non vi si riduce. Questo moto dello spirito tu lo chiami "malinconia" ed è forse una delle cose di cui ti sono più grato, perché lo hai vissuto e trasformato in parole e versi, così da farmelo scoprire e consentirmi di viverlo e abitarlo come ciò che ho di più prezioso. Malinconia è vedere l'enorme fragilità del mondo e non scappare, ma chinarsi a riparare, senza stancarsi; scorgere che sempre, sempre, qualcosa manca, e in quel vuoto sentirsi spinti non verso il nulla, ma verso la creazione. Questo ostacolo scandaloso, che la natura sembra volerci imporre come una croce crudele, pesa sulle spalle di cose e persone: il passero solitario, la luna al tramonto, Silvia, il pastore errante, la ginestra e tutti gli eroi silenziosi della vulnerabilità. Nessuno meglio di te, Giacomo, mi ha parlato senza paura di questa vulnerabilità, e uso la parola non a caso, perché contiene il termine *vulnus*, cioè quella "ferita" costantemente aperta dallo slancio verso l'infinito e dal contatto con gli spigoli taglienti della finitezza delle cose. Hai guardato nella nuda esistenza e l'hai trovata nuda senza rimedio, come accadde a Dante quando venne a visitarlo la Malinconia in persona perché Beatrice era morta.

Da te, Giacomo, ho imparato cosa sia questa malinconia, che tutti ci accomuna; spesso la scacciamo come sentimento inadeguato e negativo, invece è proprio il moto del cuore che ci salva e ci spinge a creare e a riparare le cose e le persone. È desiderio d'amore e di bellezza, in tutti i loro gradi, dalla labile luce del sole sulle foglie di un albero autunnale alla pienezza di chi sperimenta su di sé la misericordia assoluta di essere veramente amato per quello che è. È desiderio che spinge a essere scoperti, disponibili, aperti, ad abbassare le difese perché un balsamo curi la nostra ferita di infinito, anzi perché l'infinito entri proprio da quella ferita.

Questo, Giacomo, è stato il tuo più grande regalo: resistere nel paradosso, accettare la malinconia come ultima reliquia dell'assoluto nella finitezza dell'uomo. La malinconia è il prezzo della presenza dell'eterno nell'uomo, l'inquietudine dell'uomo ferito dalla spina dell'infinito che, simile a quella della rosa, prova a farci dimenticare cosa ci aspetta in cima allo stelo, ma in realtà sta solo difendendo ciò che annuncia. La malinconia è la porta chiusa verso la stanza dove dorme il divino in noi. La poesia il tentativo di dar forma alla chiave che possa aprirla, senza mai disperarsi. Fino all'ultimo respiro.

Riparare è sinonimo di amare

Io non ho mai sentito tanto di vivere quanto amando.

Zibaldone, 1819-1820

Caro Giacomo,
recentemente ho parlato con una donna di cento anni,
lucidissima ed elegante, che indossava la sua età con totale
naturalezza e una punta di orgoglio, come chi conosce i segreti dell'arte di riparare. Diceva di aver cominciato a capire
qualcosa della vita intorno ai novant'anni, quando, costretta dal corpo a rallentare, costretta dagli occhi a rinunciare
ai libri e dal buon senso a spegnere la televisione, si era sof-
fermata per ore a ripensare a quanto le era successo in quasi un secolo. Aveva tirato fuori dai meandri della memoria
tutti gli episodi e i ricordi che, come una sostanza più pesante, si erano depositati dopo un certo tempo sul fondale
del suo mare interiore. E mi confidava che quel sedimen-
to era fatto di una sola cosa: amore, l'amore dato e quello
ricevuto. E lei lo chiamava bellezza, la bellezza di aver co-
struito qualcosa che resta: il peso di una vita. "Ciò che sai
amare è il tuo vero retaggio [...] Ciò che tu sai amare non
ti sarà strappato" dice Ezra Pound nel *Canto 81*, e quella
donna centenaria era giunta alla stessa conclusione. Il suo
retaggio era ben fondato, architettonicamente stabile, indistruttibile, come un futuro anteriore: qualcosa che resterà
ma è già avvenuto. Una dimora in cui abitare e far abitare.
   Tu, Giacomo, hai raggiunto la stessa consapevolezza molto prima, perché hai bruciato le tappe della vita e a trentotto
anni ne avevi cento, non semplicemente perché al tuo tem-

155

po si diventava vecchi più in fretta, soprattutto se minati nel corpo come lo eri tu, ma anche perché le età sono interiori prima che esteriori.

E quello che tu hai saputo amare, il retaggio che non ti sarà strappato, è la poesia, o meglio, la sua essenza: l'arte di riparare l'incompiutezza delle cose, prendendone il peso sulle proprie spalle, come si fa con un bambino stanco di camminare ma ormai vicino alla cima.

Il canto, dopo essersi inabissato sotto la roccia dell'esperienza, era riaffiorato come un fiume carsico verso la fine degli anni Venti. Era tornato come esigenza del cuore, ma di un cuore maturo, quello che vede il limite delle cose e lo accetta con coraggio, per renderlo occasione di fecondità.

La tua poesia supera l'incanto adolescenziale e il disincanto della maturità nelle profondità del canto di riparazione. Nonostante tutte le cicatrici, tu canti. Anzi, proprio grazie a esse.

Proprio là dove il pensiero si era sfinito non trovando più sbocco, la poesia riprende vigore e si innalza in modo diverso sulle macerie. Solo la poesia riscatterà la giovinezza perduta, solo la poesia preserverà la fedeltà a te stesso, Giacomo, al tuo rapimento originario, cresciuto grazie a tutte le sconfitte:

Uno de' maggiori frutti che io mi propongo e spero da' miei versi, è che essi riscaldino la mia vecchiezza col calore della mia gioventù; è di assaporarli in quella età, e provar qualche reliquia de' miei sentimenti passati, messa quivi entro, per conservarla e darle durata, quasi in deposito; è di commuover me stesso in rileggerli, come spesso mi accade, e meglio che in leggere poesie d'altri: oltre la rimembranza, il riflettere sopra quello ch'io fui, e paragonarmi meco medesimo; e in fine il piacere che si prova in gustare e apprezzare i propri lavori, e contemplare da sé compiacendosene, le bellezze e i pregi di un figliuolo proprio, non con altra soddisfazione, che di aver fatta una cosa bella al mondo; sia essa o non sia conosciuta per tale da altrui.

(Zibaldone, *15 febbraio-15 aprile 1828*)

Questo voglio poter dire anche io, alla fine della mia vita. Lasciando decantare la tua vita, era il canto a restare. Allora è proprio del canto che adesso dobbiamo parlare, il tuo retaggio, perché è "la cosa bella" che hai fatto al mondo. Avevi fatto qualcosa di simile alle stelle che contemplavi nelle tue passeggiate notturne e da cui avevi imparato la lezione della meraviglia: l'esserci di una cosa bella al mondo, anziché la distruzione, la fuga e la sconfitta. La bellezza c'era anziché non esserci, la bellezza che resiste al tempo, benché tu ne fossi il fragilissimo autore. Ciò che sai amare decanta e si fa storia. Quella signora mi disse nel suo bellissimo italiano "sicilianizzato" che alla tenera età di novant'anni "l'amore arroccò", e si riferiva a un Amore eterno, quello che "move il sole e l'altre stelle", che a poco a poco l'aveva sedotta, superando gli ostacoli del suo cuore, dove si era insediato come mai aveva fatto: questo era il retaggio indistruttibile dei suoi cento anni di vita, la scoperta che prima che amare dovremmo lasciarci amare, prima che raggiungere l'infinito dovremmo lasciarci raggiungere dall'infinito. Quel retaggio non le sarebbe stato tolto, neanche dalla morte.

L'uomo ha l'altezza dell'infinito, ma con le sue sole forze non è all'altezza di raggiungerlo, può solo riceverlo, accoglierlo e corrispondergli. È poeta, Giacomo, chi accoglie, ospita la vita e si impegna a ripararla. La poesia non è decorazione, abbellimento, magia lanciata sul mondo, non è incantesimo che nasconde il limite. Ma non è neanche disincanto, perché non si può far poesia se non c'è eros per le cose fragili, senza speranza non si scriverebbe nemmeno una riga. La poesia è canto dell'infinito incastonato nel limite, innesto dell'invisibile nel visibile.

La poesia è un'etica ed estetica del quotidiano a tutti accessibile e da tutti praticabile, qualsiasi cosa si faccia nella vita: il nostro compito è trasformare la ripetitiva prosa quotidiana in versi, fare ogni giorno una cosa bella al mondo, portando a compimento o riparando un'incompiutezza. Questo cercano i tuoi versi, con i quali ripari chi invece non riesce a fiorire e perde fiducia. La tua vocazione alla bellezza è la chiamata che ci invita tutti, quotidianamente, a riparare la morte che minaccia la nostra originalità e quella altrui.

Questo è il tuo retaggio. Il buono e il bello fatto al mondo, a qualsiasi costo. Questa la tua storia.

Il resto è scoria.

Il tramonto della luna:
istruzioni per l'uso dello smarrimento

> Tempo verrà ch'io non restandomi altra luce di speranza,
> altro stato a cui ricorrere, porrò tutta la mia speranza nella
> morte: e allora ricorrerò a te ec. abbi allora misericordia ec.
>
> Appunti per l'inno al Redentore, *Inni Cristiani*

Caro Giacomo,
quando un giorno, a scuola, ti ascoltai, la mia sostanza umana tremò all'udire le parole del pastore errante: "Ove tende questo vagar mio breve?". Avevo diciassette anni e per un attimo sbucciai il mio cuore dalle maschere e sentii la domanda che dovevo porre e pormi e che tu avevi saputo distillare in parole così precise: dove, vagare, breve. Il mio movimento vitale, spesso confuso ma in cammino, dove andava?

Ora che ho da poco festeggiato i miei trentanove anni ti confido che sento, in modo sempre più forte, l'aspra evidenza di cui tu mi parlasti quel giorno. C'è la Storia grande che finirà nei libri, la storia ripulita dalle intemperie, purificata da tutta la polvere del cammino che si è attaccata addosso al nostro cuore. C'è però la storia piccola che invece rimarrà solo nella memoria di chi l'ha vissuta, lastricata di abbandoni, tradimenti, promesse non mantenute, ferite, rancori, speranze disilluse... Guardo questi giorni che mi conducono più addentro al mio quarantesimo anno di vita e vedo la crisi: la crisi, come gli antichi Greci chiamavano l'atto di separare il grano dalla pula al momento della mietitura, ciò che vale e serve al pane buono da ciò che è effimero e può produrre al massimo un fuoco di paglia.

A trentanove anni si cominciano a vagliare le cose con una certa lucidità, si distingue il grano che serve a nutrire la vita (amore, amicizie, lavoro), da ciò che è stato la fiammata di un momento, inutile persino per scaldarsi. Ci si aggrappa ai libri che veramente ci hanno segnato, si comincia a rileggerli e si può fare a meno di tutti gli altri. Rimangono gli amici veri, gli amori fedeli, l'impegno quotidiano in un lavoro, magari non riconosciuto dalla folla, che però serve, eccome se serve, perché è al servizio degli altri ed è il dispiegarsi della propria capacità di riparare. A trentanove anni rimane al centro del mio cuore l'amore grande, quello che nessuno può rovinare, l'amore che cura, l'amore che sostiene, l'amore che tace e che parla, l'amore che fa sanguinare e sognare, l'amore che salva perché è fedele e duraturo. E si fa strada nel cuore, come un'alba dopo la notte, la certezza che non può finire, perché è un amore che unisce gli impossibili: terreno e celeste, divino e umano, battagliero e pacificante.

Nelle campagne del tuo penultimo canto dedicato al *Tramonto della luna*, ritrovo un errante simile al pastore dell'Asia. Sono versi pieni di tenebre in una notte in cui anche la luna si oscura. Il tuo migliore amico racconta che gliene dettasti l'ultima strofa poco prima di spegnerti, ma forse è solo un aneddoto simbolico. Avevi quasi la mia età di adesso e, con questa evoluzione del pastore errante, che mi consolò vent'anni fa, continui ad accompagnarmi: entra in scena un viandante (tu lo chiami "viatore") sotto un cielo stellato, dopo che la luna si è ritirata come la giovinezza con le sue promesse. Egli è smarrito nella tenebra, come il pellegrino dantesco, è "confuso", non sa più dove porti il cammino e avanza in cerca della meta e della ragione del suo stesso camminare. I segnali del cammino da intraprendere si fanno più tenui, la fatica dell'esperienza fiacca le gambe e gli occhi. Nulla ha trovato che giustifichi quell'andare, non sono giunte risposte agli interrogativi del pastore errante, e per questo, nel *Tramonto della luna*, diventa straniero a se stesso, si sdoppia, ragione e cuore sembrano inconciliabili, come nel drammatico strappo di *A se stesso*, ma la notte qui appare ancora più fonda e sembra impossibile abitare "la sede" di questa vita: vita e destino risultano estranei l'una all'altro, terra di esilio l'una, forma dell'esilio l'altro.

Esiste una meta a cui tende la vita? O resta solo un sempre più breve vagare privo di segnaletica, ora che l'ultimo barlume di luce è spento?

Tal si dilegua, e tale
Lascia l'età mortale
La giovinezza. In fuga
Van l'ombre e le sembianze
Dei dilettosi inganni; e vengon meno
Le lontane speranze,
Ove s'appoggia la mortal natura.
Abbandonata, oscura
Resta la vita. In lei porgendo il guardo,
Cerca il confuso viatore invano
Del cammin lungo che avanzar si sente
Meta o ragione; e vede
Che a sé l'umana sede,
Esso a lei veramente è fatto estrano.

Senza le "lontane speranze", a cui avevi "appoggiato" il futuro e quindi il presente, la vita si ritrova "abbandonata" e precipitata nella tenebra "oscura" dell'esperienza. La pena più grave dopo tanto inganno è la vecchiaia stessa, nella quale il desiderio resta "incolume", ed estinta è invece la speranza di soddisfarlo. Il divorzio appare totale, l'esilio incurabile. Ancora in giovinezza si poteva sperare che il "desio", con la sua forza, avesse alimento, ma nella vecchiaia sono secche le fonti dello slancio e il bene da raggiungere non sembra neanche probabile.

D'intelletti immortali
Degno trovato, estremo
Di tutti i mali, ritrovàr gli eterni
La vecchiezza, ove fosse
Incolume il desio, la speme estinta,
Secche le fonti del piacer, le pene
Maggiori sempre, e non più dato il bene.

Il "sommo piacere", il tuffo nella vita stessa di Dio, meta e ragione del pellegrino dantesco nell'ultimo canto del *Paradiso*, sembra impossibile al tuo viandante confuso. L'ardore del desiderio, che in Dante trova soddisfazione a contatto con la sua sorgente, per te rimane chimerica promessa, Giacomo. Eppure c'è così tanta bellezza in questi versi finali che non possono fare a meno, ancora una volta, di vincere sulla tua stessa amarezza: mentre comunichi il dolore, senza saperlo lo ripari. L'universo non è tenuto a essere bello, eppure lo è. E così i tuoi versi, nonostante la tenebra. In un tramonto della luna tu descrivi una delle tue albe più belle, proprio perché desiderio di luce in una notte di tenebra, e quella luce che torna è meta e ragione per il viandante, perché la bellezza non ha ragione, ma dà ragione.

Torni a contare le stelle nella notte e ricevi la loro bellezza con il cuore, che, nonostante gli imperativi della ragione, è ancora lì, intatto, aperto, come la poesia:

Voi, collinette e piagge,
Caduto lo splendor che all'occidente
Inargentava della notte il velo,
Orfane ancor gran tempo
Non resterete; che dall'altra parte
Tosto vedrete il cielo
Imbiancar novamente, e sorger l'alba:
Alla qual poscia seguitando il sole,
E folgorando intorno
Con sue fiamme possenti,
Di lucidi torrenti
Inonderà con voi gli eterei campi.

La terra ridiventerà quasi celeste, eterea, scrivi, e torrenti di luce smalteranno la campagna. Le cose non restano mai orfane di luce. Su tutto ciò che è propriamente umano cade invece una notte di pietra. A noi restano solo la malinconia di una promessa non mantenuta e un totale smarrimento, di chi è in cammino ma non sa verso quale oriente. Qui da noi tutto sembra accidentale, preda del caos, e occidentale, al tramonto. Perché tutta questa luce non ci raggiunge, perché non ci ripara, perché non ci tira fuori dalle tenebre delle nostre vie?

La giovinezza è l'unica aurora che non torna, e la vita non è altro che la vedova della luce, la sua origine non è altro che la sua fine: il nulla della morte.

Ma la vita mortal, poi che la bella
Giovinezza sparì, non si colora
D'altra luce giammai, né d'altra aurora.
Vedova è insino al fine; ed alla notte
Che l'altre etadi oscura,
Segno poser gli Dei la sepoltura.

Ma noi, Giacomo, da quale luce possiamo essere riparati? Con quale luce possiamo riparare, se non è in noi? Il nostro seme può essere di rosa o è solo un seme del pianto? O al massimo di un malinconico canto?

La trama del destino

> Viviamo, Porfirio mio, e confortiamoci insieme: non ricusiamo di portare quella parte che il destino ci ha stabilita, dei mali della nostra specie. Sì bene attendiamo a tenerci compagnia l'un l'altro; e andiamoci incoraggiando, e dando mano e soccorso scambievolmente; per compiere nel miglior modo questa fatica della vita.
>
> *"Dialogo di Plotino e di Porfirio", Operette morali*

Caro Giacomo,
vorrei che tu fossi ricordato come poeta del destino e non della sfortuna, della malinconia e non del pessimismo. Come poeta della vita che lotta per trovare la sua destinazione e il suo senso, e non come poeta della gobba e della gioia negata. Il destino cercò di rinchiuderti in tutti i modi, ma più lo faceva, più tu lo trasformavi in destinazione di bellezza, in compito creativo, non per questo senza sentirne tutto il peso e la fatica.

Qualche tempo fa ho ospitato in classe un ragazzo del terzo anno delle superiori. In un progetto di alternanza scuola-lavoro, il suo istituto di provenienza dava l'opportunità agli alunni di "andare a bottega" da qualcuno che facesse già il mestiere che erano ispirati a perseguire, per vedere se effettivamente non si trattava solo di una proiezione illusoria. Così, dal suo liceo in un'altra città, è venuto in una mia classe prima.

Quel giorno avremmo affrontato uno dei canti dell'*Odissea*, poema che leggiamo integralmente durante l'anno d'esordio del liceo. Nessuno però si sarebbe aspettato di vederlo arrivare su una sedia a rotelle. Aveva una malattia rara e incurabile, invalidante tanto da rendere pericoloso anche un raffreddore e da avergli già distrutto mani e piedi. Ma non il sorriso, che tradiva una luce incomprensibile e che incuriosiva i miei quattordicenni. Di fronte a noi c'era un ragazzo che, nonostante tutto, nonostante quel destino che colpisce meno di mille persone in Italia, era lì a costruire il suo sogno di diventare insegnante. Non dimenticherò mai quel giorno e quella lezione, dataci da un sedicenne non disposto a perdere la vita, incastrata in un corpo che la tradiva. Non hai forse affrontato anche tu, Giacomo, tutto questo, con lo stesso fiero slancio?

Tu sei riuscito meglio di chiunque altro a osservare al microscopio della ragione e al telescopio del cuore la stoffa del destino e ne hai descritto l'intreccio.

Il primo dei suoi fili è più una catena, ed è ciò che è necessario, sono le leggi che regolano ciò che esiste e il suo divenire, regole ferree che determinano il movimento degli astri, degli uccelli, delle piante, l'eterno ritorno della luce dopo le tenebre di ogni notte. Vincoli che l'uomo non può mutare e che hai spesso guardato con invidia: la Natura non si rende neanche conto di far del male all'uomo, come spiega all'Islandese, navigatore indomito alla ricerca di una resa definitiva dei conti, personaggio fortissimo e debolissimo insieme:

NATURA   *Immaginavi tu forse che il mondo fosse fatto per causa vostra? Ora sappi che nelle fatture, negli ordini e nelle operazioni mie, trattone pochissime, sempre ebbi ed ho l'intenzione a tutt'altro, che alla felicità degli uomini o all'infelicità. Quando io vi offendo in qualunque modo e con qual si sia mezzo, io non me n'avveggo, se non rarissime volte: come, ordinariamente, se io vi diletto o vi benefico, io non lo so; e non ho fatto, come credete voi, quelle tali cose, o non fo quelle tali azioni, per dilettarvi o giovarvi. E finalmente, se anche mi avvenisse di estinguere tutta la vostra specie, io non me ne avvedrei.*

("Dialogo della Natura e di un Islandese", Operette morali)

La vita è solo un meccanismo cieco di leggi e necessità. La conseguenza non può che essere il dolore per chi, a differenza delle cose della natura, ha consapevolezza di esistere, come l'Islandese, la cui condizione è proprio quella di chi patisce la lotta tra produzione e distruzione che regola la conservazione del mondo, priva di alcuna tenerezza per l'uomo. Ma l'Islandese non si arrende e pone uno dei suoi interrogativi, il definitivo, che potrebbe dare speranza:

A chi piace o a chi giova cotesta vita infelicissima dell'universo, conservata con danno e con morte di tutte le cose che lo compongono?

La risposta è solo un grande silenzio. Arriverebbe se ci fosse un interlocutore vivente, ma c'è solo una divina Necessaria Indifferenza. Il gioco è finito. La Natura torna a essere destino cieco che, forse sotto forma di leoni, forse di vento del deserto, sfarina gli atomi dell'Islandese, che naviga, come Ulisse, agli estremi confini del mondo per cercare la risposta alle domande del pastore errante: io che sono? Ove tende questo vagar mio breve? L'errare è diventato navigazione nelle terre estreme, dove la Necessità si cela.

Il secondo filo della trama del destino intreccia più elementi, tanto da apparire come una corda: sono i "fatti", cioè quelle cose che non dipendono da leggi di natura, ma, una volta poste da qualcuno, diventano necessarie anch'esse. Sono realizzate dall'uomo, che ogni mattina si sveglia, ricco di riposo e di una speranza rinnovata, pronto a iniziare qualcosa. Tutto ciò appartiene al dominio della Storia. Se la natura è regolata da leggi necessarie, come la gravità e le orbite dei pianeti, la Storia è regolata dalle scelte degli uomini; queste determinano i fatti e danno all'uomo l'ebbrezza del futuro, che sente, anche solo in parte, nelle sue mani e nelle sue decisioni. Ogni mattina un immenso gallo ripete il suo misterioso canto che spinge gli uomini a venire di nuovo alla luce, come nascessero dal grembo del loro sonno:

Su, mortali, destatevi. Il dì rinasce: torna la verità in sulla terra e partonsene le immagini vane. Sorgete; ripigliatevi la soma della vita; riducetevi dal mondo falso nel vero. Ciascuno in questo tempo raccoglie e ricorre coll'animo tutti i pensieri della sua vita presente; richiama alla memoria i disegni, gli studi e i negozi, si propone i diletti e gli affanni che gli sieno per intervenire nello spazio del giorno nuovo. E ciascuno in questo tempo è più desideroso che mai, di ritrovar pure nella sua mente aspettative gioconde, e pensieri dolci.

("Cantico del gallo silvestre", Operette morali)

Il semplice fatto che una persona sia al mondo è regolato dalla libera scelta di altre due persone che si sono incontrate e amate, e ognuno di quei due deve la vita ad altri due, che si sono incontrati in altre circostanze, tutti pieni di speranza nella vita. Se per un attimo, Giacomo, penso che io sono fatto da questa corda della Storia, ho paura, poiché immediatamente sorge anche in me il tuo interrogativo: perché ci sono anziché non esserci? "A che tante facelle? / ... ed io che sono?"
E l'uso di questo "che", che non è ancora un "chi", tradisce un'altra domanda: sono qualcosa della Natura, come le "facelle" (stelle), o qualcuno nella Storia?
Che importa... l'intreccio delle libere volontà è talmente denso che la Storia, per noi che siamo a valle, è pur sempre un destino. E quella Storia è drammatica tanto quanto le catene della Natura, perché mira solo a un fine, e per quanto ci affanniamo affinché vada diversamente finiamo con lo sposare la causa della Necessità naturale:

Certo l'ultima causa dell'essere non è la felicità; perocché niuna cosa è felice. Vero è che le creature animate si propongono questo fine in ciascuna opera loro; ma da niuna l'ottengono: e in tutta la loro vita, ingegnandosi, adoperandosi e penando sempre, non patiscono veramente per altro, e non si affaticano, se non per giungere a questo solo intento della natura, che è la morte.

Quella combinazione di Natura e Storia che è il destino capita a ciascuno di noi in modo unico e, una volta avvenuto, immodificabile: "Io ho dimandato a parecchi se sarebbero stati contenti di tornare a rifare la vita passata, con patto di rifarla né più né meno quale la prima volta. L'ho dimandato anco sovente a me stesso" (*Zibaldone*, 1° luglio 1827). Questo tuo dialogo, interiore ed esteriore, darà origine a un'altra delle tue *Operette*:

167

PASSEGGERE   *Ma se aveste a rifare la vita che avete fatta né più né meno, con tutti i piaceri e i dispiaceri che avete passati?*
VENDITORE   *Cotesto non vorrei.*
PASSEGGERE   *Oh che altra vita vorreste rifare? la vita ch'ho fatta io, o quella del principe, o di chi altro? O non credete che io, e che il principe, e che chiunque altro, risponderebbe come voi per l'appunto; e che avendo a rifare la stessa vita che avesse fatta, nessuno vorrebbe tornare indietro?*
VENDITORE   *Lo credo cotesto.*

("Dialogo di un venditore d'almanacchi e di un passeggere", Operette morali)

Perciò abbiamo bisogno di dare a questo intreccio un nome: fortuna, caso, sorte, fato, provvidenza... E speriamo che ci riservi qualcosa di buono per il futuro, dato che sul passato non c'è più nulla da fare:

PASSEGGERE   *Così vorrei ancor io se avessi a rivivere, e così tutti. Ma questo è segno che il caso, fino a tutto quest'anno, ha trattato tutti male. E si vede chiaro che ciascuno è d'opinione che sia stato più o di più peso il male che gli è toccato, che il bene; se a patto di riavere la vita di prima, con tutto il suo bene e il suo male, nessuno vorrebbe rinascere. Quella vita ch'è una cosa bella, non è la vita che si conosce, ma quella che non si conosce; non la vita passata, ma la futura. Coll'anno nuovo, il caso incomincerà a trattar bene voi e me e tutti gli altri, e si principierà la vita felice. Non è vero?*
VENDITORE   *Speriamo.*
PASSEGGERE   *Dunque mostratemi l'almanacco più bello che avete.*

Tutti speriamo che possa andar meglio, ma esiste una possibilità che questo accada, Giacomo? Potrà mai questo intreccio avere il nostro nome e cognome? Che farsene se è votato alla morte? Che farsene se non vorremmo mai riviverlo allo stesso modo?

Tu però sapevi, Giacomo, che il destino non è la mera somma di quei fili intrecciati; quelli ne sono solo la trama manifesta, ma l'uomo, inserito in questa architettura dell'esistenza, dall'essere un qualcosa, un "che", si scopre qualcuno, un "chi", e si chiede quale sia il suo spazio d'azione e come imparare a scegliere la vita che gli è destinata, come un artista che ha vinto la durezza del blocco di marmo.

Tu scopri a poco a poco che il destino è in realtà, nell'uomo, l'assegnazione di un compito e che l'uomo è chiamato a prendersene tutta la responsabilità e a realizzarlo. Questo fa di te il grande poeta del destino: non permetti che esso coincida con la necessità, con i dati di fatto, con la fortuna, ma gli lasci il suo spazio di mistero, che interpella l'azione appassionata dell'uomo. Per questo l'uomo dei tuoi versi è sempre in movimento: un pastore errante, un viatore confuso, che affronta la notte con coraggio e supera la conclusione provvisoria che aveva trovato nella sua maturità, quella delle *Operette morali*:

Se ottengo la morte morrò così tranquillo e così contento, come se mai null'altro avessi sperato né desiderato al mondo. Questo è il solo benefizio che può riconciliarmi al destino.

("Dialogo di Tristano e di un amico", Operette morali)

Tu vai oltre questo maturo accettare la morte. Per trasformare tutto in chiamata ci vuole l'eroismo di chi muta in inno l'elegia, in epica la malinconia, ci vuole l'eros intatto per la vita, anche la più debole. Perché il compito di ogni essere umano, anche il più fragile, è rimanere fedele a se stesso, come quel ragazzo che vuole diventare insegnante dalla cattedra drammatica e sorridente della sua sedia a rotelle.

Poesia è la luce quando sei al buio
e il buio quando sei alla luce

La vostra lettera, dopo sedici mesi di notte orribile, dopo un vivere dal quale Iddio scampi i miei maggiori nemici, è stata a me come un raggio di luce, più benedetto che non è il primo barlume del crepuscolo nelle regioni polari.

Lettera a Pietro Colletta, 2 aprile 1830

Caro Giacomo,
sulla tua tomba al Parco Virgiliano di Napoli ci sono le tue date: 29 giugno 1798, Recanati – 14 giugno 1837, Napoli. Trentotto anni, quasi trentanove. Gli antichi lo sapevano: la tomba – insieme ai racconti di cui si è protagonisti – è il solo modo di scongiurare la morte (cioè l'oblio). Su quella pietra è testimoniato una volta per tutte il fatto che ti sei radicato a questa terra per neanche quarant'anni. Quanti saranno quelli, tra i circa ottanta miliardi di uomini che hanno solcato le strade del nostro mondo, di cui non si saprà neppure questo? I tuoi canti sono il distillato di quei trentotto anni: è un libro piccolo, ma così traboccante che sembra di portare in tasca i millenni.

Un poeta che amo molto e che ci ha lasciati da poco, nel 2006 ti ha dedicato una poesia: *La tomba di Leopardi*. Yves Bonnefoy, forse il tuo vero erede nel ventesimo secolo, poeta del desiderio, di veglia, di domande, di "chiarezza" da cercare a ogni costo, nella prima strofa scrive:

Nel nido di Fenice, quanti si sono
Bruciati le dita smuovendo le ceneri!
Lui, è al consenso a tanta notte
Che dovette il ritrovamento di tanta luce.

Solo i poeti sono critici affidabili di altri poeti. In questi versi è contenuto l'epitaffio capace di cogliere l'intera unità di senso della tua vita, compresa tra le due date lapidarie. Di ogni uomo o donna mi importa poter dire chi fosse, strappare il segreto della "necessità" della sua esistenza nel grande gioco del mondo, il senso di una vita intera sottratto allo scorrere anonimo dei millenni. Il tuo è in questi due versi: solo dando il consenso a tanta notte hai trovato così tanta luce, sei nato da un limite per superarlo, come la Fenice. La tua luminosa notte, o la tua notturna luce, è il tuo segreto, il tuo paradosso. Solo un cuore amante della luce sa essere amico della notte, solo un uomo che rischia di perdere la vista sa apprezzare la luce, anche quando è molto poca. Tutti i grandi artisti si nutrono di momenti di crisi e di disarmonia, perché la loro arte è il concavo che risponde al convesso della vita, o il convesso che risponde al suo concavo. Abitando in pienezza la parte insufficiente e limitata che è loro data, vivendola come possibilità e non come semplice privazione, ne fanno intuire la parte mancante.

Oggi, Giacomo, quando si studia la letteratura italiana, si comincia da un testo di Francesco d'Assisi, il *Cantico delle creature* o *Cantico di Frate Sole* (c'è sempre una stella incastrata nei versi dei poeti). La letteratura in lingua nostrana è nata quando qualcuno, di fronte alla bellezza delle cose, fu rapito come te, e non riuscendo a contenere la sua gioia, avvolto dalla meraviglia, nel ringraziare il Creatore di quella bellezza ha scritto parole altrettanto belle che tutti potessero ripetere, nella lingua di tutti e di tutti i giorni: il volgare. Lo stesso era accaduto a te al momento del rapimento: avevi cercato le parole adatte a dire la primavera delle cose, non potevi aspettare anni per celebrarla. Dallo slancio del cuore meravigliato e amante di fronte all'acqua, al fuoco, al vento, alle stelle e alla morte stessa, nasce ogni letteratura e quella italiana in particolare. Le cose ci sono e sono belle, pur non essendo tenute a esserlo, bisogna per questo magnificarle.

Anche tu, come Francesco, nella notte ti divertivi a contare le stelle, una a una, era la tua preghiera e la fonte del tuo canto, perché, come dice un altro poeta, Paul Celan, "l'attenzione è la preghiera spontanea dell'anima". Eppure anche tu, come Francesco, traevi questo canto dal dolore. Molti credono che il *Cantico delle creature* sia nato come semplice ebbrezza, panteistica e gioiosa, nell'incanto della natura e della luce del sole. Tutto il contrario. Nasce da una delle notti più dolorose e tormentate, per il corpo e per lo spirito, di quell'uomo con gli occhi malati come i tuoi, tanto che non poteva sopportare neanche la luce delle candele; durante quella notte insonne si sentì abbandonato da Dio, nel freddo esteriore e interiore dominava il silenzio del suo Creatore, e lui disperatamente pregava che quelle ore e quel silenzio passassero. Dio gli rispose all'alba, con il rinascere di tutte le cose, e, alla luce vergine del mattino che rivelava la bellezza ancora intatta, sgorgò quel canto dal pozzo dell'abbandono, dalla paura che il nulla avesse la meglio. Un cantico che non ha nulla di sentimentale e panteistico, ma ha la sua potenza proprio nell'apertura alla realtà limitata dell'uomo che si trasforma in preghiera a Dio, creatore e ricreatore delle cose e quindi garante dell'essere e non del nulla: colui che si prende cura di tutti i destini perché fioriscano, anche quando sembra non sia così. Un canto dell'essere nato proprio a partire da quell'assoluta povertà e fragilità che Francesco aveva scelto e che quella notte erano diventate lacerante dubbio, dolore, timore di essersi giocato tutto per un destino illusorio. Da quella notte ebbe risposta e la luce del mattino si insediò nel suo cuore, come nel cielo, tanto da fargli sentire persino la morte come sorella, abitabile ogni cosa, anche la più oscura.

Ha un che di "francescano" la tua poesia, Giacomo, la tua ricerca di luce nella notte: tu, ormai minacciato di cecità dal tuo male agli occhi, scorgendo l'inesorabile cammino di tutto verso la morte, trasformi le cose in canto, anche le più piccole e fragili, con il loro mistero di potente presenza. Siamo fatti per la parola, non per la morte, perché la parola può pronunciare le sillabe che superano la morte: "ti amo", ovvero "è bello che tu esista".

La tua è stata una penna di luce, tenue, ma luce sempre e comunque. Malinconica luce, retaggio di una luce perduta o di una luce promessa e non ancora compiuta, come il crepuscolo. Così risalivi alla luce, attraverso il buio, ritornando come un minatore con un sacco di diamanti in spalla, e in volto e negli occhi i segni della paura e della fatica. I tuoi diamanti non sono di carbonio, ma di versi, hanno la forma di canti estratti dalle caverne più oscure dell'io. Siamo fatti per la parola, non per la morte, perché la parola può pronunciare sillabe che riparano la morte creando bellezza. Ed è questo che salva la vita, perché "chi è nato per cantare anche morendo canta" (Giuseppe Ungaretti), come sanno fare solo i martiri, cioè i testimoni (questo vuol dire "martire") della vita tutta intera. Tu mi hai insegnato che cantare si può sempre, anche quando quello che si canta è un "forse", un punto interrogativo, una domanda, una ricerca. Chi canta dice bene, cioè benedice il mondo, e lo ripara.

Hai modulato un tenue canto che si ode nel silenzio della notte "lontanando morire", per dire sì all'esser qui, con le nostre ferite, da medicare tutti i giorni, soprattutto a chi ci sta accanto, facendo dono di quel poco che abbiamo, della nostra stessa fragilità, come un seme che si dona alla luce per farsi fiore, anche in mezzo al deserto, come fanno i gigli sulle spiagge aride della mia terra o come fa la tua ginestra con il suo eroico profumo:

E tu, lenta ginestra,
che di selve odorate
queste campagne dispogliate adorni.

La ginestra:
fiorire nel deserto e far fiorire il deserto

O la vita tornerà ad esser cosa viva e non morta o questo mondo diverrà un serraglio di disperati, e forse anche un deserto.

"Frammento sul suicidio", Appendice alle Operette morali

Caro Giacomo,
hai intitolato la tua ultima poesia, il tuo testamento, *La ginestra o il fiore del deserto*. I tuoi ultimi anni di vita passarono tra Napoli e Torre del Greco, dove ti rifugiasti quando la città era funestata dal colera che mieteva vite di uomini senza curarsi di loro, come la Natura con l'Islandese. Il paesaggio che potevi contemplare da Villa delle Ginestre, ribattezzata così in tuo onore dopo che la raggiungesti a dorso di mulo su una ripida strada scavata nella lava, era quello di un'arida distesa di pietra, un deserto nero in cui ogni forma di vita era bruciata e stanca di vivere, tranne che per le chiazze di giallo impazzito dei cespugli di ginestra. Questi fiori emanano un profumo intenso, come accade alle piante cresciute nel nulla, che dal loro fragile appiglio alla terra traggono la forza per esplodere in una bellezza che condizioni favorevoli non avrebbero prodotto. La vita si fa bella e terribile quando lotta per vivere di più. La bellezza nasce dai limiti, sempre. In questo paesaggio, dove la lava nera si staglia contro il purissimo azzurro del cielo ferendolo e la pietra scura assorbe tutta la luce del sole, il profumo evapora con forza, impedendo agli uomini di credere che il deserto avrà l'ultima parola.

Tu sapevi leggere la realtà e ogni suo aspetto su più piani, sapevi che ogni cosa è una metafora, che se le cose avessero la parola si racconterebbero. Così la parola gliela prestavi tu, salvandole dalla morte. La ginestra è la parola del deserto, che si leva per affermare la vita: una fede, forse umile ma fortissima, nella vita. Sapevi riconoscere il deserto perché lo sapevi abitare, come avevi scritto a Pietro Giordani qualche anno prima: "Come accade spesso, mi trovo come in un deserto" (Lettera del 29 luglio 1828). Così, con atto di conoscenza poetica, penetri nelle fibre del fiore della lava, prendi parte alla sua esistenza e ce la sveli come esistenza di tutti.

Solo la tua poesia poteva dar voce a un fiore del deserto, non lo avrebbero mai preso in considerazione i tuoi contemporanei, che si tenevano impegnati, pur di non fare i conti con la morte, a magnificare la sorte di progresso inarrestabile e felice dell'uomo:

Sta natura ognor verde, anzi procede
Per sì lungo cammino,
Che sembra star. Caggiono i regni intanto,
Passan genti e linguaggi: ella nol vede:
E l'uom d'eternità s'arroga il vanto.

I tuoi occhi, sempre più indeboliti dalla malattia, erano invece bene aperti sulla verità della vicenda umana: un fiore che cresce nel deserto, come se il deserto fosse la condizione necessaria per evocare l'infinito dentro se stessi e farlo sgorgare attorno a se stessi. Sta per scoccare l'ora dei tuoi trentanove anni quando moduli questi versi, sotto le stelle:

Sovente in queste rive,
Che, desolate, a bruno
Veste il flutto indurato, e par che ondeggi,
Seggo la notte; e su la mesta landa
In purissimo azzurro
Veggo dall'alto fiammeggiar le stelle,
Cui di lontan fa specchio
Il mare, e tutto di scintille in giro
Per lo vóto seren brillare il mondo.
E poi che gli occhi a quelle luci appunto,

Ch'a lor sembrano un punto,
E sono immense, in guisa
Che un punto a petto a lor son terra e mare
Veracemente; a cui
L'uomo non pur, ma questo
Globo ove l'uomo è nulla,
Sconosciuto è del tutto; e quando miro
Quegli ancor più senz'alcun fin remoti
Nodi quasi di stelle,
Ch'a noi paion qual nebbia, a cui non l'uomo
E non la terra sol, ma tutte in uno,
Del numero infinite e della mole,
Con l'aureo sole insiem, le nostre stelle
O sono ignote, o così paion come
Essi alla terra, un punto
Di luce nebulosa; al pensier mio
Che sembri allora, o prole
Dell'uomo?

Dal gioioso gioco del giovane che finge l'infinito con la forza dell'immaginazione, dal malinconico senso di esilio dell'uomo maturo, ora emerge un essere nuovo, fragile e flessibile come i cespugli della ginestra, utilizzata soprattutto per fare cordami duttili ma molto resistenti. Fiorisce, con tutte le proprie forze, emblema della condizione umana, e tu la osservi con attento sentimento della vita, in una notte in cui sembra di sentire il vuoto che c'è sotto le infinite galassie, lo stesso vuoto che coglievano il pastore errante e il viatore confuso.

Ritorna infatti la loro domanda, a cui sei rimasto fedele, ma che adesso poni senza maschere, adesso sei tu che, seduto in quella landa, interroghi le stelle, mentre in lontananza il fiato del mare respira sulla lava indurita: "Che sembri allora, o prole / Dell'uomo?".

La fragilità delle vite umane, rappresentate come formiche che si affannano per sopravvivere ma sono spazzate via dalla caduta di una mela sul formicaio, contrapposta a tutto quell'infinito, ti spinge ora a una risata, quando l'uomo insuperbisce, ora alla compassione, quando si abbatte. La sua condizione è simile al faticoso sbocciare del fiore di luce in mezzo alle tenebre: la ginestra nel deserto lavico, fiore consapevole del limite ma nato proprio dalla vittoria su questo limite. Fiore lento, cioè fragile e flessibile, rispettoso dei tempi naturali, che non va a salti, che non vuole tutto subito, ma che paziente cerca e dà tutta la vita che ha e che può, per compiersi. Fiore non codardo, non servile, ma eroico e innocente, capace di accettare la sede che non ha scelto, trasformando il destino in vera destinazione di bellezza:

E tu, lenta ginestra,
Che di selve odorate
Queste campagne dispogliate adorni,
Anche tu presto alla crudel possanza
Soccomberai del sotterraneo foco,
Che ritornando al loco
Già noto, stenderà l'avaro lembo
Su tue molli foreste. E piegherai
Sotto il fascio mortal non renitente
Il tuo capo innocente:
Ma non piegato insino allora indarno
Codardamente supplicando innanzi
Al futuro oppressor; ma non eretto
Con forsennato orgoglio inver le stelle,
Né sul deserto, dove
E la sede e i natali
Non per voler ma per fortuna avesti;
Ma più saggia, ma tanto
Meno inferma dell'uom, quanto le frali
Tue stirpi non credesti
O dal fato o da te fatte immortali.

Le fragili piante di ginestra non si credono immortali né per destino né per autosuggestione: sanno tutta la loro mortalità e non se la lasciano scappare, trasformandola in essenza e colore per il mondo, anche se nessuno se ne accorgerà. Senti la vita della ginestra perché è la tua, e forse quella di tutti gli uomini che trovano il coraggio di non nascondere la loro condizione dietro corazze più o meno spesse. Anche tu non hai rinunciato a creare bellezza in mezzo al deserto, dalle tenebre. Portavi la luce di chi fa una cosa bella anche se rimane ignota al mondo, perché quel segreto può bastare a dare pienezza e felicità: "Non con altra soddisfazione, che di aver fatta una cosa bella al mondo; sia essa o non sia conosciuta per tale da altrui" (*Zibaldone*, 15 febbraio 1828).

Scrivere di questo canto dedicato alla potenza minacciosa del Vesuvio e alla gentilezza della ginestra mi ha ricordato di quando andai a visitare le rovine di Pompei e rimasi incredulo di fronte alla forma dei corpi sorpresi dalla lava e immobilizzati nella loro ultima "posa". La loro carne è poi evaporata dentro quel sarcofago indurito, formando il concavo di quell'ultimo gesto, che gli archeologi hanno riempito di gesso per restituirci il terribile convesso. Tra quelle specie di sculture mi colpì soprattutto una madre che cercava di proteggere il suo bambino facendosi grembo attorno a lui, come se potesse salvarlo dalle tonnellate di fango incandescente. L'ultimo gesto è di protezione, di pietà, di misericordia nei confronti della vita fragile e contro il destino inesorabile. Quel gesto di bellezza pietrificata, quel darsi all'altro, è lo stesso che tu hai rappresentato nella *Ginestra*.

Nel tuo secolo di tronfie certezze, fatte di beni materiali e progresso, tu, con la tua ginestra, non ti illudi di essere immortale, ma impari dalla terra da cui cresci il drammatico mestiere di vivere per trasformarlo nell'arte di essere mortale. Tuttavia, il riconoscimento della tua fragilità non ti esime dal compito di fiorire, non diventa mai alibi per ritirarsi dallo slancio erotico ed eroico verso la vita, dalla lotta.

La ginestra, sintesi di tutte le età della vita, profuma la landa desolata del deserto e persino la consola, rendendola abitabile, almeno un poco, per chi la attraversa. Grazie a questa piccola e indomita bellezza, si può ancora sperare. Si deve.

Dove tu siedi, o fior gentile, e quasi
I danni altrui commiserando, al cielo
Di dolcissimo odor mandi un profumo,
Che il deserto consola.

Questa è l'essenza di un fiore, questo il suo compito: profumare e consolare, compiersi e farsi dono. Tu divieni ginestra, colei che accetta la vita per com'è, piena di durezza e impenetrabilità e ne porta il dolce peso, trasformando tutta se stessa in profumo, colori e legami per gli uomini. Fedele a se stessa, ripara il deserto. Non si abbandona alla rinuncia, né teme di cambiare le cose, ma lotta e ama. Come quella madre che abbraccia il suo bambino quando ormai la lava sta per divorarli. L'ultimo gesto è sempre d'amore, anche quando il destino sembra averla vinta. Tu ripari gli uomini con la parola che fiorisce nel loro deserto interiore.

Le tue ultime parole, non in versi ma in prosa, le scrivi a quello stesso padre da cui eri voluto fuggire. Ormai il corpo cede alla fatica, ma il cuore è desto e assetato di infinito, e modula quasi una malinconica, definitiva preghiera:

A Monaldo Leopardi

Napoli, 27 maggio 1837

Mio carissimo papà
[...] Se scamperò dal cholera e subito che la mia salute lo permetterà, io farò ogni possibile per rivederla in qualunque stagione, perché ancor io mi do fretta, persuaso oramai dai fatti di quello che sempre ho preveduto che il termine prescritto da Dio alla mia vita non sia molto lontano. I miei patimenti fisici giornalieri e incurabili sono arrivati con l'età ad un grado tale che non possono più crescere: spero che superata finalmente la piccola resistenza che oppone loro il moribondo mio corpo, mi condurranno all'eterno riposo che invoco caldamente ogni giorno non per eroismo, ma per il rigore delle pene che provo.
Ringrazio teneramente lei e la mamma del dono dei dieci scudi, bacio le mani ad ambedue loro, abbraccio i fratelli, e prego loro

tutti a raccomandarmi a Dio acciocché dopo ch'io gli avrò rive-
duti una buona e pronta morte ponga fine ai miei mali fisici che
non possono guarire altrimenti.

Il suo amorosissimo figlio Giacomo

La scuola secondo Leopardi

Ma l'entusiasmo de' giovani oggidì, coll'uso del mondo e coll'esperienza si spegne non in altro modo né per diversa cagione, che una facella per difetto di alimento.

Zibaldone, 13 giugno 1821

Non bisogna estinguer la passione colla ragione, ma convertir la ragione in passione.

Zibaldone, 22 ottobre 1820

Caro Giacomo,
le persone che riparano il mondo sono quelle che amano ciò che fanno, indipendentemente dalla grandezza di ciò che fanno. La loro vita modula un canto continuo, ed emanano una luce che non appartiene loro e che sembra attraversarle, un profumo che si espande a loro insaputa. È il caso di quell'insegnante morta di tumore a cinquantotto anni di cui il figlio ha voluto raccontarmi la vita perché l'ultimo libro che sua madre aveva letto era il mio terzo romanzo.

"Sono un ragazzo di diciannove anni. Mia madre è morta tre settimane fa, all'età di cinquantotto anni. È stata una lotta contro il cancro dal 2011, anche quando tutto sembrava finito, tutto si ripresentava.

Lei ha condotto una vita incredibile. Credimi, non voglio raccontarti di lei come una star.

Amava scoprire. Andava sempre alla ricerca di cose nuove, che avrebbero potuto aiutarla, soddisfarla. Per questo amava altrettanto viaggiare. Ha girato l'Europa intera, anche quando, in età adolescenziale, ciò non le era possibile, economicamente parlando. Lei comunque si dava da fare, ci provava e ci riusciva. In qualsiasi cosa. Era affascinata da tutte le meraviglie di questo mondo, nelle quali vedeva sempre cose che agli occhi normali sfuggivano.

Amava insegnare. Lei era una prof. Ha cominciato come supplente e ha continuato a esserlo fino a quando siamo nati io e mio fratello. Nonostante le mille difficoltà che le si presentavano lungo il cammino, continuava e andava avanti. Per poi arrivare a insegnare al liceo. Il suo lavoro era un amore talmente grande che solo una grande malattia come questa poteva impedirle di continuare a fare ciò che amava. Era una prof diversa dalle altre. Una Prof con la P maiuscola. Non perché sia io a dirlo, ma perché sono i suoi alunni a crederlo e a riportarmelo in frasi come: 'Sono passato da essere l'alunno da 4 a l'alunno da 8. Non che ne voglia fare una questione di voti... Riguarda invece il fatto che tua mamma fosse capace di far risvegliare la passione in uno studente e questo è uno dei doni degli uomini grandi'.

È riuscita così a unire due passioni: insegnare e viaggiare. Andava ovunque il suo fisico le permettesse di andare, ancor meglio se con i suoi alunni.

Amava altrettanto leggere. Leggeva in continuazione, ne sentiva il bisogno. I libri la aiutavano, le davano consigli.

L'ultimo libro che ha letto, prima che la malattia non le permettesse più di farlo, è proprio il tuo: *Ciò che inferno non è*. Prima di andarsene ha consigliato a molte sue amiche la lettura di questo libro e soprattutto la parte delle 'cinque cose che un uomo rimpiangerà quando sta per morire'. Si rispecchiava in tutte e cinque.

Mia madre amava vivere. Qualche giorno prima di andarsene mi ha detto: 'Non mi lamento, ho avuto comunque una vita fantastica e ho fatto quasi tutto ciò che volevo'.

Se cinque sono le cose che un uomo rimpiangerà quando sta per morire, una sarà sicuramente quella che non rimpiangerà mai. Quella di esser vissuto. Di aver fatto parte di questo bel pianeta. Di aver amato e di esser stato amato profondamente."

Il figlio mi racconta solo di ciò che questa donna ha saputo amare, ovvero del suo retaggio. Sono i suoi amori, non i suoi umori, che ricorda, e la memoria è così viva che il mondo, pure in sua assenza, si mostra come un posto che vale la pena abitare. I rapimenti di questa donna – viaggiare, insegnare, leggere – hanno illuminato la sua esistenza e quella di chi le passava accanto: sono stati come i fiori di un cespuglio di ginestra.

Se in ogni vita non si trova questa fonte segreta e inesauribile, si precipita nel nulla e dal nulla non si può generare che nulla, mentre la vita genera vita, anche quando incontra resistenza.

Tu eri convinto, Giacomo, che l'infelicità di un'epoca si potesse giudicare dallo spazio e dal tempo che essa dedica al brutto, intendendo per bruttezza l'interruzione del compimento delle cose e delle persone. Oggi anche i neuroscienziati l'hanno dimostrato. A qualsiasi latitudine e longitudine del mondo, a contatto con il brutto accade a tutti la stessa cosa: si attivano le zone cerebrali relative ai sensi e le reti neurali vicine all'amigdala, la parte più antica e istintiva dei nostri circuiti, quella che contiene le reazioni a tutto ciò che ci mette in pericolo di vita. Il nostro cervello impone al cuore di pompare più sangue agli organi che servono a preparare il corpo alla fuga. Forse per questo, nutriti di immagini di distruzione e di disincanto, ci sentiamo troppo spesso addosso questo sentimento di paura e minaccia, senza sapere da cosa derivi. A poco a poco ci siamo abituati al disincanto, permettendo al cinismo di conquistare, uno dopo l'altro, i bastioni del nostro cuore.

La bellezza trasforma il mondo in un incontro (anche una mela può bastare, come quelle che Cézanne dipingeva senza stancarsi: "Stupirò Parigi con una mela"), mentre la bruttezza trasforma il mondo in un agguato (anche una mela può bastare, come quella che si conficca nella schiena del povero Gregor Samsa, scagliata da un padre che lo odia). Dostoevskij faceva urlare a uno dei suoi personaggi che l'uomo "senza la bellezza non avrà assolutamente nulla da fare al mondo! Tutto il segreto è qui, tutta la storia è qui! La scienza stessa non si reggerà neanche un minuto senza la bellezza, lo sapete, questo, voi che ridete? Si convertirà in trivialità, non inventerete nemmeno un chiodo!", e aveva ragione. Senza bellezza c'è da rimanere chiusi in casa e aspettare la fine, sperando che il brutto non valichi la soglia della porta della camera. Solo la bellezza ispira a uscire da sé, a esplorare, ad amare, a creare, a riparare. La bellezza entusiasma al lavoro. E il lavoro ben fatto, qualsiasi esso sia (purché onesto), salva il pezzo di mondo che ci è affidato, perché lo porta al suo possibile e fecondo compimento. Ci si innamora solo attraverso la bellezza, per questo i poeti hanno il dono di innamorarsi continuamente. Se diventiamo incapaci di leggere poesia, scivoliamo nella cecità verso la bellezza, perdiamo l'amore, come dimostra la nostra stanchezza del quotidiano, vera corsa a ostacoli, spazio di prestazioni senza riposo, sete di fine settimana in fuga, mai dissetanti come speravamo. Dilaga, in un mondo che cerca il comfort in ogni angolo della vita, un paradossale non saper più stare al mondo, a forza di consumarlo. Per imparare a "stare" e poi a dare bisogna pazientemente "sostare". Tu mi hai insegnato, Giacomo, come si può stare al mondo in ogni istante, abitare ogni minuto, qualsivoglia sia la condizione che ci è dato abitare, per trovarvi bellezza. In che modo? Con quello che chiamiamo "ispirazione", e che non sappiamo neanche più cosa sia. L'abbiamo ridotta a una specie di prurito interiore che colpisce gente stravagante, e invece niente come l'ispirazione è capace di illuminare la nostra vita quotidiana da dentro, con quella luce che rende ogni nostro gesto autentico e ogni nostra opera feconda, indipendentemente dal risultato.

"L'ispirazione non è un privilegio esclusivo dei poeti o degli artisti in genere" dice la poetessa Wisława Szymborska. "C'è, c'è stato e sempre ci sarà un gruppo di individui visitati dall'ispirazione. Sono tutti quelli che coscientemente si scelgono un lavoro e lo svolgono con passione e fantasia. Ci sono medici così, e pedagoghi, e giardinieri, per non parlare di un centinaio di altre professioni. Il loro lavoro può costituire un'incessante avventura, se solo si è capaci di scorgervi sfide sempre nuove. Malgrado le difficoltà e le sconfitte, la loro curiosità non viene meno. Da ogni nuovo problema risolto scaturisce per loro un profluvio di nuovi interrogativi. L'ispirazione, qualunque cosa sia, nasce da un incessante 'non so'. Di persone così non ce ne sono molte. La maggioranza degli abitanti di questa terra lavora per procurarsi da vivere, lavora perché deve. Non scelgono il lavoro per passione, sono le circostanze della vita a farlo per loro. Un lavoro non amato, un lavoro che annoia, apprezzato solo perché comunque non a tutti accessibile, è una delle più grandi sventure umane. E nulla lascia presagire che i prossimi secoli apporteranno in questo campo un qualche felice cambiamento" (Discorso pronunciato alla consegna del Nobel per la letteratura nel 1996). Di questo abbiamo bisogno. Riconciliarci, grazie alla bellezza, al nostro "fare" nel mondo. Fare un lavoro che diventi poesia: qualcosa che renda il mondo più bello e noi artisti della nostra "Sistina esistenziale". Di questo ci fa dono la tua poesia, Giacomo, di una bellezza che ripara il nostro destino, perché ci ispira, risveglia la ricerca di una destinazione. La lettura di quel che mi hai scritto è stata per me salvifica, ispirava in me nuovi inizi a partire dalle tue conclusioni. Mi hai portato in quelle stanze della mia vita interiore da cui fuggivo, quando avevo diciassette anni, e in quelle che negli anni successivi avrei tenuto chiuse. E vorrei fosse così per molti altri.

Io penso che il luogo in cui queste "iniziazioni" a una vita più piena possono accadere sia la scuola, vero e proprio "vivaio" del futuro, campo di destini affidati a giardinieri dell'umano.

Quando ho portato la mia prima classe alla maturità, un gruppo molto motivato composto da ragazzi che amavano studiare, conoscere, approfondire, mi feci prendere dall'ansia da programma: fare il più possibile, nel miglior modo possibile. Consumavo le opere privilegiando il "da fare" anziché l'incontrare. La svolta avvenne quando un mio studente reagì in malo modo e chiese: "Ma a che serve fare tutto così, sempre in affanno, senza riuscire a trattenere nulla, perché non c'è il tempo di lasciarlo sedimentare?". Mi fermai impietrito. Mi ero lasciato programmare dal programma, invece di mettermi al servizio della bellezza, del compimento delle vite a me affidate. A programma ci sono la vita e le sue stagioni, che hanno bisogno di silenzio e lentezza, come un seme che genera prima lo stelo, poi il fiore, poi il frutto, mentre le sue radici si approfondiscono di pari passo: "La ragione è, che la natura non va a salti, e che forzando la natura, non si fanno effetti che durino. Ovvero, per dir meglio, quelle tali transizioni precipitose sono transizioni apparenti, ma non reali" (*"Dialogo di Tristano e di un amico", Operette morali*).

La scuola, Giacomo, potrebbe riparare tanta bellezza se resistesse alla tentazione tipica del consumismo: metterle le mani addosso e illudersi di possederla; se si affrancasse dalla corsa a raggiungere risultati quantificabili e non rispettosi delle singole originalità; se di fronte all'arte sostassimo e ci lasciassimo raggiungere dalla gratuità della bellezza. Invece, spesso, proprio a scuola impariamo che la bellezza è noiosa, superflua e inutile. I due libri più odiati dagli italiani sono la *Divina Commedia* e *I Promessi Sposi*, la cui grandezza si misura proprio sulla base della loro capacità di resistere agli attacchi della scuola, che li fa "a brani" e tende a servirsene come pretesto per fare analisi anziché come testo per fare la vita.

Tutte le volte che comincio con i miei alunni la lettura integrale dell'*Odissea* e dei *Promessi Sposi* li vedo spaesati, come appunto se li portassi in un altro paese. Ma è questo ciò che serve: essere portati, rapiti, in un altro luogo, per tornare al proprio ricchi di un mondo che è già stato salvato da un poeta, da un artista. Per questo alla fine sono contenti, ed è anche grazie alla fatica delle stagioni che hanno dovuto attraversare. Non dimenticherò mai i pasticcini estratti a sorpresa da sotto i banchi alla fine della lettura dell'ultimo verso dell'*Odissea*, con una classe che volle festeggiare la riconquista di Itaca. Giacomo, se leggessimo le opere integralmente quanta bellezza ripareremmo, quante chiamate provocheremmo, quanti rapimenti. Ma noi siamo troppo impegnati con il programma per occuparci delle persone e della loro vita:

L'uomo superficiale; l'uomo che non sa mettere la sua mente nello stato in cui era quella dell'autore [...] intende materialmente quello che legge, ma non vede [...] il campo che l'autore scopriva, non conosce i rapporti e i legami delle cose ch'egli vedeva.
(Zibaldone, *22 novembre 1820*)

Nutre la mente soltanto ciò che la rallegra, e ciò che la rallegra è la scoperta dei legami che uniscono cose e persone, che rendono viva la vita. Cogliere quei legami, accrescerli e ripararli è la felicità del cuore e della mente.

Sogno una scuola, Giacomo, che si occupi della felicità degli individui; e non intendo un luogo di ricreazione e di complicità tra docenti e alunni, ma uno spazio in cui ognuno trovi il dono che ha da fare al mondo e cominci a lottare per realizzarlo, in cui ciascuno trovi un'ispirazione che abbia la forza di una passione profonda, che gli dia energia per nutrirsi di ogni ostacolo. Sogno una scuola di rapimenti, una scuola come bottega di vocazioni da coltivare, mettere alla prova e riparare. Una scuola in cui l'insegnante sia il postino che porta le lettere di altri all'indirizzo di ogni studente. La scuola che ciascuno di noi ricorda in quel professore speciale, che ci ha guardato come *qualcuno* e non come *qualcosa*, cominciando così a farci fiorire.

Sono le cose inutili, come i sogni, come la letteratura, che dobbiamo salvare, soprattutto a scuola. La letteratura serve a generare domande e a viverle – chi meglio di te lo ha mostrato? –, serve alla felicità perché ne è la mappa, come dice questo racconto ebraico che amo molto:

Quando il Bàal Schem, il fondatore dello chassidismo, doveva assolvere un compito difficile, andava in un certo posto nel bosco, accendeva un fuoco, diceva preghiere, e ciò che voleva si realizzava. Quando, una generazione dopo, il Maggid di Meseritsch si trovò di fronte allo stesso problema, si recò in quel posto nel bosco e disse: "Non sappiamo più accendere il fuoco, ma possiamo dire le preghiere" – e tutto avvenne secondo il suo desiderio. Ancora una generazione dopo, Rabbi Mosche Leib di Sassov si trovò nella stessa situazione, andò nel bosco e disse: "Non sappiamo più accendere il fuoco, non sappiamo più dire le preghiere, ma conosciamo il posto nel bosco, e questo deve bastare". E infatti bastò. Ma quando un'altra generazione trascorse e Rabbi Israel di Rischin dovette anch'egli misurarsi con la stessa difficoltà, restò nel suo castello, si mise a sedere sulla sua sedia dorata e disse: "Non sappiamo più accendere il fuoco, non siamo capaci di recitare le preghiere e non conosciamo nemmeno il posto nel bosco: ma di tutto questo possiamo raccontare la storia". E, ancora una volta, questo bastò.

Quando sentii le tue parole "A che tante facelle e io che sono? Ove tende questo vagar mio breve?" mi accadde proprio la stessa cosa: sentii l'eco di qualcosa che mi apparteneva, e che i tuoi versi avevano conservato, in mezzo al caos in cui avevo dimenticato bosco, fuoco e preghiere. La letteratura è custode di questo fuoco costante, è il racconto che consente di realizzare il nostro compito, anche quando abbiamo dimenticato tutto e ci siamo smarriti. Quando le storie scompariranno, lo farà anche l'uomo, perché sarà scomparsa ogni traccia del suo destino.

Sogno una scuola in cui la letteratura valga più della storia della letteratura, leggere più del dover leggere, la parola più del programma.

E la parola, a differenza della tecnologia di oggi, non butta via il vecchio sostituendolo con il nuovo modello, ma ripara la realtà, con pazienza, nominandola bene e sempre meglio, proprio quando sbiadisce, si logora, si dimentica: "Trovata la parola [...] la nostra idea ne prende chiarezza e stabilità e consistenza e ci rimane ben definita e fissa nella mente, [...] colla parola prende corpo, e quasi forma visibile, e sensibile, e circoscritta" (*Zibaldone*, 1819-1820). È dei poeti riparare, cosa tutt'altro che comoda, così come lo è delle persone e dei mestieri pazienti (dal contadino al calzolaio, dal pescatore al pastore, dal meccanico al giardiniere, dal genitore al professore). Per loro è evidente che non si creano le cose dal nulla, ma che vanno custodite e coltivate, rimesse a nuovo. Tu ne hai riparate tante, alle quali hai prestato attenzione assoluta quando più nessuno se ne occupava.

Così hai riparato la malinconia, facendomi capire che troppo aveva da darmi per affidarla solo a categorie psicologiche e riduttive come il pessimismo; hai riparato la luna, insegnandomi che la sua manifestazione fa dell'oscurità non un termine negativo, ma il vivo contraltare della luce, perché l'una non si dà senza l'altra; hai riparato la giovinezza, ricordandomi che è l'età della vita più votata al dolore proprio perché la più aperta alla speranza; hai riparato il cuore, proprio quando, intimandogli di smettere di battere, ne svelavi la paradossale fibra muscolare che non smette di cercare l'infinito anche se nulla di terreno è capace di soddisfarne la sete; hai riparato la solitudine, facendomene sperimentare la gioia e la necessità; hai riparato la bellezza, facendomi scorgere la sua perenne incompiutezza e quindi la necessità di servirla perché si compia; hai riparato l'immaginazione, ricordandole che è la casa dell'infinito calato nel limite; hai riparato anche la noia, opponendoti a essa creando, anziché distruggendo.

Non è ciò che fanno gli amici, Giacomo, cercare di riparare e ripararsi a vicenda? Riparano i viventi, come ogni tuo verso. E senza il verso giusto, la vita non si può indossare con stile.

Ti ringrazio per le tue lettere, che mi hanno aiutato a vincere la fatica. Per questo le rileggo di continuo, come si fa con quelle più care.

Da insegnante e da scrittore, sono chiamato a custodire, curare, riparare alunni e parole, proprio perché sono preziosamente fragili.

E quando provo a rispondere, malgrado i miei fallimenti, a questa chiamata, so di aver fatto qualcosa di bello al mondo, perché questo è il mio rapimento e a questo voglio rimanere fedele, come lo sei stato tu, per poter dire alla fine dei miei giorni: nulla è andato sprecato.

MORIRE
o l'arte di rinascere

Datemi le vostre nuove e de' vostri, e vogliatemi bene.
Addio, addio. Il vostro Leopardi.

Lettera ad Antonietta Tommasini, 15 maggio 1837

Caro Giacomo,

qualche anno prima di te moriva, anche lui per mancanza di fiato nei polmoni, John Keats, anima tua gemella, esile esploratore dell'infinito dal corpo fragilissimo e per questo interamente proteso alla vita. In una delle sue ultime lettere scriveva che proprio la sua salute malferma gli aveva aperto i sensi: "È sorprendente (qui devo premettere che la malattia, per quanto io possa giudicare, mi ha in breve tempo come alleviato la Mente da un carico di pensieri e di immagini ingannevoli e mi fa percepire le cose in una luce più vera), è sorprendente ma l'idea di lasciare questo mondo rende più profondo in noi il senso delle sue bellezze naturali. Come il povero Falstaff, anche se non balbetto come lui, penso ai prati verdi. Medito con il più grande affetto su ogni fiore che conosco dall'infanzia: la loro forma e il colore sono così nuovi per me come se li avessi appena creati io con fantasia sovrumana" (14 febbraio 1820).

Anche tu sei stato costretto dal destino a prendere da subito la morte sul serio, infatti combattevi per cercare la vita e la luce, non per un'illusione di immortalità che ti lasciasti alle spalle ben presto. Non volevi semplicemente estenderti nel tempo, ma superarlo, trascenderlo, scoprire il segreto per rinascere.

Il segreto della poesia è lo stesso a cui ci costringe l'imminenza della morte: vivere le cose con la purezza della prima volta, proprio per timore che sia l'ultima. Che cosa farei, mi sono chiesto spesso, se sapessi di morire esattamente fra ventiquattr'ore, a che cosa le dedicherei? La consapevolezza della mortalità dell'uomo, la sua radicale fragilità, è ciò che lo apre all'essenziale della vita, la condizione per recuperare il gusto delle cose e il segreto perché non finiscano nel nulla. Il poeta si obbliga a questa scomoda disciplina di chi è costretto "a sollevare le cose sul piano della verità, della purezza e della durata. È un cercatore di felicità, cosa tutt'altro che comoda" (Franz Kafka).

All'inizio di questo ventunesimo secolo la Repubblica Ceca ha votato una legge atta a ridurre l'inquinamento luminoso della notte. Le illuminazioni notturne, ora, devono essere schermate, non superare la linea dell'orizzonte con il loro cono di luce, essere ridotte di un terzo oltre una certa ora attraverso regolatori di intensità, e i palazzi più alti non devono avere illuminazioni sulla parte superiore. Si tratta del punto di arrivo di una lotta condotta da un'associazione che si occupa di difendere il cielo notturno dall'aggressione luminosa artificiale. Il cielo notturno, picchiettato di stelle, è in via d'estinzione e questo provoca un danno difficilmente calcolabile sulle menti e sui cuori delle persone (oltre a conseguenze più immediate sull'ecosistema). Un terzo della popolazione mondiale non vede più la Via Lattea, un europeo su due vede solo alcune costellazioni sul totale di circa tremila stelle, tutte di colori diversi, che sarebbe possibile scorgere a occhio nudo (fino a mezzo milione con un binocolo!) se il cielo fosse terso. Non potevi sapere, Giacomo, poeta delle "vaghe stelle", che nel 2016 l'Italia avrebbe ottenuto il "premio" per il Paese con il più alto inquinamento luminoso. Sempre più raramente gli uomini sono colti da quel "senso dell'infinito", proprio perché non ce l'hanno più a portata di mano, le loro siepi non sono trampolini di lancio verso l'oltre, ma ostacoli insormontabili. Il cielo notturno dovrebbe diventare patrimonio dell'umanità, così come le più preziose tra le creazioni umane. Restituire al cielo notturno la sua identità ci aiuterebbe a ricordare che ci sono cose di cui non ci possiamo appropriare, ma che possiamo solo ricevere. Ritornare in balia della notte ci restituirebbe forse un po' di nostalgia per ciò che è indisponibile. Tu avevi intuito che una certa idea di progresso avrebbe provocato questa incipiente perdita dell'infinito. Due secoli dopo di te un Paese occidentale sente il bisogno di legiferare su ciò che la tua poesia aveva segnalato con largo anticipo, per poter salvare l'oscurità e quanto contiene, e riparare gli occhi dei suoi abitanti, e chissà, magari i loro cuori.

Solo chi ha consuetudine con l'infinito conosce la propria finitezza, accetta la morte e non la nasconde, solo chi accetta la morte sa vivere. Il tuo canto è nutrito di una grazia paradossale: ci insegna come il mestiere di essere mortali può diventare l'arte di essere fragili, perché solo chi sa contare i propri giorni diventa di stagione in stagione capace di abitare la vita con la leggerezza degli innamorati, sempre pronti a fare "la cosa bella". Le leggi degli uomini sempre più dovranno ricordare all'uomo quest'arte in estinzione, per esercitare la quale basterebbe a volte uno sguardo schietto al cielo notturno.

Ed era una notte di stelle la tua ultima notte, quella del 13 giugno 1837. Brillavano forte, in quell'estate funestata dal colera, ma due amici che parlano sul balcone sotto un cielo così possono fermare qualsiasi peste. Le parole che si tramanda rivolgesti ad Antonio Ranieri erano quelle che solo la vera amicizia può accogliere, perché solo i veri amici sono depositari delle nostre più profonde gioie e malinconie:

"È per altro fatale che Leibniz, Newton, Colombo, Petrarca, Tasso avessero fede nella religione cristiana e che noi non possiamo per nessun verso acquietarci alle dottrine della Chiesa?"

Il tuo amico rispose: "Sicuro che sarebbe meglio poter credere; ma se non possiamo, perché alla fede ripugna la ragione, qual colpa è la nostra?".

E tu, dopo una lunga pausa di silenzio stellato: "Ma perché la ragione di Leibniz, di Newton, di Colombo non era ripugnante come la nostra?".

Le ultime parole di un uomo risuonano sempre come sintesi, così accade in letteratura e nei film perché così accade nella vita. Ricordo quel parente che spirò, dopo essersi fatto il segno della croce, mentre diceva ad alta voce: "Sono Sergio". Le tue riguardano proprio il più grande rammarico: il cuore non si rassegnava a quell'infinito che gli è fitto dentro, anche se la ragione lo nega e le ripugna. Non ti davi pace; come potevano un navigatore, un filosofo, uno scienziato e i due poeti che più hai amato (alcuni erano diventati personaggi delle tue *Operette*, e quindi tue voci interiori) avere ancora una ragione unita al cuore che non rifiutava l'idea di un Dio provvidente e Padre? A loro invidiavi la fede in un Dio che è la risposta a ciò che la natura non dà, con la sua cruda indifferenza. Loro credevano a quelle parole di Cristo, che aveva guardato le cose della natura con l'attenzione "poetica" che avevi tu, come se ogni cosa contenesse sempre diversi piani, dalla superficie alla profondità: "Guardate gli uccelli del cielo: non seminano e non mietono, né raccolgono nei granai; eppure il Padre vostro celeste li nutre. Non valete forse più di loro? E chi di voi, per quanto si preoccupi, può allungare anche di poco la propria vita? E per il vestito, perché vi preoccupate? Osservate come crescono i gigli del campo: non faticano e non filano. Eppure io vi dico che neanche Salomone, con tutta la sua gloria, vestiva come uno di loro. Ora, se Dio veste così l'erba del campo, che oggi c'è e domani si getta nel forno, non farà molto di più per voi, gente di poca fede?" (*Mt* 6,26-30).

Neanche ai fiori selvatici, come la ginestra, è negata la bellezza. Una bellezza voluta e custodita da un Padre: la tensione alla pienezza è nelle mani di chi sta prima e dopo, del Dio che è garante del compimento di ogni singolo destino delle cose, che non conoscono la loro povertà di esistere e ricevono tutto ciò che possono, e delle persone, che della loro fragilità vengono a conoscenza e sono libere di accogliere o meno la vita che il Padre offre loro. Alla ragione e al cuore di quei grandi non ripugnava questa certezza. Tu, Giacomo, non ti rassegnavi a perdere il cuore, il quale sa che esistono verità frutto di fiducia prima ancora che di una dimostra-zione, verità come l'amore, come il fatto di esserci e respirare, come la nostra unicità, come la bellezza.

L'indomani, dopo una tazza di cioccolata, dice la testimonianza di Ranieri, gli dettasti a voce gli ultimi versi del *Tramonto della luna*, forse ancora suggestionato dalla bellezza di quell'ultima notte di stelle che vedesti come la prima. Avevi capito che era la tua ora.

Fu inutile l'intervento del medico e intempestivo quello del frate confessore, quando esalasti l'ultimo respiro tra le braccia del tuo migliore amico, dopo aver detto: "Io non ti vedo più". I tuoi occhi cedettero. Tu che avevi guardato più di tutti le cose, attraverso le cose, sopra le cose, oltre le cose e vi avevi cercato il segreto della vita.

Non esiste artista che non creda nell'eternità, magari non esplicitamente ma nei fatti, perché cerca con ogni mezzo di riscattare la bellezza dal tempo e dalla morte. L'uomo è un animale che vuole durare, l'artista sa che può provarci facendo qualcosa di bello al mondo, perché la creazione artistica è speranza di dare vita, di essere, contro ciò che lo impedisce, è la ricerca di ciò che ci fa rinascere. E la tua poesia, Giacomo, non si è sottomessa al dato biografico, precipitando nella confessione narcisistica, ma se ne è liberata: si è innalzata. La tua opera dice: "Io sono quello che non sono", e questa è la bellezza delle cose fragili, che bramano essere ciò che ancora non sono, lottano per compiersi e cercano ciò che le possa far fiorire nella loro piena bellezza.

Nella vita, per comprendere come sono le cose di questo mondo, bisogna morire almeno due volte. La prima da giovani, quando ancora si hanno tempo ed energie per rialzarsi, ed è quello che hai fatto tu, morendo al tuo rapimento iniziale e impegnando tutte le forze che ti restavano per riparare con i tuoi versi la malinconia di una grande promessa di felicità non mantenuta. La seconda quando staremo per smettere di respirare, e allora dovremo guardarci indietro e chiederci per cosa abbiamo respirato, se il nostro respiro è andato sprecato. E non si può morire del tutto se si è lottato per fare qualcosa di bello al mondo, se si è lottato per resistere alla tentazione del nulla, come confermava quell'anima a te affine: "Sono sempre più convinto che il fare Poesia dopo il fare il bene è la cosa più importante che c'è al Mondo" (John Keats, lettera del 25 agosto 1819).

L'arte di rinascere è allora l'arte di amare, perché solo chi ama fa qualcosa di bello al mondo. Solo l'amore ci consente di affrontare lo scandalo della fragilità del nostro essere, un amore che non dovrebbe venire mai meno nonostante le nostre insufficienze, capace di farci accettare e far fiorire il nostro destino, quell'amore che Baudelaire invocava pochi anni prima della sua morte: "Desidero con tutto il cuore (con quale sincerità nessuno può saperlo come me) credere che un essere esteriore e invisibile si interessi al mio destino, ma come fare a crederlo?" (Lettera alla madre, 6 maggio 1861).

Non possiamo avere un destino e una destinazione, senza un amore che abbia fede in noi prima che noi in lui. Questo amore, Giacomo, io l'ho trovato in Dio. Credo che le nostre carenze di destini, e quindi di felicità, siano carenze d'amore, d'un amore infinito, che scelga, abbracci e ripari, oggi e sempre, ogni limite della nostra fragile esistenza, perché raggiunga il suo compimento. Ma come hai detto tu, con uno slancio di malinconia, noi abbiamo troppa ripugnanza e sospetti sulla verità di questo Amore.

Voglio dirti addio come ti dissi grazie dinanzi alla tua tomba nel Parco Virgiliano, nel nudo silenzio di un sentiero, da cui si sentivano l'eco del mare e il vuoto che c'è sotto il cielo. Ti recitai questi versi di Adam Zagajewski:

Prova a cantare il mondo mutilato

Prova a cantare il mondo mutilato.
Ricorda le lunghe giornate di giugno
e le fragole, le gocce di vino rosé.
Le ortiche che metodiche ricoprivano
le case abbandonate da chi ne fu cacciato.
Devi cantare il mondo mutilato.
Hai guardato navi e barche eleganti;
attesi da un lungo viaggio,
o soltanto da un nulla salmastro.

Hai visto i profughi andare verso il nulla,
hai sentito i carnefici cantare allegramente.
Dovresti celebrare il mondo mutilato.
Ricorda quegli attimi, quando eravate insieme
in una stanza bianca e la tenda si mosse.
Torna col pensiero al concerto, quando la musica esplose.
D'autunno raccoglievi ghiande nel parco
e le foglie volteggiavano sulle cicatrici della terra.
Canta il mondo mutilato
e la piccola penna grigia persa dal tordo,
e la luce delicata che erra, svanisce
e ritorna.

La poesia ci costringe ad abbassare la luce artificiale e torniamo a vedere il mondo mutilato e fragile. Le cose tornano a reclamare i loro diritti, la loro tenerezza, la loro impurità, la loro ombra luminosa, la loro fragilità. Le cose e le persone, i loro volti, tornano a invocare la nostra misericordia: custoditeci e riparateci, nonostante tutto, così ripetono.

Non credo sia un caso che quella legge che reclamava il cielo notturno sia stata firmata da un presidente che era anche scrittore e poeta. Qualcuno potrebbe pensare che si tratti di una trovata sentimentale, effimera, da ascrivere al genere della provocazione. E se invece camminare sotto le stelle, divertendosi a contarle, come te, Giacomo, fosse la vera posta in gioco per riavere indietro desideri e destini, doni e compiti, all'inizio di questo nuovo millennio? Se le stelle riuscissero ancora a colpire i nostri occhi, non solo una volta all'anno quando cadono, credo che avremmo più possibilità di costruire la nostra casa su fondamenta celesti, quelle della nostra unicità.

Forse se il nostro lettore, Giacomo, stanotte spegnesse tutte le luci e guardasse il cielo in silenzio, saprebbe che la bellezza e la gratitudine ci salvano dallo smarrimento dovuto alla nostra carenza di destino e destinazione.

Forse se in quel buio luminoso avesse accanto o nel cuore qualcuno, ne scorgerebbe meglio la seducente fragilità, un infinito ferito che chiede cura e riparazione, e capirebbe di esser "poeta", cioè chiamato a fare qualcosa di bello al mondo, costi quel che costi.

Forse allora saprebbe che solo uno è il metodo della faticosa ed entusiasmante arte di dare compimento a se stessi e alle cose fragili, per salvarle dalla morte: l'amore.

Questo è il segreto per rinascere.

Questa è l'arte di essere fragili.

P.S.

Caro Giacomo,
tutte le lettere che si rispettino hanno un *post scriptum*, quel pensiero che ci ha sorpreso qualche ora dopo aver terminato di scriverle, come un frutto tardivo. Il frutto che voglio offrirti è quello di un episodio che ho letto qualche tempo fa.

I nazisti trasformarono Terezín, una piccola cittadina vicino a Praga, per una parte in un ghetto e per una parte in campo di concentramento, dopo averla circondata con un muro e aver cacciato i cittadini non ebrei. Theresienstadt, così fu ribattezzata, doveva servire da modello per la propaganda nazista (la chiamavano "zona autonoma di insediamento ebraico"), ma in realtà era solo un esperimento di morte.

Un uomo sopravvissuto a quel campo di concentramento racconta che era stato annunciato un rastrellamento di mille giovani per l'indomani, se non si fossero consegnati spontaneamente. Al mattino ci si rese presto conto di un fatto curioso: la libreria di Theresienstadt era stata svaligiata. Ognuno di quei ragazzi costretti a entrare fra le mura del campo aveva preso un paio di libri, per metterli nello zaino concesso alla partenza come unico bagaglio. Non riempirono quello zaino di ricordi inutili, ma neanche di cibo o beni di prima necessità; ci infilarono uno o due libri. La loro sopravvivenza dipendeva molto più dalle parole di un narratore, di un poeta, di uno scienziato, che da qualsiasi altra cosa. Di fronte alla morte, anteposero ciò che era necessario a ciò che era importante. Per ancorarsi alla vita bisogna ancorarsi al senso della vita.

Ma sarà vero che i libri salvano la vita, Giacomo? Forse la salvano metaforicamente, come ci siamo detti, perché la preservano dal nonsenso, danno forma all'informe, aiutano ad abitare la possibilità, innestano l'invisibile nel tronco del visibile (o viceversa?); in ultima istanza ci dicono che non siamo soli e che la bellezza non è esiliata del tutto, anche in un campo di concentramento.

Eppure, nei giorni in cui scrivevo queste lettere ho ricevuto le righe di una ragazza che aveva deciso di togliersi la vita. Mi diceva che se fino a quel momento non lo aveva fatto era per via della tua poesia, grazie alla quale non si era sentita sola al mondo. Tutta la notte che si portava nel cuore era diventata abitabile, e lei passava le notti a piangere su una vita che riteneva a tutti gli effetti "mostruosa".

Questa forza dei poeti di celebrare disinteressatamente il mondo, le cose, le persone è la gratuità di cui abbiamo bisogno per scoprirci belli, e non mostri. La poesia non dobbiamo mai meritarcela, è dono che ci fa percepire il dono che siamo, proprio perché il poeta ci ha fatto sentire preziosi persino pastori erranti, passeri solitari, viatori confusi, ginestre e altre fragilità.

Quella ragazza aveva deciso che non le bastava più nulla, neanche la tua Saffo, la tua malinconia, la tua lotta per la bellezza. Allora le ho detto che stavo scrivendo un libro con te e che parlava proprio di questo misterioso dramma o commedia che è la vita, e che lei non poteva lasciare la scena senza averlo letto. Mi ha risposto che avrebbe sospeso il suo proposito di ritirarsi, voleva leggerlo. Forse le servirà a rivedere le tappe della vita che non le è stato permesso di vivere. Forse così troverà una destinazione, come i semi nascosti nella terra, ignari della luce se non per malinconica assenza.

I libri, scelti bene, caro Giacomo, possono salvare la vita, soprattutto quella fragile, facendole cogliere il frutto del futuro che ha dentro.

E, grazie a te, quando dico che un libro può salvare la vita so che non sto ricorrendo soltanto a una metafora.

Ti voglio bene.
Addio.
Arrivederci.

Tuo,
Alessandro

Ringraziamenti

La libertà per me è fedeltà a ciò che amo e a cui sempre ritorno: la scuola. Questo libro è un grazie a tutti i maestri, colleghi e studenti che ho incontrato in questi anni. Per tutti gli altri spero sia un dono.

È nato durante una lezione con dei ragazzi dell'ultimo anno di diverse scuole, i cui occhi brillavano, mentre raccontavo un Leopardi che non s'aspettavano, forse lo stesso che avevo incontrato io alla loro età, eppure stavo solo leggendo le sue parole e la bellezza fragile, ma indomita, della sua *Ginestra*. Un'ulteriore conferma che dovevo scriverlo l'ho ricevuta dalle righe di una studentessa: "Sono una ragazza di vent'anni, studentessa di Lettere classiche. Le scrivo per dirle che sono felice. Ho conosciuto la letteratura grazie alla mia professoressa del liceo ed è stato l'incontro più fertile di tutto questo tempo, e non esagero affermando che mi ha salvata. Lei mi ha dato gli strumenti, mi ha offerto gratuitamente l'equipaggiamento per un viaggio straordinario, un viaggio in un 'porto sepolto'. Io quel porto l'ho intravisto, possibile crederlo? Ho visto una luce abbagliante, le cui ombre sono soltanto l'altra faccia della bellezza messa a fuoco. E ho capito. La letteratura ha allontanato le tenebre, anzi le ho messe in disparte io – davvero sono stata io –, lei mi ha dato il CORAGGIO. E ora non sono mai sola, il salto è stato sprofondare in un abisso in cui è dialogo continuo – *a*-temporale, *a*-spaziale –, in cui la mano è stretta da più di mille che *con*-prendono! E come avrei potuto trovare il coraggio d'essere felice senza la mia prof? E allora scrivo a lei, caro prof, per dirle grazie. Sono maestri come voi quelli di cui abbiamo bisogno, perché nella melma che ogni ragazzo porta inevitabilmente con sé, c'è il seme di una 'ginestra' e voi, guerrieri – perché gli insegnanti combattono, l'ho ben capito –, ne spaccate il guscio e fate esplodere la forza di quel fiore".

Spaccare il guscio e lasciare che ogni fiore sia, questo è il compito di ogni maestro. Se fare l'insegnante è ascoltare persone, scrivere per me è ascoltare personaggi. In entrambi i casi cose fragili, che chiedono di avere un destino, di esistere un po' di più, di non cadere nel nulla dell'indifferenza. Ecco perché vorrei che questo libro non venisse confuso con un'opera di critica letteraria, non ne ha la pretesa, ma che realizzasse più semplicemente quello che diceva Proust: "Una delle grandi e meravigliose caratteristiche dei bei libri (che ci farà comprendere la funzione a un tempo essenziale e limitata che la lettura può avere nella nostra vita spirituale) è questa: che per l'autore essi potrebbero chiamarsi "conclusioni" e per il lettore "incitamenti". Noi sentiamo benissimo che la nostra saggezza comincia là dove finisce quella dello scrittore; e vorremmo che egli ci desse delle risposte, mentre tutto quanto egli può fare è solo d'ispirarci dei desiderii [...] Tale è il valore della lettura, e tale è anche la sua insufficienza. La lettura si arresta alle soglie della vita spirituale: può introdurci in essa, ma non la costituisce. [...] Finché la lettura resta per noi la iniziatrice le cui chiavi magiche ci aprono, nel profondo di noi, la porta delle dimore in cui non avremmo saputo penetrare da soli, la sua funzione nella nostra vita è salutare. Diventa invece pericolosa quando, in luogo di destarci alla vita personale dello spirito, tende a sostituirsi a questa" (*Giornate di lettura*).

Il mio grazie va a tutti coloro che hanno permesso a questo libro di esistere, in primo luogo Carlo Carabba e Marilena Rossi, che ne hanno accettato la pericolosa sfida e, insieme a Linda Fava, lo hanno pazientemente aiutato a nascere. Grazie a Nadia Focile, Mara Vitali, Alice Dosso, Rossana Frigeni e mia sorella Paola, veri angeli custodi dei miei libri e del mio incontro fecondo con i lettori. Grazie ad Alessandro Rivali per le chiacchierate su temi poetici: chi scrive prosa si nutre delle briciole che cadono dalla tavola dei poeti. Grazie ai miei genitori, fratelli e sorelle, per merito dei quali (non è facile tenere uniti sei figli) ho imparato l'arte di essere fragili. Grazie a mia sorella Marta che, anche stavolta, negli scatti di copertina, è riuscita a dare alle mie pagine il volto più bello. Grazie agli amici e amiche che mi consentono di essere me stesso, aiutandomi a rimanere fedele all'ispirazione anche quando perdo di vista la meta. Grazie ai ragazzi e alle ragazze che hanno arricchito la mia vita, e questo libro, con le loro lettere. Grazie alla collega e agli studenti che, ascoltandomi in un caldo pomeriggio scolastico, mi hanno offerto i loro preziosi consigli per realizzare il racconto teatrale che trarrò da queste pagine con l'aiuto di Gabriele Vacis e Roberto Tarasco. Grazie all'"Amor che move il sole e l'altre stelle" e queste piccole dita sulla tastiera.

Questo libro è la scuola come mi piacerebbe che fosse e come Calvino si augurava potesse essere il nuovo millennio: "Se volessi scegliere un simbolo augurale per l'affacciarsi al nuovo millennio, sceglierei questo: l'agile salto improvviso del poeta-filosofo che si solleva sulla pesantezza del mondo, dimostrando che la sua gravità contiene il segreto della leggerezza, mentre quella che molti credono essere la vitalità dei tempi, rumorosa, aggressiva, scalpitante e rombante, appartiene al regno della morte, come un cimitero d'automobili arrugginite" ("Leggerezza", *Lezioni americane*).

Il poeta-filosofo a cui si riferiva Calvino è il più caro amico di Dante, Guido Cavalcanti, che si divincola, con un balzo tra le tombe, dalla brigata di uomini ricchi e sicuri di sé che lo canzona per la sua solitudine e la sua inesausta domanda sull'esistenza di Dio. Il mio poeta-filosofo è Leopardi, i cui canti stanno sempre bene in tasca, dove si mettono le cose imprescindibili.

Alla fine della scrittura di queste pagine, che mi sono costate momenti di vera e propria "passione", posso dire con John Keats che ho "subìto una metamorfosi, ma non per nuove penne e nuove ali: queste sono sparite e, al loro posto, spero ormai d'avere un paio di gambe per camminare pazientemente sulla terra" (Lettera dell'11 luglio 1819).

Auguro questa metamorfosi anche a te, caro lettore, che hai deciso di portare "in tasca" questo libro, dedicandogli il tuo tempo e i tuoi pensieri. Ti sono grato per aver fatto questo tratto di strada insieme.

Postilla per lettori indomiti

Se la vostra sete di conoscere Leopardi, come spero, non è paga, ritengo giusto farvi sapere che i testi leopardiani citati in questo libro (quelli in esergo a volte presentano delle omissioni allo scopo di trasmettere l'essenza di ragionamenti più ampi) potete trovarli nei volumi dedicati all'autore nella collana dei "Meridiani" Mondadori: *Prose e poesie* (due volumi), *Zibaldone* (tre volumi), *Lettere*. L'unico caso in cui mi sono permesso di adattare le sue parole alla lingua del nostro tempo per facilitarne la comprensione è la lettera che Giacomo scrisse al padre quando decise di scappare di casa.

Se volete approfondire i fatti della vita di Leopardi potete rivolgervi alla biografia che ho amato di più (per capacità di tenere più piani della vita del poeta tra loro collegati in modo armonico) e che ho consultato come base per queste pagine: il *Leopardi* di Iris Origo, pubblicato nella collana dei "Ritratti" da Castelvecchi.

Indice

Mondadori Libri S.p.A.

Questo volume è stato stampato
presso ELCOGRAF S.p.A.
Stabilimento - Cles (TN)

Stampato in Italia - Printed in Italy

Idilli
MDCCCXIX
L'Infinito
Idillio I

Sempre caro mi fu quest'ermo colle
E questa siepe, che da tanta parte
De l'ultimo orizzonte il guardo esclude.
Ma sedendo e mirando, interminato
Spazio di là da quella, e sovrumani
Silenzi, e profondissima quiete
Io nel pensier mi fingo, ove per poco
Il cor non si spaura. E come il vento
Odo stormir tra queste piante, io quello
Infinito silenzio a questa voce
Vo comparando: e mi sovvien l'eterno,
E le morte stagioni, e la presente
E viva, e 'l suon di lei. Così tra questa
~~Immensità~~ Infinità s'annega il pensier mio:
E 'l naufragar m'è dolce in questo mare